KB009629

백인천의
노력자애

**백인천의 노력자애**

**초판 인쇄** 2015년 4월 14일
**초판 발행** 2015년 4월 20일

**지은이** 백인천
**펴낸이** 김광열
**펴낸곳** (주)스타리치북스

**책임편집** 이혜숙
**출판진행** 한수지 · 안미성
**출판감수** 홍윤표
**편집교정** 이상희
**캘리그라피** 조성윤
**표지디자인** 권대홍 · 조인경
**경영지원** 공잔듸 · 권다혜 · 김문숙 · 김지혜 · 김충모 · 문성연
박정은 · 손연주 · 심두리 · 이광수 · 이지혜 · 한정록

**등록** 2013년 6월 12일 제2013-000172호
**주소** 서울시 강남구 강남대로62길 3 한진빌딩 5층
**전화** 02-2051-8477

**스타리치북스 페이스북** www.facebook.com/starrichbooks
**스타리치북스 블로그** blog.naver.com/books_han
**스타리치몰** www.starrichmall.co.kr
**홈페이지** www.starrich.co.kr

값 20,000원
ISBN 979-11-85982-05-2 13190

한국 프로야구의 전설, 백인천의 리더십

# 백인천의 노력자애

努力自愛

**백인천** 지음

Bic.04.12

# 혼魂을 불사른 '4할'의 야구 인생

일흔이 넘는 세월을 살아왔습니다. 그동안 프로야구선수로 영광과 영욕을 함께 맛보았습니다. 그리고 지금은 건강프로로서 건강 전도사가 되어 살고 있습니다.

프로야구선수 시절 시즌 최고 타율이 '4할'이었습니다. 이 기록은 우리나라에 프로야구가 출범한 지 30년이 넘었지만 아직도 깨지지 않고 있습니다.

저는 선수 시절 야구를 목숨을 걸고 혼魂을 불사르며 했습니다. 야구에 중독되어 야구만 생각하며 살았습니다. 제가 살아오면서 좌우명으로 삼고 있는 문구가 있습니다.

노력자애努力自愛.

이 말에는 스스로 노력하는 일을 사랑해야 모든 고통을 이겨내고 성공할 수 있다는 뜻이 담겨 있습니다. 우리는 태어날 때 어머니 자궁에서 나오는데 이때 어머니의 자궁이 찢어집니다. 이 고통은 이루 말할 수 없는데 어머니는 이런 고통 속에서 나를 낳아주셨습니다. 이 고통을 생각한다면 무슨 일이든 참고 견딜 수 있습니다. 목표를 이루려면 모든 것을 견뎌야 하며, 이 세상 모든 일은 노력의 크기에 따라 결과가 달라집니다.

세상 모든 일은 중독되어서 하면 이룰 수 있습니다. 저는 그걸 야구를 통해 배웠습니다. 그리고 건강이 악화되었을 때도 포기하지 않고 미친 듯이 달렸습니다. 건강을 위해서 여러 방법을 몸소 체험해보고 제게 맞는 치료법을 찾았습니다. 그랬기에 뇌경색도 이겨내고 현재 정상적으로 생활하고 있습니다.

제 평생 야구와 함께하였고 지금도 야구와 떼려야 뗄 수 없는 삶을 살고 있기에 이 책의 구성도 야구경기와 같이 해보았습니다.

1회 '끝없는 야구 인생길'에서 4회 '일본 진출 예고편'까지는 일본으로 건너가 프로야구선수가 되기 전까지의 삶을 돌아보았습니다. 일제강점기에 태어나 6·25전쟁을 겪고, 야구와 인연을 맺어 아마추어 야구선수로 살아가면서 프로야구 무대에 진출하는 꿈을 이루기까지 과정을 정리했습니다.

5회 '일본시대'에는 우여곡절 끝에 일본으로 건너가 프로야구선수로 활약할 때의 삶을 담았습니다. 가깝고도 먼 나라인 일본에서 시련은 있었지만 끝내 이겨내고 프로야구선수로서 정상에 우뚝 서기까지 에피소드 등을 풀어놓았습니다.

6회 '한국시대'와 7회 '본격 감독시대'에는 일본에서 한국 프로야구로 돌아와 선수 겸 감독으로 활동하던 시절과 감독으로 본격적으로 활동하던 때의 이야기를 정리했습니다.

8회 '은퇴 이후의 삶'에는 현역에서 은퇴한 뒤에도 야구와 함께해 온 끝없는 야구 사랑의 삶을 담았습니다.

9회 '건강프로 백인천'에는 뇌경색으로 쓰러진 뒤 건강을 되찾은 과정과 건강프로가 되고자 노력하는 제 삶을 정리했습니다.

끝으로 연장전 '건강전도사 백인천'에서는 강의 등에서 활용한 원고를 정리해서 실었습니다.

나름대로 치열하게 열심히 살아왔지만 삶에 대한 평가는 어떻게 보느냐에 따라 달라질 수 있겠지요. 여러분의 고견을 겸허히 듣겠습니다. 아울러 두서없고 미숙하지만 제가 살아온 삶을 담은 이 책이 여러분의 행복하고 건강한 삶에 조금이나마 도움이 되었으면 합니다.

2015년 4월 백인천

**김소식 위원**(대한야구협회 자문위원장)

개인과 개인의 대결이 조합되어 팀플레이가 되고 개인의 노력, 경기를 이끌어가는 리더십과 어떤 자세로 임하느냐가 승패로 연결되는 것이 바로 야구다. 한국 야구는 짧은 역사 속에서도 세계적인 스타를 발굴하였고, 올림픽과 아시아경기대회 그리고 각종 국제대회에서 괄목할 만한 성적을 올리면서 국위를 선양하여 가장 대중적인 스포츠로 사랑받고 있다.

야구라는 종목이 국민에게 대중적인 스포츠로 자리매김할 수 있도록 야구 역사의 한 획을 그은 백인천 감독의 글에는 1960년대인 고교 시절부터 일본 선수 시절, 감독 시절과 뇌경색을 앓고 건강을 되찾기까지의 열성적인 노력이 고스란히 담겨 있다. 야구 경험이 풍부해서 비상대책을 세우는 데 능한 그이기에 뇌경색도 거뜬히 이겨내지 않았나 싶다.

백인천 감독의 근성과 열정을 알기에 그동안 했던 노력과 열정에 아낌없는 격려와 박수를 보낸다. 뇌경색을 이긴 '불멸의 4할 타자' 백인천, 그의 인생철학이 오롯이 담긴 이 책이 삶을 일깨우는 계기가 되었으면 한다.

**김응룡 감독**(해태 타이거즈, 삼성 라이온즈, 한화 이글스 전 감독)

동물세계에도 '우두머리'와 서열이 존재한다. 인간이나 짐승이나 서열은 중요하고 우두머리 역할도 크다. 한 집단이 흥하고 망하는 것이 우두머리에 의해 좌우된다. 우두머리는 강력한 리더십과 카리스마 그리고 집단 전체를 꿰뚫어보는 통찰력을 가지고 있다. 스포츠에서 우두머리라고 할 수 있는 감독도 마찬가지다.

감독은 선수들과의 활발한 소통과 리더십으로 조직을 이끌고, 구성원들에게 각각의 특성에 맞는 포지션을 제공하여 조직원을 승리의 길로 이끌어야 한다. 경기를 우승으로 이끄는 핵심 동력은 선수들의 노력과 코치, 단장의 역할도 중요하지만 선수들의 잠재력을 키워줄 수 있는 탁월한 지도력을 가진 리더를 만나는 것도 중요하다.

백인천 감독은 선수 시절부터 감독 시절에 이르기까지 수많은 경험 속에서 터득한 노하우, 지식, 판단력으로 유능한 인재를 발굴하여 키워냈다. 백인천 감독이 성적이 부진한 팀을 우승으로 이끌어낼 수 있었던 여러 원동력 가운데 그의 리더십과 야구에 대한 열정이 한몫하지 않았을까 생각한다. 이 책을 읽으면 리더의 자질과 노력의 힘이 얼마나 중요하고 대단한지 알 게 될 것이다.

**이승엽 선수**(삼성 라이온즈 내야수)

"백인천 감독은 나에게 최고의 스승이다."

페이지를 넘기며 흥분되었다. 내 스승님의 이야기이자 야구의 역사가 이 책에 담겨 있기 때문이다. 스승님은 내가 투수에서 타자로 막 전향한 시점에 "어떤 타자가 되고 싶은가?"라고 내게 물으셨다. 스승님이 "홈런 타자입니다"라는 나의 진심어린 대답을 이해하고 알아주셨기에 나도 혹독한 훈련을 이겨냈다.

스승님은 야구선수는 언제, 어느 날 성적이 터질지 모르니 하루라도 훈련을 쉬면 안 된다고 말씀하셨다. 당신 경험에 비추어 스윙부터 시작해서 홈런왕에 걸맞은 타자가 될 수 있도록 설명해주셨다. 스승님 말씀에 따라 몸에 배도록 훈련을 계속한 나는 1997년 32홈런을 기록, 어느새 홈런왕 자리에 올라와 있었다.

야구와 건강 두 마리 토끼를 쟁취한 스승님처럼 나도 선수생활을 그만둘 때 나 자신에게 "그래, 수고했다! 네가 할 수 있는 건 다 해봤다"라고 자신 있게 말할 날이 오기를 기대한다. 내가 언제나 진행형인 것처럼 '프로야구의 전설 백인천'도 여전히 현재 진행형이라고 굳게 믿는다.

**민경삼 SK 와이번스 단장**(전 MBC 청룡 선수, LG 트윈스 코치)

야구의 매력은 그야말로 무궁무진하지만 그 안에 재미를 더하는 것은 야구 기록이다. 야구는 어떤 스포츠보다도 기록을 중시하기 때문에 야구선수에게서 빼놓을 수 없는 것 중 하나가 타율이다. 그렇기에 전설의 4할 타자인 백인천 감독님의 이름이 프로야구의 전설로 남아 있는 것이다.

나는 선수와 구단 매니저, 운영팀을 거치면서 아홉 명의 감독님을 겪었다. 그중 한 분이 백인천 감독님이다. 나의 선수시절 MBC 청룡을 승계한 LG 트윈스가 창단 첫해인 1990년에 한국시리즈 정상에 설 때, 백인천 감독님과 우승의 기쁨을 함께 나누었다. 그런 점에서 전설로 불리는 분과 야구인생의 한 부분을 함께했다는 것이 자랑스럽다.

감독님의 야구인생이 고스란히 녹아 있는 이 책은 한국 프로야구를 진정으로 사랑하는 백인천의 혼魂이 깃든 작품이다.

**김용수 감독**(전 LG 트윈스 투수 · 감독)

신이 인간에게 준 가장 큰 선물은 미래를 예측할 수 없게 한 것이다. 야구 역시 한 치 앞을 내다볼 수 없다. 팬들은 그래서 야구에 열광한다. 백인천 감독님 또한 팬들의 환호에 중독되어 공 하나에 울고 웃으며 최고 타율을 기록했다. 내가 몸담았던 LG 트윈스는 백인천 감독님을 영입하고 적극 지원했다.

백인천 감독님은 나를 선발로 나가게 해주시고 '마무리 투수' 라는 이름으로 끝까지 마운드에 서게 해주셨다. 그 덕에 정규리그 1위에 이어 한국시리즈에서도 4연승으로 우승하며 서울 팀으로는 첫 우승의 기쁨을 맛볼 수 있었다. 당시 모든 선수가 감독님을 믿고 힘을 냈다. 그 결과 역대 단일팀 최다 관중인 76만 8,000여 명을 기록해 흥행에서도 최고의 한 해를 보냈다. 나에게 최고의 해이자 전성기를 백인천 감독님과 보낸 것이다.

우리가 사랑하며 함께 울고 웃고 환호했던 한국 프로야구의 역사는 물론 뇌경색을 극복한 감독님의 열정적인 삶의 모습을 이 책을 통해 많은 분이 공감했으면 좋겠다.

contents

## 4회

## 일본 진출 예고편



## 5회

## 일본시대 1962~1981

## 6회

## 한국시대 1982년 이후

# 7회

## 본격 감독시대

## 8회
## 은퇴 이후의 삶

## 9회

## 건강프로 백인천

## 0 연장전

# 건강전도사 백인천

야구의 길은 끝이 없다. 목표가 보이지 않는다.
보인다면 누구나 달성할 수 있겠지만 그것은 저 멀리 보이는 수평선 같다.

# 1회

# 끝없는 야구 인생길

# 1 회

## 노력자애努力自愛,
## 4할의 타율, 4할의 삶

내 나이 일흔 고개를 넘어섰다. 일본 프로야구선수 생활 20년에다 1981년 영구 귀국해 한국 프로야구 무대에서 2003년 롯데 자이언츠 감독직을 끝으로 물러날 때까지 다시 20년. 반백년 풍상을 한국과 일본의 프로야구판에서 겪었다.

1962년 혈혈단신으로 일본에 건너가 1975년 타격왕에 오르기까지 인고의 14년 세월과 1981년 한국 프로야구 출범 소식을 듣고 달려와 1982년 첫해에 전무후무한 4할 타율을 기록한 일이 뇌리에서 명멸한다.

열아홉 살, 당시만 해도 '적의 땅'이었던 일본에 가서 최고 타자 반열에 오르기까지 열정과 도전정신, 불타는 혼이 없었다면 나는 야구사의 뒤안길로 일찌감치 사라졌을 것이다.

'노력자애'는 1963년 2월 일본 시즈오카현 이토 캠프 때 도에이 구단 선수들과 친하게 지내던 한 스님이 써준 휘호로, 나는 지금도 간직하고 있다.

'하늘은 스스로 노력하는 자를 돕는다'는 격언과 비슷한 말이다. 일본에서 선수생활을 하면서 이 말을 잊지 않았다. 심지어 화장실에 이 글귀를 써놓고 매일 아침 의욕을 북돋우기도 했다.

야구 인생 50년 동안 숱한 일을 겪었다. 이제 그 무거운 짐을 내려놓고 홀가분한 마음으로 어린 선수들을 가르치며 보내고 있다. 때론 좌절했지만 남들이 놀랄 만큼 위기를 잘 극복해냈다. 남은 인생, 건강한 몸으로 후배들을 위해, 한국 야구 발전을 위해 조금이라도 기여했으면 하는 마음으로 살아가고 있다.

기록은 세월이 흐르면 가치가 더해지는 법이다. 내 야구 인생에 따라다니는 4할 타율. 내 삶의 승률은 과연 4할이 될까. 운명처럼 이끌린 야구의 길, 야구와 내 인생살이는 겹쳐 있다.

이 보잘것없는 얘기는 '나는 야구 무대에서 이렇게 살아왔다. 이런 삶도 있었다'는 것을 진솔하게 전하고 싶어 꾸렸다. 프로로서 지식과 노력, 경험이라는 세 가지를 보일 줄 아는 삶을 살았다고 자부한다.

살아온 날에 후회는 없다. 더 없이 행복했다. 한때 잃어버렸던 건강도 다시 찾았다. '최고 경쟁력은 열정'이라는 잭 웰치의 말처럼 열정과 오기로 야구 인생 50년을 버텨왔다.

'혼의 야구'를 주창해온 나는 재일동포 장훈 선배를 본받아 목숨을 걸다시피 야구에 전력투구해서 마침내 일가를 이루었다. 지도자로

1982년 한국프로야구 MBC 청룡시절 4할을 기록한 배트. 타율 0.412, 홈런 19라고 쓰여 있다.

2014년 12월 '한국프로야구 은퇴선수의 날' 시상식에서 〈백인천BIC 0.412〉상에 선정된 황대인 선수(경기고)에게 이형우 명장이 제작한 도자기 트로피를 수여했다.

서 이승엽 같은 큰 선수를 길러냈다는 자부심도 가지고 있다.

목숨을 걸고 야구를 했고 살기를 띠고 야구를 했다. 이는 아무나 흉내낼 수 없다. 나 자신이 두려울 때도 있었다. 프로야구선수는 야구가 생명줄이다. 생명을 함부로 다룰 수 없는 이치와 같다.

내가 나이 마흔까지 선수생활을 할 수 있었던 것은 술, 담배를 전혀 안 했기 때문이다. 특히 담배는 선수 생명을 짧게 만든다. 유혹이 많았지만 끝까지 야구에 몰두했다. '해냈다'는 생각이 가슴 깊은 곳에 자리 잡고 있다.

인생살이에서 얻은 소중한 경험은 건강이 가장 중요하다는 것이다. 건강을 잃고 어쩔 수 없이 그라운드를 떠나는 아픔을 삭여야 했기에 더욱 그런 생각이 강하게 든다.

일본 야구판에는 '야구 하나에 집중하고 중독이 돼야 한다'는 말이 있다. '구도무한球道無限.' 야구의 길은 끝이 없다. 목표는 보이지 않는다. 보이면 누구나 달성할 수 있지만 그것은 먼 수평선 같다. 완전한 삶이 어디 있겠는가. 삶을 완성한다는 것은 꿈같은 얘기다.

장남(현일)도 야구를 했지만 부상을 당해 그만뒀다. 손자가 둘 있다. 일본에서 살고 있는 그 애들을 만나러 가면 며느리가 막 웃는다. 부자와 손자, 3대의 뒷모습이 똑 닮았다고. 내 아들도 제 아들에게 예전에 내가 그랬던 것과 똑같이 한다.

50년 야구 세월을 저만치 흘려보내고, 때때로 오염되지 않은 어린 선수들을 가르치는 보람에 산다. 이제 건강하게 살다가 이 세상 뜨는 일만 남았다.

어느 날 학교 게시판에 야구부를 창단한다는 공고가 붙었다.
동네 친구들과 야구공을 던지며 놀았기에 냉큼 달려갔다.

# 2회

## 출생-유년에 꾼 **야구의 꿈**

# 2회

## 중국에서 태어나다

나는 1942년 음력 9월 27일 중국 우시에서 3남 4녀 중 셋째로 태어났다(호적에는 1943년 11월 27일로 올라 있다). 우시는 중국 3대 호수로 유명한 타이후가 가까이 있어 관광지로도 널리 알려진 곳이다.

선친 백경도白慶道는 그곳에서 일본 주둔군을 상대로 극단을 운영했다. 아버지는 원래 돈 있는 집안의 자식이었다.

해방이 되자 아버지 고향인 평안북도 철산으로 돌아왔다. 그곳에는 조부모님이 살고 계셨다. 조부모님은 철산 장터에서 국밥이나 순댓국 같은 걸 파신 모양이다.

어머니한테서 태몽을 들은 적은 없다. 하지만 어렸을 적 관상을 볼 줄 아는 사람이 장날 국밥집에 와서 나를 보더니 대뜸 이렇게 말했다고 한다.

"얘는 나중에 부모를 떠나서 혼자 살게 될 것이다. 멀리 가서 도를 닦을 것이다."

지금에 와서 내 삶을 돌이켜보면 그 관상가 말대로 살아온 셈이다.

우리 식구는 6·25전쟁이 나기 전 철산에서 남쪽으로 내려왔다. 식구들에 앞서 먼저 남쪽으로 떠난 아버지가 도중에 '일본군에 협력했다'는 혐의로 붙잡혀 시베리아행 화물열차에 실려 끌려가는 사건이 일어났다.

만약 아버지가 그대로 끌려갔다면 내 인생은 아주 달라졌을지도 모른다. 이 엄청난 위기에서 아버지를 구해준 사람은 순찰을 돌던 담당관이었다. 장사할 때부터 아버지를 알고 있던 그 사람이 아버지를 보고 놀라서 물었다.

"어째서 자네가 여기에 있는가?"

아버지는 지푸라기를 잡는 심정으로 사정을 얘기했다.

"일본에 협력했다는 혐의로 잡혔습니다. 가족은 이 소식을 모를 텐데 어찌하면 좋습니까? 좀 도와주십시오."

그러자 그 담당관이 화물열차에서 몰래 빼내줬다. 그 덕분에 아버지는 무사히 남쪽으로 올 수 있었다.

## **해방, 야구와 인연 시작,**
## 일본인 거리의 추억

우리 식구는 아버지 뒤를 쫓아 해주를 거쳐 월남했다. 우리 식구가 처음 자리 잡은 곳은 서울 장충동이었다. 장충단공원 부근의 일본인 적산가옥에 있는 단칸방(다다미 8장짜리)을 빌려 온 식구가 한 방에서 살았다.

장충단공원 부근은 해방 이전에는 일본인 거리였다. 그네들이 물러간 빈 집에서 가죽으로 만든 장갑이 눈에 띄었다. 내 눈에는 아주 신기한 물건이었다. 그게 야구에서 쓰는 글러브라는 것을 나중에 알았다. 그 야구 글러브를 끼고 동네 아이들과 공을 주고받는 놀이를 자연스레 하게 됐다. 그렇게 해서 나는 야구와 질긴 인연을 맺게 되었다.

초등학교 2학년 때 6·25전쟁이 터졌다. 1·4후퇴 때 식구들이 모두 부산으로 피난을 갔다. 하지만 피란민이면 누구나 그랬듯이 하루하루 연명하기 바빴다. 처음에는 영주동에서 살다가 대신동으로 옮겼다. 터널 옆 판잣집에 살았는데 비가 오면 방 안으로 빗물이 줄줄 샜다.

나는 부산 동광동 40계단 밑에서 형과 구두닦이를 했다. 누나는 부둣가 포로들이 일하는 곳에서 김밥장사를 했다. 형이 신을 다 닦으면 나는 그 신을 배달했다. 신문팔이도 했다. 처음에는 봉래피난학교를 다녔으나 먹고살기에 바빠 1년 만에 그만두었다.

1962년 일본 프로야구에 입단하여 출국하기 전 변응원 선생님과 함께한 사진. 변응원 선생님은 일본 진출의 꿈을 키워주신 분이다.

서울이 수복되자 다시 서울로 돌아왔다. 효제초등학교를 졸업하면서 1955년 배재중학교에 들어가기 위해 시험을 쳤는데 떨어졌다. 내가 시험에 떨어졌다는 사실이 믿기지 않았다. 그래서 당돌하게도 배재중학교 교장실로 찾아가 따졌다.

"저는 시험을 잘 보았다고 생각하는데 왜 떨어졌는지 모르겠습니다. 확인을 해야 하니 제 답안지를 보여주세요."

그랬더니 교장이 아니라 교감이라는 사람이 나섰다.

"너 거기서 그러지 말고 이리와."

뭘 어쩌려고 오라는 건지 궁금해 하면서 교감에게 가서 물었다.

"선생님이 어떻게 할 건데요?"

"너 아버지를 모시고 오면 그때 합격시켜줄게. 너 같은 애가 줄 섰거든."

교감이 자기 수첩을 꺼내서 내 이름을 적었다. 그래서 흘깃 보니 나 말고 60명쯤 되는 이름이 거기 적혀 있었다.

결국 배재중학교를 포기하고 성동중학교에 시험을 쳐서 입학했다. 어느 날 학교 게시판에 야구부를 창단한다는 공고가 붙었다. 동네 친구들과 야구공을 던지며 놀았기에 냉큼 달려갔다. 그리고 야구 유니폼을 처음으로 입게 됐다. 그때 포지션은 2루와 투수를 번갈아 봤다.

야구를 하면서 경동중학교 변응원 선생님 눈에 띄어 1학년을 채 마치기도 전에 경동중학교로 전학을 갔다. 경동중학교에서는 2루수로만 뛰었는데 포수를 맡은 선수가 영 시원치 않았다. 갑갑한 생각이 들어 선생님께 말씀드렸다.

"선생님, 제가 포수를 하면 안 될까요? 성동중학교에서 포수를 본 경험도 있으니 잘할 수 있습니다."

그래서 포수 마스크를 쓰게 됐다. 그때만 해도 그 길로 내가 야구선수로 한평생 살게 될 줄은 몰랐다.

2학년으로 올라간 다음 야구선수가 되겠다는 목표가 점차 뚜렷해졌다.
반드시 직업야구단이 있는 일본으로 가리라 마음먹었다.

# 3회

# 야구와 함께, **청소년시대**

## 경동중·고~농협

# 3회

## 빙상으로
## 운동세계에 눈뜨다

초등학교 2학년 때 야구를 접했지만 얼음을 지치는 데도 재미를 붙였다. 그 당시만 해도 겨울에 아이들이 마땅히 놀 거리가 없었다. 서울 돈암동에 살 때였다. 형(백인원)이 스케이트 타는 걸 보고 재미있을 것 같아 나도 스케이트를 배웠다. 형보다 더 잘할 수 있겠다는 생각에 형이 타는 스케이트를 몰래 신고 탔다. 형이 자는 시간인 새벽 4시 반에 일어나 형 스케이트화 앞부분에 솜을 채워 신고 탔는데 생각보다 쉽지 않았다.

그래서 아버지한테 스케이트를 사달라고 졸랐다. 아버지가 중랑천에서 내가 스케이트 타는 모습을 보시고는 내게 소질이 있다고 판단하신 모양이다.

어느 날 집에 가보니 새 스케이트가 있었다. 그때 아버지가 빙상

스케이트 선수로도 이름을 날렸던 경동고 시절의 백인천.

연맹에 있던 선배를 통해 을지로 메디컬센터에서 근무하는 노르웨이 의사에게 부탁해 마티진 스케이트를 샀다고 했다. 아마 노르웨이에서 배편으로 들여오는 데 몇 개월 걸렸을 것이다.

그때부터 눈만 뜨면 스케이트를 들고 수유리 쪽 논으로 나가서 온종일 스케이트를 탔다. 실력이 붙어 경동고등학교 3학년 때는 일본 가루이자와 세계빙상선수권대회(1963년 3월)에 파견할 대표 선발전 예선에 나가 500미터, 1,500미터에서 우승하기도 했다.

한강에서 대회를 할 때 고교, 대학, 일반부가 섞여 경주했는데 육군대표로 단거리 1인자였던 장종원 선수와 맞붙어 이긴 적도 있다. 야구하러 일본에 가지 않았다면 스케이트 선수로 이름을 날렸을지도 모른다.

스케이트를 탄 덕분에 하체 단련을 할 수 있어서 야구에도 도움이 많이 됐다. 겨울에 스케이트를 탔으니 자연스레 동계훈련이 된 셈이다. 타고난 야구 재능은 떨어질지 몰라도 그런 노력이 알게 모르게 야구를 잘할 수 있는 밑바탕이 됐을 것이다.

# 경동고 전성시대를 열다

경동중학교로 가서 훗날 경동고 전성기를 함께 일군 이재환(중3 때 한밭중학교에서 이적), 오춘삼, 주성현, 김영호, 명정남, 이용숙, 김영호 등을 만났다. 이들과 더불어 경동고로 진학했다.

고교 1학년을 마치고 겨울방학 때 진로에 대해 곰곰이 생각해보았다. 공부를 해야 할지, 아니면 야구선수를 계속할지 고민했다. 2학년으로 올라간 다음 야구선수로 매진해야겠다고 다짐했다. 목표가 점차 뚜렷해졌다. 반드시 직업야구단이 있는 일본으로 가리라 마음먹었다.

이재환(현 일구회 회장)과는 특별한 인연이 있다. 1956년 10월 8일 전국체육대회 1차전에서 경동중과 한밭중이 맞붙었다. 그때 경동중과 한밭중은 무려 사흘에 걸쳐 37이닝 동안 한국 야구사상 가장 긴 경기를 치렀다.

서울운동장에서 열린 첫날 경기에서는 12회를 치렀지만 서로 점수를 내지 못했다. 당시에는 이닝 제한이 없어 승부가 날 때까지 계속

1960년 최초로 일본 원정경기를 마치고 귀국 후 공항에서 찍은 사진이다. 맨 왼쪽이 3루수로 활약했던 오춘삼으로, 훗날 한국 프로야구 심판으로 활동했다.

경기를 했다. 다음 날에는 선린중학교 운동장으로 옮겨 19이닝 동안 진땀을 뺐지만 역시 0의 행진을 이어갔다.

사흘째, 한밭중은 여전히 이재환 혼자서 던졌다. 이재환은 제구력이 기가 막히게 좋았다. 말 그대로 '자로 잰 듯한' 공을 던져댔다. 타자 앞에서 획 떠오르는 공에 경동중 선수들은 번번이 휘말렸다.

7회 말 경동중 공격 때 마침내 빈틈이 생겼다. 명정남(작고)이 이재환의 공을 쳐낸 것이 3루 선상을 타고 무성한 잡풀 속으로 들어간 것이다. 한밭중 야수들이 잡풀을 더듬는 사이 명정남이 3루까지 내달렸다. 그리고 이용숙이 스퀴즈번트를 했는데, 1루 라인선상을 타고 갔다.

그래서 결국 경동중이 1 대 0으로 이겨 연장 37이닝을 마무리했

경동고 시절 포수와 중심타자로 활약했다. 오른쪽 사진은 1960년 12월 일본 원정경기를 마치고 귀국했을 때 공항에서 경동고 김일배 감독님과 함께

다. 이재환은 억울했는지 마운드에 주저앉아 엉엉 울었다. 지금 생각해봐도 선수들이 악착같이 했다.

그 경기로 가장 유명해진 사람이 바로 이재환이었다. 1957년 학생들을 대상으로 한 잡지 〈학원〉 4월호에서 이재환에 대해 대서특필했다. 홍순일 전 문화일보 편집위원은 다음과 같은 기사에서 이재환을 이렇게 소개했다.

"이재환 군이 던지는 공은 번갯불인가? 원자탄인가? 실로 보는 사람으로 하여금 전율을 일으키게 한다. 1956년 전국대회에서 무려 37회전을 계속해서 공을 던져 명투수의 이름을 빛낸 바 있다."

이재환은 그 뒤 '원자탄 투수'라는 별명을 얻었다.

경동고 무적시대를 열었던 선수들. 우승 후 기념촬영한 사진으로 뒷줄 왼쪽에서 두 번째가 투수였던 이재환, 네 번째가 3루수 오춘삼, 오른쪽에서 두 번째가 포수 백인천이다.

가정형편이 어려워 장학금을 받지 않으면 고교 진학이 어려웠던 이재환은 그 후 경동중 변응원 선생님이 설득해 한밭중 3학년에 올라가자마자 경동중으로 이적해서 나와 한솥밥을 먹게 됐다. 나와 이재환 그리고 한영중학교를 나와 빈둥거리고 있던 오춘삼이 가세함으로써 경동고 트리오로 무적시대를 열게 된다.

# 직업 야구선수의 꿈,
나가시마가 각성제

내가 야구선수의 꿈과 포부를 키울 수 있게 해준 고마운 분들이 있다. 돌아가신 박현식 선배와 일본 야구의 영웅 나가시마 시게오長嶋茂雄 그리고 일본에 가서 꿈을 펼칠 수 있도록 실질적으로 도움을 준 최태환 재일교포 학생야구단 부단장이 그들이다.

중학교 때는 서울 돈암동에서 살았다. 추운 겨울날이었다. 하루는 배트를 서너 자루 짊어지고 산으로 막 뛰어올라가는 야구선수를 보았는데, 나중에 알게 됐지만 그 사람이 바로 1950년대 최고의 홈런왕 박현식 선배였다.

그의 그런 모습을 보고는 '나도 저런 선수가 돼야겠다'는 생각을 하게 됐다. 20대 후반인데도 홈런왕이라는 타이틀을 가지고 있던 그가 뛰어서 산에 오르는 모습을 보니 놀랍기도 하고 신기하기도 했다.

박현식 선배와는 농협에 입단한 직후 국가대표팀에서 같이 뛰었다. 육군에서 제대한 그가 4번 타자였다. 박현식 선배는 나를 상당히

어린 시절부터 훗날 일본에 가서 프로야구선수 생활을 해야겠다고 생각했다. 나가시마 선수의 요미우리 입단사진을 보고 그처럼 멋진 프로선수가 되기를 꿈꾸었다.

1960년 가을, 6개 인문공립고등학교 〈친선연합체육대회〉의 경동고 달리기 선수로 출전했을 때의 모습이다. 오른쪽에 서 있는 선수가 오춘삼이다.

귀여워해주셨다. 박 선배는 술, 담배를 하는 사람을 아주 싫어했다. 내가 고교 홈런왕이라는 얘기를 듣더니 이렇게 조언해주셨다.

"야구선수로 크려면 술, 담배를 절대로 하지 마라."

야구 얘기를 끝없이 하면서 야구선수로서 갖춰야 할 자세와 열의를 가르쳐주신 분이다.

박현식 선배도 일본에 가서 야구할 꿈을 가지고 있었지만 실현하지는 못했다. 나중에 내가 일본에 가려고 몸부림칠 때 거센 반대여론 때문에 괴로워하자 이렇게 말씀하셨다.

"무슨 소리냐. 너라도 일본에 가야 한다. 마음 독하게 먹어라."

나는 중학교 2학년이던 1956년부터 나중에 일본에 가서 프로야구 선수 생활을 해야겠다고 생각했다. 경동중 야구부 감독인 변응원 선생님은 일본 야구를 잘 아는 분이었다.

변 선생님이 구독하던 일본 야구잡지 〈베이스볼 매거진〉 표지에 나가시마 시게오의 컬러사진이 실렸다. 그가 릿쿄대학교를 졸업하고 요미우리에 입단했다는 기사도 있었다.

나는 나가시마가 배트를 손에 들고 미소를 머금고 있는 사진을 보면서 중얼거렸다.

"정말 멋있다. 언젠가 야구를 같이 해봐야지."

그러자 3학년 선배가 무안을 주었다.

"이놈이 물정도 모르고 한심한 소리를 하네."

그래서 말로는 내뱉지 못하고 '사람 팔자 알 수 없어요'라고 속으로만 반발했다.

변 선생님은 나가시마가 계약금 1,800만 엔을 받고 요미우리 구단에 입단했다고 들려줬다. 일본에 직업야구가 있다는 것을 알고 일본에 가서 야구선수로 대성해야겠다는 생각을 키워나가게 된 계기였다.

그런 일이 있은 지 5년 뒤 실제로 나는 일본 땅을 밟게 되었으니, 꿈은 이루어진다. 처음 일본에 갈 때 한국 야구는 일본에 많이 뒤떨어져 있었다. 그러나 나는 고교 시절 일본에 뒤진다는 생각은 별로 안 해봤다. 일본 프로야구 무대에 가겠다는 생각을 내비치면 선배들은 퉁바리를 줬다.

"네가 뭘 몰라서 그래. 일본 프로에 진출한다니 말도 안 돼!"

1960년 제3회 전국 4개 도시(서울 · 부산 · 대구 · 인천) 고교대항 리그전에 출전한 경동고 야구단. 이 대회에서 경동고는 결승에서 인천 동산고를 물리치고 청룡기를 획득했다.

그렇지만 나는 가능성이 있다는 생각을 버리지 않았다.

1972년 3월 29일, 고후에서 열린 요미우리 자이언츠와의 시범경기에서 나는 명투수 호리우치 쓰네오堀內恒夫에게서 좌중간 2점 홈런을 뽑아냈다. 천천히 3루를 돌 때였다.

"하쿠, 나이스 홈런!"

하쿠는 그때 나를 이르던 말이었다. 이렇게 소리를 지른 주인공이 바로 내가 그토록 동경해 마지않던 나가시마 시게오였다. 도에이와 요미우리는 리그가 달라서 정규시즌에는 같이 경기를 할 수 없지만 시범경기에서는 리그를 가리지 않았기에 있을 수 있는 일이었다.

경기를 마친 후 이동하던 도중 기차역에서 나가시마를 만났을 때

인사를 건네자 격려의 말을 해줬다.

“올해는 3할을 칠 수 있다. 열심히 해라.”

대선수에게서 그런 말을 들으니 기분이 무척 좋았다. 그해 나는 일본 진출 후 처음으로 타율 3할대(.315)를 기록하고 타격랭킹 3위에 오르는 기쁨을 맛봤다.

나가시마는 나에게 야구의 꿈을 심어주고 실현할 수 있게 해준 분이다. 내가 일본 프로야구 무대에서 뛸 수 있는 원동력이 되었던 그 나가시마가 2004년에 나와 같은 뇌경색으로 쓰러졌을 때 나는 그에게 재활에 도움이 되는 보온 매트를 선물했다.

3년 뒤 나가시마는 나에게 한글로 ‘감사합니다’라고 쓴 편지를 보내왔다. 나는 그 편지를 보물처럼 간직하고 있다.

일본 매스컴은 다음 날 이런 기사로 도배되었다.
"진구구장 개장 이래 고교생으론 나리타에 이어 백인천이
사상 두 번째로 홈런을 기록했다!"

# 4회
# 일본 진출 예고편

# 4회

## 재일교포에 4삼진, 오기로 설욕

나는 뭐든지 목표를 세워 해내는 습관이 있다. 경동고 2학년 때인 1959년 한국일보 주최로 제4회 재일교포 학생야구단 초청대회가 열렸다. 여름방학 때였다. 경기 전날 나는 뚝섬에서 친구들과 어울려 실컷 놀다가 집에 왔다.

다음 날 재일교포 학생팀과 벌인 경기에 4번 타자로 나선 나는 4타석 내리 삼진을 당했다. 이게 아니구나, 내가 우물 안 개구리였구나 싶었다. 그 무렵 경동고 4번 타자로서 내 딴에는 잘한다고 생각했는데 망신스러웠다. 나도 모르게 얼굴이 달아올랐다. 그리고 불끈 오기가 치솟았다. 내년에 다시 붙는다면 그때는 꼭 쳐내리라.

1959년 재일교포 학생야구팀은 14승 1무 2패로 한국 고교팀을 압도했다. 당시만 해도 재일교포 학생팀이 한국 고교팀을 상대하는 것

1959년 여름방학을 맞아 경동고 야구선수들과 함께 서울 뚝섬 야외 수영장에서 물놀이를 하면서 신나게 놀았다. 오른쪽 줄무늬 수영복을 입은 사람이 이재환 선수다.

은 '어린아이 손목 비틀기'처럼 쉬운 일이었다. 그만큼 실력 차이가 났다.

이듬해인 1960년에 다시 방한한 재일교포 학생팀도 여전히 한국 고교팀과는 거리가 있었다. 교포팀이 13승 2무 1패를 기록한 가운데 유일하게 경동고가 고별전에서 4 대 2로 이겼다.

8월 30일 경동고는 서울운동장에서 재일교포팀과 3 대 3으로 비겼다. 그때 서울운동장에는 관중이 1만 5,000명 들어찼는데 경기를 비기자 연장전을 하라고 온통 아우성을 쳤다. 하지만 조명 시설이 없었으므로 경기를 계속하기 어려웠다.

1960년 8월 30일 서울운동장에서 벌어진 경동고와 재일교포 야구팀의 경기 전 선수단이 서로 인사하는 모습이다. 당시 재일교포 야구팀은 국내 고교팀보다 월등한 실력을 갖추고 있었다.

한국일보 장기영 사주가 재일교포팀이 가져온 야구장비와 선수 유니폼을 한 벌씩 새로 맞춰준다는 조건을 내걸고 김일배 경동고 감독을 설득해 이튿날 한 게임을 더 하기로 합의했다. 장기영 사주는 우리나라 야구발전에 지대한 공헌을 한 분이다. 한국 야구의 앞길을 터준 분이라고 해도 지나친 말이 아니다.

재일교포팀은 8월 31일 서울선발팀을 6 대 3으로 꺾은 다음 9월 1일 서울운동장에서 경동고와 고별전을 했다. 경동고는 전국 최강의 전력을 구축하고 있었다. 투수 이재환과 3루수 오춘삼이 나와 함께 팀의 주축을 이루고 있었다.

일요일이던 그날, 경기 시작을 한 시간이나 남겨놓았는데 이미 서울운동장은 관중으로 들어찼다. 2차전 1회 말 첫 타석에서 나는 2점 홈런을 날렸다. 6회에 우리가 무사 1, 2루의 기회를 잡자 재일교포 투수가 나를 고의 볼넷으로 걸리려고 높은 공을 던졌지만 나는 중견수를 넘기는 2타점 2루타를 만들어냈다. 혼자서 4타점을 올린 그 경기에서 경동고는 4 대 2로 승리했다.

그래서 경동고가 일본의 초청을 받아 원정을 가게 됐으니, 나로선 일본 진출의 발판을 마련한 의미 있는 경기가 됐다. 내가 나중에 일본으로 갈 수 있게끔 온 힘을 아끼지 않았던 재일교포 학생팀의 최태환 부단장이 그 경기를 유심히 지켜본 것이다. 그는 내가 도에이 구단에 입단하기까지 통역을 맡아 에이전트처럼 일을 처리해주었고 일본에 와서 한번 해보라는 의욕을 불어넣어주었다.

동아일보

스포츠

僑胞학생野球팀

四對二로惜敗

京東高와의告別께임

재일교포학생야구단은 一일하오에 거행된 京東고교「팀」과의 고별「께임」에서 四대二로석패하였는데 동「팀」의종합전적은 一六전一三승二무승부一패이다

이날 입추의여지없이모여든 수많은 관중들의성원리에거행된 동「께임」에서선공인 교포「팀」이 二번타자 金正龍군三번타자 李七郎군 四번타자朴熙正군등의 연달은「힛트」로 一점을선취하자 京東「팀」은 동회말에「란나」一루에두고 四번타자 白仁天군의「홈런」으로 二점을얻고 또다시 二회말에二점을가하여 四대一로「리드」하였다

그후 교포「팀」은 五회초에 金正龍군의三루타등으로 一점을만회하였을뿐 四대二로 단한번의고배를마신것이다

한편 친선경기를끝마친 교포선수단은 오는三일과 六일의 二차에걸쳐 도일하게된다

◇第十五次戰(告別戰)

| | | | | | | | | | | |
|---|---|---|---|---|---|---|---|---|---|---|
| 僑胞 | 1 | 0 | 0 | 0 | 1 | 0 | 0 | 0 | 0 | 2 |
| 京東高 | 2 | 2 | 0 | 0 | 0 | 0 | 0 | 0 | × | 4 |

▲球審 李圭伯 ▲本壘打 白仁天(京東)=一回末) ▲三壘打 金正龍(僑胞)=五回初)

| 京東高 | | 僑胞 |
|---|---|---|
| 28 | 打數 | 30 |
| 6 | 安打 | 7 |
| 1 | 犧打 | 1 |
| 3 | 盜壘 | 0 |
| 8 | 三振 | 8 |
| 1 | 四死 | 4 |
| 2 | 殘壘 | 6 |
| 2 | 失策 | 2 |

경동고와 재일교포 야구팀과의 고별전 기사가 실려 있는 1960년 8월 31일자 동아일보. 백인천의 홈런으로 재일교포팀이 석패했다고 되어 있다.

### 해방 후 서울운동장 첫 홈런을 날리다

서울운동장은 나에겐 홈런 인연이 매우 깊은 곳이다. 경동고 2학

년 때인 1959년 이영민 타격상을 받은 나는 1960년 6월 9일 서울시 춘계리그 휘문고전에서 3회에 2점 홈런을 날렸다. 그 홈런이 해방 이후 서울운동장 첫 홈런이라고 했다. 고교생이, 그것도 나무배트로 외야 펜스를 넘긴다는 것은 그 당시에는 상상하기조차 힘든 일이었다.

치고 나니 공이 안 보였다.

"공이 넘어갔다!"

누군가 놀라는 소리가 귀에 들려왔다. 당시 서울운동장은 펜스가 없어서 그저 나무로 울타리를 둘러놓은 상태였다. 내가 쳐놓고도 얼떨떨한 상태에서 2루까지 막 뛰었다. 심판도 미처 홈런임을 알아채지 못해 홈런 선언이 늦어졌다. 공이 넘어갔다는 사실을 믿을 수 없었는지 경동고 더그아웃에 있던 선수들도 뛰쳐나오지 않았다.

더그아웃으로 들어오며 홈런 친 방망이를 분명히 배트 박스에 넣었다. 그런데 5회 초 내가 타석에 들어설 차례가 되어 방망이를 찾았으나 보이지 않았다. 그사이 누가 잽싸게 집어간 것이다. 홈런 친 방망이가 없어져 아깝다는 생각이 들었지만 어쩔 수 없었다.

그동안 내가 홈런 친 대회가 어느 대회였는지도 가물가물했는데, 최근에야 알아보니 제15회 청룡기쟁탈 전국고교야구선수권대회 서울시예선대회였다. 대회 이틀째인 6월 9일 오후 2시 15분 경동고 선공으로 시작된 이 경기에 4번 타자, 포수로 출전해 3회 초 휘문고 투수 이명우를 상대로 홈런을 날렸다는 기록을 확인했다.

이재환과 오춘삼 그리고 백인천이 트리오로 건재했던 1960년의 경동고 야구부는 그야말로 최고의 전성기를 구가했다. 32승 2무 무패를 기록하며 전국야구대회를 휩쓸었다.

### 일본 진출 연결고리가 된 진구구장 홈런

1960년 재일교포 초청경기에서 결승 2점 홈런을 날린 나는 그해 일본고교야구연맹의 초청을 받은 경동고 야구부의 일원으로 일본 원정을 갔다. 경동고는 고교 3학년이 된 나와 이재환, 오춘삼이 중심이 돼 그해 32승 2무를 기록하며 무패를 구가했다. 경동고가 워낙 셌기 때문에 전국대회를 휩쓴 것이다.

가을에 제14회 황금사자기쟁탈 고교야구쟁패전에서 우승한 뒤 일본고교야구연맹 사에키 다쓰야 회장 명의로 경동고 단일팀 일본 초청의 낭보가 날아왔다.

그렇지만 경동고의 일본 원정길은 쉽사리 열리지 않았다. 그만큼 당시 한·일 관계는 미묘했다. 애초 10월 19일 출국할 예정이었던 경동고는 문교부장관의 승인 보류로 한 달 이상 답답한 시간을 보내다가 장면 총리가 허락을 해줘 11월 23일에야 대한체육회 강당에서 결단식을 한 뒤 노스웨스트항공편으로 출국할 수 있었다.

《일본고교야구연맹 30년사》에는 다음과 같이 기록되어 있다.

"1960년 한국고교야구선수권대회와 한국국민체육대회에서 우승한 경동고교팀을 초대했다. 전후 10여 년 동안 양국 국민감정이 충분히 풀어지지 않은 이즈음, 우선 고교야구 친선대회 개최를 서로 희망해 교류전이 실현된 것이다."

경동고 선수단은 11월 23일 도쿄 하네다공항에 도착해 12월 13일 하네다공항을 떠날 때까지 21일간 일본에 머물렀다. 경동고는 구마모토, 가고시마, 미야자키, 시모노세키, 히메지, 도쿠야마, 교토, 도쿄 등 일본의 8개 도시를 돌며 경기를 했는데 3승 2무 3패로 그네들과 대등한 경기를 펼쳤다. 나는 가고시마실업고와 벌인 경기에서 홈런 한 개를 쳤다.

나로선 잊지 못할 일이 도쿄에서 있었다. 뒤에 일본 프로야구 무대로 진출할 수 있었던 디딤돌이 된 진구구장 홈런이 그것이다. 진구구장에서 벌인 일본 원정 마지막 경기 상대팀은 그해 봄철 도쿄고교야구대회에서 우승한 강팀이었다. 그 팀을 상대로 3점 홈런 포함 5타수 4안타 7타점을 기록했다.

당시 진구구장에서는 아마추어대회만 열렸는데 다음 날 일본 매스컴이 온통 난리가 났다. 일본 매스컴은 이런 기사로 도배되었다.

"진구구장 개장 이래 고교생으론 나리타成田에 이어 백인천이 사상 두 번째로 홈런을 기록했다!"

일본 매스컴은 노무라 가쓰야(野村克也, 뒤에 일본 최고 포수가 됨)를 연상시키는 타격을 하는 데다 빠른 발도 갖춰 당장 프로에 들어오면 3,000만 엔은 받을 수 있다고 보도했다. 당시 돈암동 우리 집값이 35만 원 할 때였으니 그 돈이면 돈암동 일대 땅을 사고도 남을 거액이었다. 칭찬은 흠뻑 들었지만 일본 프로야구로 갈 수 있는 길은 없었다.

일본 원정 마지막 경기가 끝난 뒤 재일교포 학생야구단 부단장을 맡은 최태환 씨와 일본 메이지대학교 시마오카島岡 감독이 숙소로 찾아왔다. 이들은 일본 원정 첫 경기부터 끝 경기까지 따라다니면서 내가 경기하는 모습을 지켜봤다.

시마오카 감독이 파격적인 조건을 내세우며 나에게 손짓했다.

# 日貨三千萬圓의 捕手

京東팀 白仁天군 日野球界서 激讚

그동안 日本에원정하였던 京東고교야구「팀」은 예정된어정을마치고 一三일하오 전원무사히 귀국하였거니와 금번들어 三七전三三승 四무승부 라는 종합전적으로 전국고교 야구계를 휩쓴 京東「팀」의 이번 원정은「편」들의 커다란관심을집중시켰고 또한 해방후처음으로 이루어진 日本원정인만큼 우리나라고교야구의실력을「테스트」한다는의미에서 그성과가 주목을끌어왔던것이다 동「팀」은 八전三승二패三무승부라는 종합전적으로 야구의나라 日本의 강호「팀」들과 대등하게 싸워 이나라 고교야구실력을 과시한바 있었는데 특히 포수 白仁天선수는 鹿兒島실업고교와의 제一차전(一대二)四회 때에 「홈런」을쳤고 또한최종「게임」에서 금춘東京시내 고교야구대회에서 우승한 日本대학 제二부고「팀」을 九대二로 물리쳤는데 동「게임」五회초 공격에서 역시白군은「란나」풀을두고 회심의「홈런」으로 일거 三점을얻는등 초고교급의 실력을 발휘하였다

그런데 이자리에서日本 야구전문가들은 白군은앞으로「프로」야구계에 투신한다면 三천만원(日貨)에계약할수있는 명선수가될것이라고 극구찬양하였다는것이다

한편 白군은명춘京東을 졸업하게되는데「프로」선수가될 희망은전혀없고앞으로 힘껏기술을연마하여 우리나라를 빛낼훌륭한대표선수가될것을 희망하고 있으며 高麗대학교에진학할 결심이라하는데 高大에서 자기와손이맞는투수와함께 입학시켜주는것이 소망이라한다

日貨三千萬圓의選手 白仁天군

일본 원정경기에서 홈런을 치는 등 맹활약하자 일본 매스컴은 물론 국내 매스컴에서도 그 소식을 크게 다뤘다. 사진은 동아일보 1960년 12월 15일자 기사.

"메이지대학으로 오면 1년간 어학연수 비용 포함 5년간 장학금을 보장해주겠다."

최태환 부단장 역시 내가 원할 경우 일본 여섯 개 대학 어디든 입학할 수 있도록 도와주겠다고 했다. 어릴 때부터 일본 야구잡지를 보며 프로야구를 동경해왔던 나는 무조건 일본에서 야구하고 싶다는 뜻과 희망을 피력하고 귀국했다.

얼마 뒤 최태환 부단장이 한국에 와서 유학통지서를 건네줬다. 그때는 유학통지서만 있으면 일본에 갈 수 있는 줄 알았다. 유학통지서를 받아들었지만 아버지한테도 말씀드리지 않았다.

# 고려대학교
# **입학 포기 승부수**

나는 귀국한 뒤 일본으로 유학 갈 꿈에 부풀어 거의 일본 상사병에 걸릴 지경이었다. 장학생으로 입학이 내정돼 있던 고려대학교 시험도 포기했다.

3월 2일이 대학 입학시험 날이었다. 김일배 경동고 야구부감독이 연세대 출신이어서 3학년 동료 가운데 이재환 등 7명이 연세대로 가기로 약정됐다. 내가 혼자 고려대로 가기로 하자 학교에서 난리가 났다. 공교롭게도 일본에 몰래 가기로 한 날도 바로 3월 2일이었다. 시험날짜와 겹쳐버린 것이다.

나는 대학시험이 있기 전에 고려대 학생처장을 미리 만났다. 그 자리에서 일본 대학 초청장을 보여줬다. 학생처장은 내게 '한번 해보라'며 오히려 격려를 해줬다.

나는 그날 수험번호 461번이 적힌 고려대 행정학과 수험표를 주머니에 넣은 채 북한산 흔들바위로 올라가 시간을 보냈다. 내 딴에는

'내가 입학도 하지 않을 거면서 시험을 치면 누군가 피해를 보겠지' 라고 생각했다.

하지만 수험생이 시험장에 나타나지 않자 기자들은 '백인천이 납치된 것 아니냐'며 수소문에 나섰다. 집에서는 아침에 나간 애가 소식도 없고 시험장에도 가지 않았다니 소동이 벌어졌다.

시험이 끝날 무렵 집으로 갔다. 형이 나오더니 물었다.

"너, 시험 잘 봤니?"

도둑이 제 발 저린다고 나는 우물거릴 수밖에 없었다.

"그냥 그렇게 봤지, 뭐."

그러자 형이 냅다 주먹을 한 방 날렸다. 그때는 이미 집에서 내가 시험을 안 보았다는 사실을 알았던 것이다.

나는 홧김에 소리를 버럭 질렀다.

"나 이제 야구 안 해!"

그리고 한옥집 기둥을 손으로 힘껏 쳤다. 그 바람에 손가락이 부러지고 말았다. 아버지가 방으로 부르시더니 시험을 보지 않은 이유를 물었다. 그제야 나는 메이지대학 초청장을 내밀었다.

"아버지, 저 일본에 가고 싶습니다."

"이걸 왜 이제 보여주느냐? 여권도 없이 네 마음대로 일본에 갈 수 있는 줄 알았느냐?"

아버지는 혀를 끌끌 찼다. 그때 나는 외국으로 나가려면 여권이라는 것이 필요한 줄도 몰랐다. 순간 너무 당황한 나는 울면서 집을 뛰쳐나갔다.

얼마 뒤 형이 명륜동에 있는 접골원에 데리고 가서 깁스를 하게 했다. 깁스하는 순간에는 '야구 인생이 끝났구나' 생각했다. 중학교 때부터 탔던 빙상이 고3 때는 대표팀에도 뽑힐 실력이었으니 빙상으로 올림픽 한 번 나간 뒤 야구도 그만두고 공부해서 대학에 가야겠다는 별스러운 생각을 했다.

# 농협에 조건부로 입단하다

입시철은 그렇게 모두 끝났다. 일본 유학도 좌절됐다. 여름까지 빈둥빈둥 놀고 있자니 나 자신이 한심스러웠다. 아버지가 보다 못해 농협 야구부의 김영조 감독을 찾아갔다. 아버지는 감독에게 애를 보낼 테니 키워달라고 사정을 하신 모양이다. 어느 날 아버지가 말씀하셨다.

"내가 감독님하고 다 얘기했으니 당장 찾아가 봐라."

하는 수 없이 김영조 감독을 찾아갔다. 내가 손을 다친 사실도 알고 있던 감독님이 말했다.

"그렇게 허송세월하지 말고 여기 와서 나랑 한번 해보자."

나는 김영조 감독에게 부탁했다.

"감독님, 그전에 조건이 있습니다. 야구를 열심히 할 테니 제가 그만두겠다고 하면 그냥 놓아주십시오."

감독님은 그러마 하고 약속했다.

1961년 농협에 입단한 후 중앙고 출신 박하일 선수와 부산고 출신 윤경호 선수와 함께.

농협 야구부로선 내가 그야말로 '굴러들어온 호박'이었다. 이틀 만에 입단 발령이 났다.

일본 진출의 미련을 버리지 않고 있던 나로선 그런 약속이라도 받아두고 싶었다. 어떤 장벽이 있어도 강한 집념이 있으면 이루어진다는 것을 그때 새삼 깨달았다. 잠시 우회하긴 했지만 끝내 일본으로 가는 길이 열리게 된 것이다.

1961년 농협에 입단하여 포수로 활약하던 때의 백인천.

1961년 농협에 가입단하고 국가대표 포수로도 발탁되었다.

# 아시아선수권대회 **대표팀 포수로 출전**

1961년 7월 경향신문이 주최하는 백호기대회(전국 군·실업야구쟁패전)가 서울운동장에서 열렸다. 나는 농협 포수로 그 대회에 출전했다. 그런데 안타를 치고 3루로 달리다가 수비수와 부딪쳐 그만 새끼발가락이 부러졌다. 이듬해 1월에 타이완 타이베이에서 제4회 아시아야구선수권대회가 열릴 예정이었다.

부상이 있어 안 될 줄 알았는데 국가대표팀에 뽑혔다. 농협 김영조 감독이 대표팀 감독을 맡게 된 영향도 있었겠지만 포수로서 내 실력을 인정했다는 뜻도 되었다. 대표팀에는 박현식(작고), 김응룡 선배를 비롯해 김성근 등이 함께 들어갔다.

나는 훈련을 며칠 하지도 못하고 타이완으로 갔다. 대회는 새로 개장한 송산구장에서 열렸다. 송산구장은 아시아선수권대회를 치르기 위해 새로 지어 1961년 11월 24일 개장한 곳이었다.

1962년 1월 2일 일본과의 첫 게임에서 나는 3번 타자로 나서 일

1962년 1월 타이완 송산구장에서 개최된 제4회 아시아선수권대회에 출전했을 때 모습이다. 왼쪽이 김성근, 두 번째가 백인천, 세 번째가 투수 김양중, 네 번째가 박현식 선배다.

본 대표팀 에이스 사사키 고이치(일본석유)를 상대로 7회에 2루타 한 방을 쳤다. '일본 프로와도 할 수 있겠다'는 자신감이 들었다. 한국은 그 경기에서 사사키에게 눌려 0 대 2로 패했다.

### 송산구장 개장 외국인 1호 홈런의 주인공

1월 9일 대회 마지막 날 필리핀과 맞붙은 한국은 5 대 1로 이겨 우승팀 일본에 이어 타이완과 공동 준우승을 했다. 나는 그 경기에 1번 타자로 출전해 4회 말 1사 3루에서 좌월 2점 홈런을 날렸다. 내가 친 홈런은 그 대회 유일한 홈런이자 송산구장 개장 이래 외국인 선수 1호 홈런이었다.

타이완은 1월이 장마철인데 마침 태풍이 접근해 바람이 몹시 불었다. 그날 따라 눅눅한 바람이 외야 왼쪽에서 홈 쪽으로 세차게 불었다. 타석에 들어섰을 때 돌풍이 일어 20초간 서 있었더니 바람이 잦아들었다. 그때 들어오는 공을 때려냈는데 타구가 바람을 타고 그대로 담장을 넘어갔다. 1루를 찍고 2루를 돌 때 다시 맞바람이 살아나 숨쉬기가 어려울 지경이었다. 뒷날 생각해보니 나를 일본에 보내려고 '하늘이 도왔다'는 생각이 들었다.

그 장면을 취재한 일본 기자들은 이 타구를 '가미가제神風 홈런'이라고 칭찬했다. 대회가 끝난 뒤 조직위원회가 '베스트 12'를 뽑았는데 한국 대표팀에선 나와 배수찬 둘이 그 안에 들었다.

# 도에이 플라이어즈와
# **가계약 소동**

아시아선수권대회를 마친 한국 대표팀은 도쿄로 갔다. 당시 타이완에서 한국으로 가는 직항로가 개설돼 있지 않았으므로 일본을 거쳐 가야 했다. 선수단은 도쿄에서 이틀을 묵게 돼 있었다. 도착 첫날 재일 야구협회 최태환 부회장이 숙소로 찾아왔다.

최태환 부회장이 나에게 넌지시 물었다.

"백 선수, 일본에 올 수 있는가?"

나는 앞뒤 재지 않고 대뜸 대답했다.

"당연히 올 수 있습니다."

"그럼 군 문제는 어떻게 되나?"

"제가 열여덟 살이어서 아직 2년 기한이 있습니다."

"그렇군. 도에이(東映, 플라이어즈) 팀이 백 선수에게 커다란 관심을 보이고 있네."

최 부회장은 그 길로 도에이와 만남을 주선해줬다.

경향신문 西紀 1962年 2月 2日(金曜日)

# 白仁天選手 東映과 契約

## 數日内渡日, 改名않는 條件으로

白仁天선수

白仁天선수가 일본「도에이」(東映) 야구단에 입단하기위해 곧 도일할 것이라는것이 2일 정통한 소식에의해 알려졌다

지난1월25일「도에이」구단으로부터 정식초청장을받은 白仁天선수는 그동안 대한야구협회와 대한체육회의 추천을 끝냈으며 2일중 문교부의 추천을받는대로 곧여권수속을신청할것이라고한다

「도에이」구단은 1일부터 시작된「캠프」에 白선수가 참가하기를 바란다고 전하여 그의도일수속은 급진적으로 추진—대한체육회로부터「2년後에는 병역의무를 마치기위해 귀국할것과 도일후 창씨개명을 하지않겠다」는 서약을 받는 조건으로 추천을 받았다고한다

외무부당국자는「문교부의 추천이 넘어오는대로 그의여권은 사무절차에 따라곧발급될것이다」라고 밝히고있으므로 白仁天선수의 도일은 2、3일내에 이루어질 것으로 보인다

한편 白선수의 계약조건은 초청장에는 금년1년간으로 되어있으나 귀국할때까지「레귤러·멤버」로 기용될것이며 외국인으로서의 후한 연봉약3백만원(일화)이 지불될것이라고 전해졌다

일본 도에이 플라이어즈와의 계약 기사를 다룬 1962년 2월 2일자 경향신문.

나는 모험을 하기로 작심했다. 1월 12일 오후 대표팀 숙소에서 빠져나와 최태환 부회장과 함께 도쿄 교바시에 있는 도에이 구단 사무소를 방문했다. 그 자리에서 이시하라石原 구단 대표, 미즈하라 시게루水原 茂 감독을 만나 입단하고 싶다는 의사를 밝혔다.

도에이 구단은 나에게 조건을 제시했다.

"군 문제만 해결됐으면 1,500만 엔은 줄 수 있는데 2년 시한부여서 그렇게 안 되니 이해하기 바라네."

그리고 계약금 300만 엔과 연봉 96만 엔(월 9만 엔)을 제시했다. 당시 일본 프로야구선수 고졸 연봉이 48만~60만 엔 수준이었으므로 약간 많은 대우였다. 나는 대한야구협회 관계자 아무와도 상의하지 않

고 덜컥 가계약을 했다.

그날 저녁 미쓰비시중공업이 한국선수단을 위해 국제호텔에서 환영 파티를 열어줬는데 도에이와 입단 가계약한 사실을 어떻게 알았는지 일본 기자들이 몰려왔다. 김영조 대표팀 감독은 물론 동료 선수들 몰래 다녀왔는데 일본 기자들이 몰려오니 더럭 겁이 났다.

숙소로 돌아오니 도에이와 입단 가계약한 사실이 알려져 난리가 났다. 단장인 대한야구협회 선우인서 회장이 화가 잔뜩 나서 내게 다짐을 하라고 했다.

"네가 엄청난 일을 저질렀다는 사실을 모르겠나? 오늘 일어난 일을 절대로 아무에게도 말해선 안 돼."

그리고 이렇게 으름장을 놓았다.

"일본 기자들이 너를 취재하기 위해 찾아왔다고 해야지 네가 도에이에 찾아가서 가계약했다고 하면 절대 안 돼. 그럼 큰일 난다고. 일본에 간다는 얘기는 입도 뻥긋하지 마. 이런 사실이 알려지면 우리까지 모두 모가지야."

## 여론조사로
## **일본 진출에 서광이 비치다**

남몰래 가계약을 하고 귀국했더니 대한야구협회가 발칵 뒤집혔다. 도에이와 가계약한 사실을 보도했던 일본 신문을 모아왔는데 김영조 감독이 비행기 안에서 압수해버렸다. 5·16군사쿠데타가 일어난 이듬해였으므로 특히 군 문제가 생각 이상으로 큰 장벽이 되었다.

귀국 사흘 뒤인 1월 16일 대한체육회에서 연락이 왔다. 이주일 회장이 만나고 싶어한다는 전갈이었다. 당시 육군 준장이었던 이주일 대한체육회장은 쿠데타로 정권을 장악한 박정희 소장과 더불어 국가재건최고회의 부의장을 맡고 있던 실세였다.

대한야구협회 선우인서 회장과 김영조 감독, 박현식, 배수찬, 김성근 등과 함께 세종로 미국대사관 옆 건물에 있는 국가재건최고회의로 찾아갔다. 이주일 회장 집무실이 거기에 있었다. 그 당시 이후락(전 중앙정보부장, 작고)이 이주일 회장의 참모였다.

이주일 회장 앞에 내가 앉고 참석자들이 쭉 배석했다. 내가 아시

1962년 대한체육회 이주일 회장에게 아시아선수권대회에서 수상한 우수선수상 트로피를 전달하는 모습이다. 이 자리에서 나는 일본 진출의 포부를 밝히고 도움을 요청했다.

아선수권대회에서 탄 베스트 나인 트로피를 이주일 회장에게 건네줬다. 이 회장은 선수단 대표들에게 수고했다고 말한 뒤 내게 물었다.

"백 선수, 무슨 애로 사항이 있나?"

그는 내가 도에이와 가계약한 사실을 알면서도 일부러 물어본 것이다.

선우인서 야구협회장이 말조심하라는 뜻으로 나를 째려 봤지만 기회를 놓치고 싶지 않았다. 애써 그의 시선을 무시하고 잘못되면 야구를 그만두겠다는 각오를 다지며 말문을 열었다.

"소원이 있습니다. 일본에 보내주십시오."

"음, 일본에 갈 수 있나?"

"도에이 구단과 계약을 하고 왔습니다."

이주일 회장이 선우인서 회장을 돌아보았다.

"선우 회장, 갈 수 있겠나?"

"유망주가 빠지면 우리나라 야구가 안 됩니다."

"당신, 이상한 얘기를 하는구먼. 그런 생각은 발전에 도움이 안 돼. 가서 배우고 오면 후배 양성에 도움이 되지 않겠나. 일본에 보내도 좋을지 여론조사를 해봐."

백인천이 여론조사 끝에 일본에 진출했다는 얘기는 바로 여기서 비롯됐다. 비로소 일본 진출에 서광이 비쳤다. 그 자리에서 물러난 뒤 선우인서 회장이 사정없이 나를 구박했다. 나는 줄행랑을 쳤다.

1월 18일, 도에이 구단이 정식 초청장과 보증서를 보내왔다. 대한야구협회는 1월 31일 긴급이사회를 열어 내 문제를 놓고 갑론을박했다. 결국 이주일 회장의 지시도 있고 해서 사회 여론 주도층의 의견을 듣기로 했다. 많은 이들이 '당연히 보내야 한다'는 편이었다.

그러나 계약 사실이 외부로 알려져 우리나라 신문에도 보도되면서 나는 매일 비난에 시달려야 했다.

"매국노 물러가라."

"이등박문(이토 히로부미)과 똑같은 ××."

우리 집에는 이런 내용이 적힌 혈서도 날아들었다. 비난 편지가 50통이나 왔다. 개중에는 격려하는 내용도 있었지만 열에 아홉은 비난하는 글이었다. 그럴 때마다 나는 그것을 태워 없애면서 '에라, 모르겠다. 될 대로 되라지' 하는 심정에 빠졌다. 당시 우리나라에 프로에 대한 의식이 있을 리 만무했다. 돈에 팔려간다는 비판이 비등했다.

그러는 가운데 한국일보 장기영 사주 등 유력인사들이 나의 일본행을 지원하고 나섰다. 장기영 사주는 일찍이 재일교포 학생야구단 모국 방문 교류전을 추진해온 터여서 일본 야구에 대한 이해가 깊었다.

2월 2일, 마침내 이주일 회장이 결단을 해서 나의 도일을 허락해줬다. 2월 5일에는 문교부도 '2년 뒤 귀국' 조건을 달아 나의 일본행을 받아들였다. 대한야구협회는 두 가지 조건을 붙여 승인해줬다.

- 2년 뒤 반드시 귀국해서 병역을 마칠 것
- 한국인의 명예를 훼손하지 않도록 한국 이름을 그대로 사용할 것

나는 군말 없이 두 조건을 받아들이는 한편 '해낼 수 있다'는 다짐을 하고 또 했다.

일본으로 떠나기 전 선배 야구인들에게 인사를 하러 다녔다.

요즘 같으면 열심히 하라고 격려하고 용기를 북돋아주었을 것이다. 하지만 그때는 나를 무시하거나 면박을 줬다.

"네가 가서 될 것 같으냐. 생각 좀 해봐라. 네 동기인 김성근이도 일본에서 한국으로 들어왔잖아. 네가 김성근이보다 특별히 더 잘하는 것도 아니고 말이야."

나는 이런 말에 상처를 많이 받았다. 그리고 오기가 불끈 치솟았다. 반드시 성공해서 보란 듯이 돌아오겠노라고 다짐했다.

# 열여덟 살에 넘은 **‘이승만라인’**

그 뒤로는 일사천리였다. 2월 9일, 외무부에서 여권이 나왔다. 그로부터 보름이 채 못 돼 드디어 일본행 비행기에 몸을 실었다. 온갖 생각이 교차했다. 앞으로 요기 베라Yogi Berra나 노무라 같은 명포수가 되겠다는 결심만은 확고했다.

비행기에 오르기 전 아버지가 편지 봉투를 건네셨다.

“비행기 안에서 뜯어봐라.”

일본행 비행기가 대한해협을 날아갈 즈음이었을 것이다. 편지를 열어보았다.

“너는 굳은 각오를 가졌으니 꼭 해낼 수 있을 것이다. 만약 안 되더라도 상심하지 말고 편히 돌아오너라.”

짧지만 아버지의 뜨거운 사랑을 느낄 수 있는 글이었다.

프로펠러가 달린 비행기는 4시간 반이 걸려서 오후 6시 도쿄 하네다공항에 도착했다. 어둠이 내려앉은 도쿄는 네온사인이 반짝여 휘황찬란했다. 내 눈에는 그저 별천지처럼 보였다.

1962년 2월 22일 수많은 사람의 기대와 프로야구선수의 꿈을 안고 마침내 일본행 비행기에 올랐다.

大ニコニコの大川社長（右）としっかり握手する白選手（左）中央は石原代表（23日・東映会館で）

# 白捕手、東映と契約
## 昨夜、キャンプ地高松へ

東映は二十三日午後三時から東京京橋の球団事務所五階会議室で白仁天（ペイ・キンチュン）捕手（二〇）＝1メートル74、73キロ、右投右打、韓国京東高出＝の入団を発表した。
白選手はこれに先だち午後一時から日本での保証人崔泰煥氏とともに球団事務所重役室で石原代表、砂川管理課長と約三十分話し合ったのち、統一契約書にサイン、銀座西の東映本社八階に大川オーナーをたずね、あいさつをすませた。

同選手は同夜九時東京駅発の急行〝瀬戸〟でキャンプ地高松へ出発した。帰京後は駒沢の合宿にはいる。なお球団では同選手をハク・ジンテンと呼ぶことにきめた。

**強肩、強打、俊足の捕手**
**白仁天**（ハク・ジンテン）
一九四三年十一月二十七日上海で生まれる。小学校二年から野球をはじめ本格的に捕手となったのは京東高二年のときから。一昨年全韓国高校選抜チームの捕手として来日、神宮球場の左翼中段にホームランした強打者。昨年三月農協中央会に勤務、ことし一月台北で行なわれたアジア野球大会では韓国チームの四番を打ち、大会唯一のホームランを記録している。強肩のうえ足も速い（百メートル12秒1）。野球のほかに陸上、スケートもやる。とくにスピード・スケートでは五百、千五百メートルの三十六年度韓国チャンピオンで、出場は辞退したがスクォーバレー冬季五輪代表に選ばれた。

白選手の話『韓国も野球はさかんだが、その技術は日本のプロ野球とはくらべものにならない。念願の日本のプロ野球へはいれたのだから、いいプレーをしたい』
石原代表の話『満二十歳から三年間の兵役があるので、二年たらずで帰らなければならないのは残念だ。しかし入団した以上は東映の一員としてりっぱなプレーをしてもらいたい』

도에이 플라이어즈팀과의 계약을 보도한 1962년 2월 24일자 일본 산케이 신문. '강견, 강타, 준족의 포수'라고 소개하고 있다.

공항을 나서자 대기하고 있던 사진기자들의 카메라 플래시가 일제히 터졌다. 해방 이후 처음으로 한국에서 이른바 '이승만 라인을 넘어' 일본 프로야구단에 입단하기 위해 왔다는 이유로 공항에는 기자 50여 명이 진을 치고 북새통을 이루고 있었다. 아마도 스포츠 이슈를 넘어 정치적 이유로 기자들이 그렇게 많이 몰렸을 것이다. 최태환 부회장의 통역으로 공항 로비에서 즉석 기자회견을 했다.

"열심히 해서 일본 야구를 배우고, 최소한 3년 안에 1군에 올라가겠다. 일본 야구를 잘 모르지만 고교 수준은 절대로 한국이 뒤지지 않는다. 열심히 하겠다."

이런 내용이었을 것이다.

당시 신문지상에 보도된 것을 다시 들춰보니 "강견, 강타, 준족을 갖춘 몸무게 20관(75kg)의 백白은 다리도 빠르고 탄력도 있다. 타격도 한국팀 가운데 가장 일본식으로 하고 선구안도 좋다"는 따위의 칭찬

일본으로 출국하기 전 김포공항에 환송 나온 사람들과 함께. 야구계 원로인 이원행, 이신득 선배님을 비롯해 많은 분이 오셨다. 앞줄에 앉아 있는 사람은 경동고 김일배 감독님과 인재중 씨.

을 늘어놓은 글이 눈에 들어왔다. 어린 마음에도 죽으나 사나 여기에서 승부를 보겠다는 각오를 다졌다.

그때 신문과 한 일문일답을 옮겨본다.

- 훈련은 어떻게 했는가?

"지금 경성(서울)은 영하 5도 정도로 춥기 때문에 주로 러닝만 했다."

- 일본의 프로야구는?

"아직 본 적이 없다. 그러나 예전부터 일본에 와서 경기를 하고 싶다는 생각을 했다."

- 야구 약력은?

"상하이에서 태어나 야구는 초등학교 2학년 때 시작했고, 투수와 내야수를 맡아본 후 고교 2학년 때부터 포수를 했다. 키는 174센티미터이고 몸무게는 73킬로그램이다."

- 병역 문제는 어떻게 되는가?

"어쨌든 2년간은 일본에서 경기할 수 있다. 그 후 병역을 마치기 위해 자발적으로 귀국할 작정이다."

- 목표는?

"하루라도 빨리 팀과 융화되어 고도의 기술을 마스터하고 싶다."

다음 날 일본 스포츠 신문들의 헤드라인은 이렇게 장식되었다.
"이李라인을 넘어선 첫 케이스."
"일본 프로야구의 이색적인 케이스."

**이승만李承晩라인**

1952년 1월 18일 대통령 이승만이 한국 연안수역을 보호하기 위해 선언한 해양주권선이다. 이 평화선은 해안에서부터 평균 96킬로미터에 달하며, 이 수역에 포함된 광물과 수산자원을 보존하기 위하여 설정했다. 그 과정에서 당연히 독도를 포함시켜 일본의 반대가 심했다. 이승만 정부는 '한·일 양국의 평화유지' 명분을 내걸어 그때부터 '평화선'이란 이름으로 부르게 됐다.

"수위타자의 훈장은 평생 따라다니는 것이다.
감독님 말씀대로 해서 잘됐다."
일본에 간 지 14년의 긴 세월을 보낸 다음에야 얻어낸
훈장이었으니 만감이 교차했다.

# 5회

# 일본시대 1962~1981

회초

# 도에이 플라이어즈(1963~1972)와 닛타쿠홈 플라이어즈(1973)

### 일제의 어두운 그림자, '일본 국적'으로 일본 무대에 서다

드디어 나는 꿈에 그리던 일본 프로야구 무대에 서게 되었다. 한국인으로서 당당하게 활약할 수 있으리라 생각했다. 하지만 일본 프로야구 무대에서 나는 '외국인 선수'로 취급받지 않았다. 오히려 '일본 국적' 선수 신분으로 뛰었다.

1943년생인 내가 태어날 당시 우리나라는 일제에 강제병합을 당해 있던 때여서 일본 국내법에 따라 일본 국적 보유자였던 탓이다. 때로는 동료 선수들에게 '조센징'이라고 배척되기까지 했는데 일본 국적 선수라니 이런 아이러니가 없었다.

일본에서 2001년 발간된《프로야구 전 외국인 대사전》을 보면 내가 일본에 건너갔을 무렵 일본프로야구협약에는 이런 규정이 있었다.

"1959년 2월 11일 이전에 일본의 국적을 가진 자는 외국인 선수로 취급하지 않는다."

참으로 황당한 일이었다. 나는 한국인으로 당당하게 일본 프로야구 무대에서 뛰었건만, 내 배경에는 우리나라의 그 같은 아픈 역사가 있었다.

### 도에이와 정식계약 후 등번호 68번을 받다

일본 땅에 발을 디딘 이튿날(2월 23일), 도에이 구단 사무실로 가서 이시하라 구단 대표와 스나가와 관리과장을 만나 잠시 얘기를 나눈 다음 통일계약서에 사인했다. 정식으로 일본 프로야구단의 일원이 된 것이다. 그 직후 도쿄 긴자의 도에이 본사를 방문해 오카와 구단주와 인사를 나누었다.

나는 등번호 68번을 받았다. 도에이 소속 선수가 모두 68명이었으므로 내 번호가 맨 마지막이었다. 코치 7~8명에 포수만 9명이었다. 1군에 4명, 2군에 나를 포함해 5명이었다. 내가 1군 주전포수 자리를 차지하려면 8명을 제쳐야 했다. 이를 지그시 악물었다. 선수들이 참 많았다. 우리는 소수 자원으로 꾸려가는데, 내가 갔을 때 남는 번호가 없어서 68번을 줄 정도였으니 말이다.

그날 밤 9시 도쿄역을 출발한 급행열차를 타고 팀이 전지훈련을 하고 있는 다카마쓰로 향했다. 그곳에 도착해보니 도에이의 봄철 캠프는 이미 마무리 단계였다. 구장에 들어가니 '하얀 공이 눈처럼' 쫙 깔려 있었다.

1962년 일본에 도착한 후 전지훈련지인 다카마쓰에서 미즈하라 감독이 백인천을 도에이 선수들에게 소개하는 모습이다. 소속 선수 맨 끝번인 68번이 백인천이 배정받은 등번호였다.

한국에선 새 공을 보기가 어려웠는데 그런 광경을 보면서 순간 '이런 공이라면 얼마나 잘 칠 수 있을까' 하는 상념에 잠겼다. 그러면서 여기저기 흩어져 있던 공을 주워 바구니에 담았다. 코치들은 그런 나를 보고 '자세가 됐다'고 칭찬했다.

감독이 내게 한번 뛰어보라고 했다. 발이 빨랐던 내가 막상 뛰어보니 반 이상은 이길 수 있는 수준이었고 나머지와는 경쟁할 수 있겠구나 싶었다.

### 한밤중 팬티 차림의 장훈 스윙 연습 목격하고 충격받다

캠프에서 철수한 다음 도쿄 고마자와에 있는 합숙소에서 선수단 생활을 시작했다. 말도 통하지 않았지만 무엇보다 음식이 입에 맞지 않아 괴로웠다. 하루 세 끼 식사의 식단은, 아침에는 밥과 된장국, 계란 부침, 오싱코(소금에 절인 배추김치), 점심에는 오니기리(주먹밥), 저녁에는 사시미(회)가 나왔다. 외식은 생각도 할 수 없는 형편이었다.

음식을 제대로 먹지 못한 데다 바람이 쌀쌀한 곳에서 무리하게 뛰다가 '니쿠바나레(근육 이완)'가 오는 바람에 치료를 받는 등 이중고를 겪었다. 그런 상황에서 훈련에 몰두하다보니 73킬로그램이었던 몸무게가 3개월 후 57킬로그램으로 뚝 떨어졌다.

'역시 일본 야구는 따라갈 수 없는 것인가' 하는 회의도 들었다. 몸이 쇠약해졌을 뿐만 아니라 일본말을 할 수 없는 것이 고립감을 줬다. 유일한 대화 상대는 밤하늘에 두둥실 떠 있는 달이었다. 숙소를 거닐면서 고향의 가족을 생각했다. 먹는 것에 적응하고 무엇보다 빨리 말을 배워야겠다고 생각했다.

나는 일본말을 배우려는 욕심에 일부러 합숙소의 전화당번을 맡았다. 통화 상대는 선배 선수들의 연인이 많았다. 더듬거리며 일본어로 대답하는 것이 상대방의 호감을 사서 선배들에게 선물을 들고 온 여성이 '이것은 백군에게 주라'고 한 적도 있다.

일본말을 익히는 데 필사적으로 매달렸다. 사전은 손에 들고 다니다시피 했다. 전화당번을 할 때도 큰 거울 앞에서 서성거리면서 중얼거리기를 거듭했다. 옆방에서 기거하던 도바시 마사유키土橋正幸가 그

1962년 여름 도에이 합숙소에서 친한 동료와 함께.

모습을 보고 감탄했다.

"이 녀석은 한국에서 와서 이렇게 열심히 하고 있다. 너희는 뭐가 문제인가. 모두 녀석을 본받아라."

도바시 마사유키는 나를 지목하며 후배들에게 충고했다. 에이스 투수인 도바시 마사유키가 젊은 후배들에게 설교한 탓인지 나는 선배들에게 '이지메(괴롭힘)'를 심하게 당하지 않았고, 점차 생활에 익숙해졌다.

1년간의 2군 생활에서 나는 그저 코치의 지도를 100퍼센트 믿고 지시를 그대로 따랐다. 하지만 허송세월이었다. 리듬이나 타격 타이밍이 오히려 깨져버렸다. 그때의 체험이 훗날 선수들을 가르치는 데 보

1군으로 뛰기 위해 도에이의 가와사키 합숙소 시절 정말 열심히 배팅 연습을 했다.

약이 됐다. 2군 생활이 힘들 때마다 일본에 올 때 새끼손가락을 깨물어 쓴 혈서 두 장을 들춰보며 각오를 새롭게 다졌다.

"1군 선수로 뛰지 못하면 죽어도 귀국하지 않는다."

"성공할 때까지 내 조국은 없다."

일본에 온 지 2년째가 되자 말도 어느 정도 통하고 몸도 정상을 되찾았다. 타격도 보고 느낀 것이 많아 달라지기 시작했다.

그 당시 매일 훈련이 끝나면 일기를 썼다. '오늘도 야구 스윙을 몇 개 했다'는 식이었다. 하루에 스윙을 보통 500~600개는 했다. 팀 동료인 도바시 유키오는 내가 비가 오나 눈이 오나 훈련을 쉬지 않자 처음에는 비아냥거렸다.

"1군 선수로 뛸 놈도 아닌데 뭐 하러 저렇게 열심히 하지?"

하지만 나중에는 태도가 달라졌다. 도바시 유키오는 자신과 친한 한국계 유명 스모선수인 후타고야마한테 소질은 없지만 열심히 해서 된 친구라며 만날 때마다 내 성실성을 칭찬했다고 한다.

도바시 마사유키는 프리배팅 투수로 도에이에 입단해 에이스 투수가 되었는데 독신이어서 숙소에서 함께 생활했다. 나중에 '사와무라상' 선발위원장도 역임했던 그는 1962년 저팬시리즈 최우수선수로 뽑힌 명투수였다. 1군에 올라간 다음 나와 배터리를 이루기도 했다.

팀에는 좋은 본보기가 있었다. 같은 민족의 피가 흐르고 있는 대타자 장훈이 바로 그였다. 1963년 2월, 시즈오카의 이토에서 펼쳐진 캠프 때 한밤중에 일어나 화장실에 가려는데 넓은 방에서 '붕, 붕' 하는 소리가 들렸다. 슬그머니 들여다보니 팬티 하나만 걸친 장훈 선배가 정신을 집중해서 배트를 휘두르고 있었다. 그 장면을 목격한 나는 더욱 선배에게 뒤지지 않는 '연습 벌레'가 될 것을 맹세했다.

시즌이 끝난 뒤 나는 장훈 선배와 함께 텔레비전에 출연할 기회가 생겼다. 장훈 선배는 그 자리에서 나를 이렇게 칭찬했다.

"한국에는 산에서 나무하는 지게꾼이 있다. 백군이 처음 하네다 공항에 내릴 때 방망이 세 자루만 들고 왔는데, 마치 지게꾼이 나무를 하고 산에서 내려오는 것 같았다. 그런데 나도 노력을 하지만 백군이 연습하는 걸 보니 참 대단하다."

### 일본에서 싸움을 두 번 벌이다

1962년 도에이에 입단해 2군 숙소에 들어간 뒤 일본에도 선후배 사이에 구타가 있다는 것을 알게 됐다. 훈련을 할 때 꾀부리거나 하면 남들 있는 데서도 불려가서 혼났다. 나로선 오로지 야구를 하고 싶어서 갔기 때문에 눈에 보이는 것은 야구뿐이었다. 그런데 못살게 구는 선배들이 있었다. 야구를 하고 싶은데 못하게 하는 사람이 있다면 참을 수 없는 일이라고 속으로 다짐했다.

일본에서 괄시받았다는 것을 지금 가만히 생각해보니까 그네들의 일종의 '이지메'였다. 2군 숙소에서 2년 선배인 외야수 하기하라와 1년 선배인 투수 요시다가 나를 가장 괴롭혔다.

내가 아직 일본말에 익숙지 않아 말귀를 잘 못 알아들었지만 '조센징' 어쩌고 하는 소리는 들렸다. 그들은 나한테 말도 모른다며 퉁을 주거나 트집을 잡았다. 공연히 의도를 가지고 이지메를 하는 것이

경향신문 西紀1962年5月29日 (火曜日)

# 白仁天君의 最近

## 環境變化로 强打不振

周圍의 耳目集中·同僚間의 人氣좋고

## 外出도 自制하며「스윙」거듭

◇연습을 거듭하는 白仁天선수

1962년 5월 29일자 경향신문 보도. 낯선 일본 프로야구 환경으로 강타자가 부진을 겪고 있다고 전하면서 외출도 자제하며 스윙연습을 거듭하고 있다고 썼다.

었다.

두 사람에게는 뭐랄까, 지금 생각하면 한국 사람에 대한 거부감이 있었다. '한국 놈이 왜 일본에 와서 야구를 하느냐'는 식이었다. 둘은 다른 후배들에게도 이지메를 많이 했다. 그런 두 사람이 나를 만만히 본 것이다. 그대로 넘어가선 안 되겠다고 마음을 다잡았다. 당당하게 맞서기로 작심했다.

그래서 요시다와 주먹다짐까지 벌일 정도로 반격을 가했다. 나도 힘에선 뒤지지 않았기 때문에 주먹다짐도 마다하지 않은 것이다. 잘못한 것이 있다면 사과하겠다는데도 당치 않게 방해하는 데야 도저히 참기 어려웠다. 확실히 행동을 보이지 않으면 계속 당하겠다 싶어 거친 방법을 선택한 것이다.

선후배 간 싸움은 금세 소문이 퍼져나갔다. 당연히 2군 감독은 물론 1군 감독에게도 보고가 올라갔다. 장형(장훈)의 귀에도 그 얘기가 들어갔다. 동료들도 내가 잘못한 게 아니라는 것을 알고 있었다.

1963년 스프링캠프 때 타격 연습을 하는 모습. 1군으로 승격한 후 오카다 선배의 41번 등번호를 물려받았다.

장형이 지방 원정경기를 갔다가 돌아온 다음 나와 그 둘을 불렀다. 나는 장형이 묻는 대로 자초지종을 밝혔다. 장형은 둘을 다그쳤다.

"너희가 (백인천이) 조센징이라며 깔보았느냐, 이지메한 것이냐?"

그러면서 그들을 몇 대 쥐어박았다. 사실 하기하라는 장형과 동갑이었지만 장형 앞에서는 절절맸다. 둘은 다시는 그렇게 하지 않겠다고 빌었다.

미즈하라 감독은 그 사실을 알고 두 선수를 호되게 나무랐다. 나는 그 무렵 오로지 야구만 생각하며 운동했다. 그걸 잘 알고 있는 사쿠라이櫻井 2군 감독은 동료가 열심히 하는데 도와주지는 못할망정 그러면 안 된다고 그들을 꾸짖었다.

사쿠라이 2군 감독은 미즈하라 감독의 게이오대학 후배이자 내 고교 국사선생과 게이오대학 동기이기도 했다. 일본에 가기 전 국사선생한테 인사를 갔더니 그런 사실을 알려줬다. 그래서인지 사쿠라이 감독이 나를 상당히 좋아하고 열심히 하라고 격려를 많이 해줬다.

### 장훈의 배트와 헬멧을 빌려 첫 타격 훈련을 하다

외국 생활을 잘하려면 음식과 기후, 말에 잘 적응해야 한다. 1년이 지나자 일본 생활도 익숙해졌다. 처음 일본에 갈 때는 3년을 목표로 세웠다. '3년 안에 반드시 1군에 올라가야겠다'는 것이었다.

그런데 1년 반 만에 1군으로 승격됐다. 10년간 같은 팀에서 생활한 장훈 선배는 나를 '한 번 시작하면 끝장을 보는 스타일'이라고 평했는데, 정말 그랬다. 한 번 칼을 뽑았으면 제대로 끝장을 봐야 하는 것이 내 성격이었다.

기회는 느닷없이 찾아왔다. 한국에서 박정희의 대통령선거 출마가 주목받고 있던 해인 1963년 초여름, 도쿄 진구구장에서 1군의 타격 연습을 돕고 있던 나에게 미즈하라 시게루 감독이 한번 쳐보라는 지시를 내렸다.

1군에 올라갈 당시 나는 경기에 출장할 줄도 모르고 머리보호대와 배트도 놔두고 미트 하나만 달랑 들고 갔다. 장훈 선배가 나를 보

생각보다 빠르게 1년 반 만에 1군으로 올라가게 되자 기회를 놓치지 않으려고 더 열심히 연습했다.

더니 뛰어왔다.

"너, 방망이도 안 가져왔어?"

"네, 경기에 나갈 줄 몰랐어요."

장훈 선배는 어이없어 하면서 자기 배트와 헬멧을 내주었다.

선배 장훈의 배트와 헬멧을 빌려 쓰고 배팅 케이지에 들어섰다. 타격을 열심히 했다. 2군은 헌공으로 연습을 하는데 1군은 새 공이어서 기분이 좋았다.

"좋아, 게임에 나가라."

드디어 미즈하라 감독의 입에서 출전 명령이 떨어졌다.

마침 1군의 포수인 다네모 마사유키와 안도 준조 두 명이 차례로 고장 나는 바람에 내린 응급조치였다. 당시 도에이 구단의 1군 포수는 4명이었는데 다네모는 무릎을 다쳤고 안도는 손톱이 부러졌다.

1군 승격 전날에도 평소와 마찬가지로 2군에서 경기를 뛰었는데 두 자리가 갑자기 비게 되자 마침 끝내기 3점 홈런을 친 나에게 2군 감독이 1군에 가서 불펜투수 도우미 노릇이나 하라고 올려보낸 것이다.

### '땜질용' 포수로 1군 무대에 데뷔하다

입단한 지 1년 6개월 만인 1963년 6월 26일, 그렇게 고대했던 1군 무대에 드디어 서게 됐다. 2군 감독이 내일 1군 경기할 때 도우미로 따라가라고 했지만 곧바로 경기에 출전할 줄은 꿈에도 몰랐다. 머리 보호대와 방망이도 다 놓고 갔으니 말이다.

데뷔전 상대는 선두를 다투던 난카이 호크스(현 소프트뱅크 호크스), 상대팀 포수는 노무라였고 장소는 일본 진출의 인연을 맺게 해준 메이지 진구구장이었다.

나의 야구 인생에 역사적인 이 데뷔전에서 7회 초부터 선발 포수 마루야마를 대신해 마스크를 썼다. 장형(장훈)이 4번 타자로 나선 그 경기는 이미 2 대 7로 전세가 기울어 있었다. 우리 팀 투수는 2군에서 함께 지낸 적이 있는 이시하라였다.

타석에도 한 차례 들어섰다. 8번 타순이었던 나는 8회 초 선두타

도에이의 1군 포수였던 다네모 마사유키와 안도 준조가 부상으로 결장하게 되자 땜질용 포수의 기회가 주어졌다.

자로 나서 좌익수 뜬공을 기록했다. 타석에 나서기 전 장훈 선배가 소리쳤다.

"야, 공 들어오면 무조건 휘둘러!"

장훈 선배가 힘을 불어넣어줬지만 야간게임은 난생처음인 데다 상대투수의 공도 잘 안 보였다. 초구, 2구에 파울볼을 내고 3구째에 '꽝' 치고 냅다 뛰어서 2루에 가 섰다.

"아웃!"

심판이 크게 외치는 소리가 들렸다. 관중이 '와아' 하고 웃었다.

못 들은 척하고 더그아웃으로 뛰어들어갔다. 더그아웃에 있던 선수들이 키득거렸다.

내가 수비에 들어가기 위해 포수 프로텍터 등을 매며 준비를 하는데 미야자키 투수가 옆으로 다가왔다.

"참 아까웠다. 홈런이 될 뻔했는데."

2군에서 함께 고생했던 미야자키는 나하고 나란히 1군으로 올라왔기에 사이가 좋았다. 2군 시절 눈물 젖은 빵을 나누어 먹은 동료들은 누군가 1군에서 출장하게 되면 자기 일처럼 기뻐했고, 활약해주길 바랐다. 그것이 인지상정이었다.

사실 공이 어디로 갔는지 몰랐을 만큼 제정신이 아니었다. 신인으로 겪어야 할 일이었다. 신인 타자의 눈에 공이 안 보이는 것은 당연했다.

**첫 선발 출장, '유망 포수'로 각광받다**

6월 27일 8번 타자, 포수로 선발 출장했다. 난카이를 상대로 일본 무대에서 처음으로 주전 마스크를 쓴 것이다. 호흡을 나눈 도에이 선발 투수는 이시카와 료조였다. 이시카와는 나와 2군에서 함께 생활해 그의 구질을 잘 알았다. 당시에는 보기 드물게 싱커를 주무기로 던지는 투수였다.

싱커 자체가 공이 떨어지니까 1군 포수들이 제대로 공을 잡지 못했다. 그럴 때면 그는 연신 '미안합니다, 미안합니다' 하고 고개를 숙였다. 그 당시만 해도 일본에서는 떨어지는 공을 던지면 어떻게 하느냐는 핀잔을 듣던 시절이었다. 그는 원래 구질이 그랬다. 직구를 던져도 공이 떨어졌다. 포수들이 고개를 갸우뚱거릴 정도였다.

그가 먼저 1군에 올라갔지만 나는 2군에서 같이 1년을 생활했으니 공을 척척 잡아냈다. 미즈하라 감독이 흡족한 표정을 지었다. 이시카와는 나와 첫 선발 호흡을 맞춘 그 경기에서 1실점 승리투수가 됐다. 상대 타자들이 낯선 공인 데다 구질이 까다로워 제대로 쳐내지 못했다.

나는 세 차례 타석에 들어섰다. 2회와 4회에는 1루수 땅볼로 물러났다. 6회 세 번째 타석에서 난카이의 세 번째 투수 미우라의 초구를 노려 쳐 유격수를 넘겨 좌중간에 떨어지는 2루타를 만들었다. 아마 죽기 살기로 뛰었던 듯하다. 어중간한 지점에 떨어졌는데 2루타로 만들었으니. 그 타구가 일본 프로야구 무대 첫 안타였다. 그 경기는 도에이가 3 대 1로 이겼다. 다음 날 일본 언론에서 '도에이 포수의 광명'이라는 기사를 실었다.

첫 선발 마스크를 쓰고 2회 초 3루에서 홈 스틸하는 선수를 블로킹해 실점을 막았고, 6회 말에는 안타도 기록했으니 호의적으로 볼 만했다. 세 타석에 선 뒤 8회부터 베테랑 포수 기오리에게 마스크를 넘겼다.

나는 비로소 일본 프로야구에 발자국을 남기게 됐다. 이제 그만두어도 괜찮다는 생각도 했다. 일본에 올 때 1군에서 한 게임이라도 나가본다면 죽어도 여한이 없겠다고 생각했는데, 1군 무대에 서봤으니 1차 목표는 달성한 것이다. 스스로 고무됐다.

1963년 1군 데뷔 후 타석에서 배팅 연습을 하는 모습. 패기와 날카로운 눈매가 살아 있던 때였다.

1963년 1군 숙소와 훈련장에서 잠시 휴식을 취하면서 찍은 사진이다. 처음에는 1군 데뷔가 목표였지만 동료 부수지마 선수의 1,000안타 수상을 보고 더 큰 목표를 세웠다.

그러나 며칠 후 도에이 동료인 부수지마 쇼이치毒島章一가 개인통산 1,000안타 기념 표창장을 받는 것을 보곤 마음을 고쳐먹었다. 나도 앞으로 안타를 999개는 쳐야겠다고 말이다.

6월 16일 데뷔전과 27일 첫 선발 포수 출장 경기는 내 가슴속에 여전히 소중한 추억으로 살아 있다. 당시 기록지는 복사해서 지금도 가지고 있을 정도다.

### 뾰루지 때문에 외야수로 전향하다

1965년 시즌 도중 턱에 뾰루지가 났다. 원래 나는 여드름이 많은 편이었는데 뾰루지까지 나는 바람에 마스크도 쓸 수 없을 지경이었다. 게다가 미즈하라 시게루 감독이 외야수 전향을 지시했다.

"너는 발끈하기 쉬운 성격이어서 포수보다 외야 쪽이 더 낫다."

나의 외야수 전향은 오른손 강타자가 부족했던 팀 사정도 작용했다. 강한 어깨와 파워 넘치는 타격도 고려한 조치였다. 일본에서 성공할 수 있었던 요인 중 하나가 바로 외야수로 변신한 것이 주효한 덕분이다.

그해 시즌 막판에 미즈하라 감독이 외야수로 테스트하려고 1군 경기에 내보냈다. 이미 2군에서 수비력을 인정받았기 때문에 미즈하라 감독이 시험 삼아 1군 외야수로 기용해본 것이다. 그에 앞선 2군 경기 난카이전에서 왼쪽 라인선상 타구를 잡아 2루로 뛰는 주자를 잡아낸 적이 있고, 다이요 훼일즈전에서는 5 대 3으로 앞서 있던 9회 말 만루 상황에서 좌중간 깊숙이 날아가는 타구를 펜스 앞에서 처리해 수비도 잘한다는 인상을 심어줬다. 그걸 보고 사쿠라이 2군 감독이 미즈하라 감독에게 보고를 올린 것이다.

1966년 시즌부터 주전 중견수로 뛰기 시작했다. 처음 해보는 중견수 수비였지만 안타성 타구도 곧잘 걷어냈다. 평소 포수로 있으면서 상대 타자를 연구해놓아 타구 방향 예측을 잘했던 것이다. 발도 워낙 빨랐다.

당시 신문 인터뷰에서 나는 서슴없이 말했다.

"내 타력을 살리기 위해 신경을 많이 써야 하는 포수보다 외야수로 뛰게 한다는 얘기를 들었다. 내 장기인 타력을 살리는 길이므로 포수에는 미련을 버렸다."

1968년 도에이 플라이어즈 선수단의 단체 사진. 맨 앞줄 의자에 앉아 있는 선수가 장훈 선배고 두 번째 줄 오른쪽에서 두 번째 선수가 백인천이다. 이때 등번호는 7번이었다.

미즈하라 감독도 기자들에게 설명했다.

"하쿠(백)는 타력도 있고 이번에 니시데쓰전에서 대단히 뛰어난 수비를 보여줬다. 내야에 쓰고 싶다는 생각도 했지만 일단 외야에 기용할 작정이다."

1967년 나는 감독추천으로 처음으로 퍼시픽리그 올스타전에 나갔다. 그해 타율 2할 8푼을 기록해 타격 11위에 올랐고 1965년(14개)에 이어 두 번째로 두 자릿수 홈런(10개)도 날렸다. 그해부터 1972년까지 6년 연속 두 자릿수 홈런을 기록하며 일본 선수생활 전성기를 맞았다.

1968년에는 15홈런, 타율 2할 9푼 6리를 기록했는데, 기억에 특히 남는 일은 시즌 막바지였던 9월 27일 도쿄 오리온즈전에서 3연타석 홈런과 5타점을 기록해 0 대 6으로 지고 있던 게임을 8 대 7로 뒤집는 주인공이 된 것이다. 3연타석 홈런은 당시 퍼시픽리그 최초 기록이기도 했다.

### 달을 향해 쳐라

숱한 야구 인생이 그러하듯이 나 역시 최초로 입단했던 도에이 플라이어즈 지도자에게서 영향을 많이 받았다. 당시 미즈하라 시게루 감독은 '인내를 바탕으로 한 지도력'이 특징이었다. 게임 중반까지는 기회가 와도 미사와나 시마다 같은 대타요원을 쓰지 않아 선수를 마음 졸이게 했다. 하지만 '승부사' 미즈하라 감독은 종반에 가서야 대타를 기용해 경기 흐름을 일거에 바꾸어 내 눈이 휘둥그레지게 만들었다.

'달을 향해서 쳐라'는 타격이론(?)으로 유명한 이지마 자미 코치는 선수를 지도할 때, 우선 선수 기분이 풀릴 때까지 의견을 말하게 했다. 그런 다음 자신이 전하고 싶은 얘기를 정중하게 설명하면서 신뢰를 쌓았다. 나는 그가 홈런왕 오스기 카츠오大杉勝男 등을 길러내는 것을 눈여겨봤다.

이지마 코치는 암으로 사망했다. 1972년 나와 오스기, 오시타大下剛史 세 명이 올스타전에 출장했을 때 그는 병원에서 몰래 빠져나와 경기를 관전하기도 했다. 우리가 그의 마지막 제자였다. 그는 그날 우리

셋과 함께 중국집에서 저녁을 먹었다. '마지막 만찬'이었다.

타격이론이라고 했지만 대단한 것은 아니었다. 도쿄 고라쿠엔구장에서 야간경기를 하면 보름달이 구장 동쪽 외야 좌중간에 두둥실 뜬다. 우타자가 타석에 서면 달이 보인다. '마음을 먹으면 홈런을 날릴 수 있다'는 이미지 트레이닝을 한다. 마음을 그야말로 크게 먹고 45도 각도로 배트를 휘두르면 홈런이 될 수 있다는 것이다. 달이 뜨면 꼭 그 각도에서 홈런이 나온다.

달을 향해 치라는 말은 곧 '마음은 달을 향하라'는 얘기다. 이지마 코치는 1972년 캠프 때부터 나와 오스기, 오시타 등을 장타자로 기르기 위해 집중 지도했다. 그가 '츠키오무카테(つきおむかて, 달을 향해)'라고 한 것도 집중력을 길러주려는 일종의 이미지 트레이닝이었다. 마음속으로 멀리 보낸다는 생각으로 타격을 하라는 뜻이었다.

그라운드에서 우리끼리 농담을 했다.

"야, 오스기, 오늘 달 안 떴다."

그러면 오스기가 능쳤다.

"오늘 날 보려고 떴다. 너희 눈에는 안 보이니?"

마침 그 얘기를 옆에서 들은 기자가 물었다.

"오늘 달이 안 떴는데 무슨 소리를 하는 거야?"

그러자 오스기가 그럴듯하게 대답했다.

"달이 구름에 가려졌지만 내 마음속에는 달이 떴다."

이것을 기자가 그럴싸하게 포장해 보도한 다음부터 '달을 향해 쳐라'는 말이 유명해지게 되었다.

스프링캠프 때 플라이볼 잡는 연습을 하는 모습이다. 뒤에 모자를 벗고 웃고 있는 선수가 장훈 선배고 왼쪽에 검은색 점퍼를 입은 사람이 이지마 타격코치다.

그해 나는 3할 1푼 5리로 일본에서 첫 3할대 타율을 기록하며 타격 3위에 올랐고, 장형(장훈)은 3할 5푼 8리로 다섯 번째 타격왕을 차지했다. 오스기도 2할 9푼 5리를 쳤다.

### 달과 이야기하며 심신을 달래다

경동고 시절 밤에도 스윙 연습을 했다. 당시만 해도 밖에 외등이나 가로등이 없어 달이 뜨는 밤이면 뒷동산에 올라가 방망이를 휘둘렀다. 남들이 들으면 웃을 수도 있겠지만 그 무렵부터 나는 달과 대화를 했다. 날이 흐려서 달이 안 나오면 나는 '달이 화난 모양이다'라고 생각했다.

게으름을 피우느라 하루 이틀 스윙을 거르다가 언덕배기에서 달과 마주쳤다.

"너 어제 왜 안 나왔니?"

달이 나를 보며 꾸짖었다. 초승달이 구름 속을 들락날락거리면 화를 냈다가 마음을 풀었다가 하는 것으로 받아들였다. 마치 달을 친구처럼 여겨 스윙 연습이 끝나면 속으로 '고맙다'는 말을 했다. 달은 내 벗이 됐다.

일본으로 떠나기 전날(1962년 2월 21일)에도 달이 환하게 온 누리를 비췄다. 나는 달과 무언의 대화를 나눴다.

"이제 너를 볼 수 없겠구나."

"무슨 소리야. 네가 일본에 가도 내가 볼 수 있어!"

일본은 흐린 날이 많다. 비가 오면 연습을 게을리하게 된다. 우리나라보다 습도가 높아 찜통 같은 여름철 무더위는 그네들이 '무시아츠이蒸暑'라고 말할 정도로 지독했다. 무더위 속에 이국땅에서의 외로움과 고독을 이겨내기 위해 오밤중에도 스윙 연습에 몰두했다.

일본으로 떠나기 전 서울에는 보름달이 떴다. 달빛 아래에서 스윙 연습을 하며 자연스레 '달과 대화'를 했다. 구름 사이로 얼굴을 내미는 달을 바라보며 스윙 연습을 하는 것이 나에게 뭔지 모를 위안을 줬다. 달을 보며 심신을 달랜 것이다.

## 복서 출신 일본인 심판을 구타하다

1970년 5월 국방부가 도에이 구단에 '백인천 선수를 7월 말까지 귀국시켜 징병검사를 받게 하라'는 소환장을 보냈다. 병역문제로 예민해 있던 참에 5월 23일, 일본 매스컴에 대서특필됐던 이른바 '주심 폭행사건'이 터졌다.

일본 도쿄 고라쿠엔구장에서 열린 야간경기 도에이-긴테쓰전에서 일어난 일이다. 그날 긴테쓰의 선발투수는 오타 고지였다. 그는 인기를 모으고 있는 신인 미남투수였다. 오타가 마운드에 오르자 고라쿠엔구장은 관중의 환호성으로 들썩였다. 3만 5,000명 대관중이 운집한 가운데 사건은 1회에 벌어졌다. 오타는 등판하자마자 도에이 1번 타자 스기시타를 몸에 맞는 볼로 출루시키고 2번 타자로 나선 나와 맞섰다.

관중이 오타 투수를 일방적으로 응원하는 소리에 잔뜩 신경을 곤두세우고 있던 나는 초구에 헛스윙을 했다. 2구째에는 치고 달리기 사인이 나왔는데 빗맞아서 파울볼이 됐다. 볼카운트는 2-0. 그날 주심은 평소 제스처가 크기로 소문나 있던 쓰유사키 모토미露崎本彌였다. 3구째, 바깥쪽으로 공이 빠져나갔다. 누가 봐도 볼이었다. 그런데 쓰유사키 주심이 흥분된 어조로 목청을 한껏 돋우어 소리쳤다.

"스토~락키! 스토락키 아웃!"

스토락키는 스트라이크를 강하게 발음하는 그의 말투였다. 그러자 긴테쓰 포수가 킬킬거리며 웃었다. 순간 피가 거꾸로 치솟았다.

나는 주심을 노려보면서 냅다 소리쳤다.

"쿠소야로! 뭐가 스트라이크야. 그렇게 낮은 볼이 왜 스트라이크냐고!"

그러면서 오른손으로 그의 배를 쿡 찔렀다. 쿠소야로는 '똥 같은 놈'이라는 말이다. 그러자 쓰유사키 주심이 지체 없이 왼손을 치켜들고 외쳤다.

"퇴장!"

순간 나는 '목 감아치기'로 그의 다리를 걸어 넘어뜨렸다. 그러곤 넘어져 있는 그에게 올라타서 몇 대 쥐어박았다.

일촉즉발, 더그아웃에서 미묘한 흐름을 지켜보던 장형(장훈)과 루상에 나가 있던 오스기 두 선수가 달려와 잽싸게 나를 뜯어말렸다. 장형이 득달같이 뛰쳐나온 것은 그 주심의 전력 때문이었다.

쓰유사키 심판은 78전 53승 11패의 전적을 보유한 프로복서 출신이었다. 전력을 되살려 주먹을 휘두른다면 어떤 일이 생길지 알 수 없는 급박한 상황이었다. 도에이의 마쓰키 감독과 다미야 코치도 달려나와 사태를 수습했다.

그 사건이 일어난 다음 날 일본의 삼류 신문들이 들끓었다.

"조센징朝鮮人이 일본 심판 구타!"

이런 제목 아래 '조센징이 일본 사람을 팬다는 게 말이 되는가. 가만두면 안 된다'고 떠들어댔다. 일부 기자들은 '심판이 경찰에 고소해야 한다'고 노골적으로 부추겼다. 결국 쓰유사키 심판은 일본 언론의 압력에 못 이겨 이틀 뒤 도쿄 분교쿠 고라쿠엔구장 옆에 있는 도미자카 경찰서에 전치 1주짜리 진단서를 떼서 나를 고소하기에 이르렀다.

1970년 5월 23일 경기 중 심판을 구타한 사건으로 선수 1호 퇴장을 당했다. 사진은 그때의 사건을 실은 일본신문. 이 기사 옆에 한국 국방부가 병역검사를 위해 백인천을 소환했다는 기사를 함께 실었다.

# 白に退場命令 選手第1号

## ボールの判定で 主審に暴行

東映の白仁天外野手(二六)は二十三日、後楽園球場で行なわれた対近鉄5回戦の一回裏、露崎主審の判定を不満として同主審の背中を突き退場を命ぜられた。同選手は退場を宣告されたあと同主審に飛びかかり、観衆の目前で足ばらいをかけ、転倒させるなどマナーの悪さが目についた。今シーズンの退場選手は白が第一号、監督を含めると阪急の西本監督についで二人目である。

一回裏、東映の攻撃は無死一塁に死球の大下をおき、白が打席に立った。白は初球をカラ振り。2球目はエンドランを失敗して右翼ファウルフライ。3球目は外角低めの直球だった。露崎主審の判定は"ストライク"。三振を宣せされた白は「完全なボールだ。あんなストライクがあるか」と三塁側を向いて知らぬ顔の同主審の背中を右手で二度突いた。このあと、なおも白は同主審に対面して、ハラを突きだすようにして、からだごと押して抗議。同主審は左手を大きくあげ"退場"を命じた。おこった白はすぐ同主審に飛びかかり足ばらいをかけ転倒させた。一塁側スタンドから東映の私設応援団の一員がグラウンドに飛びおりるなど、険悪な空気になったが、東映の松木監督、田宮コーチなどの制止で約四分後に試合は再開した。

東映・白外野手の話「3球目はボールもボール、大ボールだ。ストライク、ボールの判定に文句をいうわけではないが、いまのはストライクかと手をのばしたら、背中に当たった。あのていどのことで退場させられるのなら、いくらでも例がある。これまで退場にしていないし、その理由がない。もっと勉強してほしい」

露崎主審の話「ごらんのとおりです。バカヤロウ、あんなストライクがあるかと侮辱されたし、手で突かれたから退場させた。会長代理としてゲームを運営しているのだから、当然の処置だ。暴行後の暴力は、ボクに関係ないことで連盟のほうで、なんらかの処置があるでしょう」

## 白、徴兵検査で召喚

### 韓国国防部 7月末までに帰国せよ

【ソウル二十三日=時事】韓国国防部はプロ野球東映球団の白仁天選手(韓国籍)に、七月末までに帰国、徴兵検査を受けるよう召喚命令を出した。

国防部当局によると白選手は六二年二月二十日に一年期限のパスポートで出国、四回にわたって期間延期を行なってきたが、兵役申告をしていなかったことが最近の忌避者一斉調査で判明、国防部の第三回召喚の対象者となった。

白選手は、帰国後の徴兵検査に合格すれば、年内に現役として入隊し三十カ月の義務兵役につかなければならない。

白選手の話「まだ通知は私の手元にきていないが、兵役は韓国民の義務だから当然服従する。野球はもっとやりたいが、二年間の約束を九年間もやらせてもらって感謝の気持ちでいっぱいだ」

그러나 일본 경찰은 '그라운드에서 일어난 사건은 커미셔너의 결정 사항'이라며 밀어냈다. 쓰유사키 심판은 고소를 취하했다. 나와 쓰유사키 심판은 커미셔너 사무국으로 불려가 양자대면을 했다. 나는 그 자리에서 '물의를 일으켜 죄송하다'고 사과했다.

그 사건으로 나는 벌금 30만 엔과 5게임 출장정지를 먹고 사태가 일단락됐다. 쓰유사키 심판은 사실 도에이 구단과 사이가 좋지 않기로 이미 소문이 나 있었다. 그래서 그날 경기를 기자들도 예의주시했는데 내가 걸려든 것이다.

그 소동으로 나는 시즌 선수퇴장 1호를 기록했다. 쓰유사키 심판도 그 일로 2게임 출장정지와 벌금 10만 엔 징계를 당했다. 그는 얼마 후 심판을 그만뒀다.

장형(장훈)한테도 그랬지만 일본인은 한국인 선수에 대한 편견이 심했다. 그래서 빈볼성 투구나 심판 판정에 '한국인을 업신여긴다'는 자격지심이 앞서 민감하게 반응할 수밖에 없었다. 내가 일본 투수들의 표적이 된 원인은 발이 빠르고 악착같았기 때문이다. 빈볼을 맞으면 장형이나 나나 마찬가지였다. 주자로 나가면 2루로 가면서 수비수를 발로 차버리는 식으로 응징했다. 일종의 생존전략이었다.

우리가 한창 날릴 때 '하쿠와 하리'로 유명했다. '하쿠白'는 백인천, '하리張'는 장훈 선배의 일본식 이름 '하리모토 이사오張本勳'의 성을 딴 것이다. 그때 일부러 이상한 짓도 참 많이 했다.

장형은 번트 연습을 했고 나는 방망이 놓치는 연습을 했다. 우리를 맞히려는 투수들 손 좀 봐주려고 그랬다. 장형은 1루 쪽으로 번트를 대고 투수가 베이스 커버에 들어갈 때 발을 밟아 버리겠다는 생각이었다. 나는 오른손잡이여서 그게 안 되니까 스윙하면서 놓치는 척, 방망이를 투수한테 던지는 연습을 했다.

### 군인 신분으로 일본 프로야구에 복귀하다

1967년 1월 16일, 서울 YMCA 강당에서 정일권 국무총리 주례로 결혼식을 올렸다. 가정을 꾸려 안정을 찾은 나는 1969년에는 퍼시픽리그 타격 9위(.291)로 처음으로 10걸 안에 들었다. 1970년 들어 새로운 도약을 머릿속에 그리던 참에 국방부 소환령이 떨어졌다. 그때는 현재처럼 국제 스포츠대회에서 좋은 성적을 올린 선수에 대한 병역 면제도 당연히 없었다. 도에이 구단에 1년 기한 여권으로 입단했고, '2년 후

1970년 귀국해 육군에서 6주간의 훈련을 마치고 원주 통신학교에서 정보요원 교육을 받을 때의 모습.

1971년 중앙정보부 소속 정보요원으로 주일대사관에서 남은 군복무를 대신하도록 한국정부가 배려해주었다. 사진은 군 훈련을 마치고 일본으로 건너가 주일대사관에서 관계자와 찍은 것이다.

병역을 마친다'는 단서가 붙어 있었다. 여권은 1년씩 연장했다.

그렇게 한국에서 병역을 연기해줬기 때문에 일본에서 경기를 할 수 있었다. 일단 입대를 안 해도 되니까 안심하고 야구에 전념했고, 책임감에서 더욱 열심히 한 것도 있었다. 일본 구단은 내가 군 복무 문제가 걸려 있다는 것을 약점으로 잡아 매년 연봉 재계약 때마다 애를 먹였다.

그 당시 한국에서는 국회의원이나 고위관료 등 이른바 사회 상류층의 아들들이 병역을 기피하려고 유학을 빙자해 장기간 해외에 머물고 있는 것이 큰 사회문제로 떠올랐다. 그들을 강제 귀국시키려는 움

1971년 다시 선수로 복귀해 훈련 중 잠시 야구 배트로 총쏘는 시늉을 하면서 장난치는 모습이다. 뒤에서는 장훈 선배가 선수들이 연습하는 모습을 지켜보고 있다.

직임도 잃었다.

박정희 정권 안에서 '특례를 인정해주면 어떨까' 하는 소리도 있었지만 대통령선거를 앞두고 부담을 느낀 나머지 병역 기피자를 일제히 소환한다는 방침을 세워 나도 소환당할 수밖에 없는 상황이었다. 1970년, '해외체류 병역미필자' 일제 소환 명령이 떨어졌다.

나의 소환 문제는 5월에 불거졌다. 당시 국방부는 고위층의 특별지시를 내세워 '무조건 귀국'을 종용했다. 일본 NHK 방송이 내 병역문제를 보도하자 조총련이 악선전을 해대는 일도 벌어졌다.

"남한정부가 전쟁준비를 하기 위해 외국의 유학생들과 야구선수 백인천까지 모두 귀국시키고 있다."

내 문제가 연일 일본 매스컴에 실리자 이후락 주일대사가 만나자는 전갈을 보내왔다. 대사를 만난 자리에서 나는 이렇게 말했다.

"시즌이 끝날 때까지 기다려주었으면 한다. 정 들어오라고 한다면 지금이라도 들어가겠다."

5개월간의 군사훈련을 마치고 일본으로 건너가 선수단에 복귀해 훈련하다 땀을 닦는 모습이다.

그랬더니 알았다며 검토해보자고 했다. 일본 진출 당시 이주일 국가재건최고회의 부의장의 비서로 도움을 줬던 그는 "시즌이 끝날 때까지는 한국에 소환당하지 않게끔 책임지겠다. 그 대신 시즌을 마치면 곧바로 귀국해 입대하겠다는 약속을 해달라"는 절충안을 내놓으며 나를 도와줬다.

소환과 관련해 일본 기자들이 어떻게 할지 질문을 던졌다.

"병역은 한국인의 의무이기 때문에 당연히 복무해야 한다. 야구

1971년 선수단에 복귀했지만 사흘만 연습하고 1군에 다시 합류해야 했다. 복귀 첫 타석에서 안타를 치자 감독이 한국 군대로 훈련 가야겠다고 농담을 던졌다.

는 더 하고 싶지만 2년의 약속을 9년이나 늦추어준 대한민국에 감사한다."

이런 내용의 인터뷰를 했던 기억이 난다. 결국 그해 시즌을 마치고 귀국해 27세에 육군에 입대했다. 수색에서 6주 기본훈련을 받은 다음 원주 통신학교에서 다시 6주간 훈련을 받았다.

내가 다시 일본 땅을 밟은 것은 이듬해인 1971년 5월 1일, 박정희가 대통령선거에서 3선에 성공한 다음이었다. 그러나 제대를 한 것은 아니었고 남은 병역기간(2년 반) 당시 한국중앙정보부(KCIA) 소속 군인신분으로 주일대사관에 적을 두고 근무한다는 조건이었다. 일부러 대사관에 배정해 야구를 할 수 있게끔 배려해준 것이다.

일본 의회에서는 '다른 나라 첩보기관 소속인 사람이 어떻게 공공연하게 플레이를 할 수 있는가' 하는 논란이 일기도 했다. 일본 신문기자들에게도 그 일이 알려져 나는 상당한 부담을 느꼈다. 게다가 5개월간 훈련다운 훈련을 전혀 못한 상태였다. 5월에는 비도 많이 내렸다. 겨우 사흘 연습하고 1군에 합류했다. 도에이는 그 무렵 12승 24패로 성적이 엉망이었다.

다미야 감독이 니시데쓰전에서 지고 있는 상황에서 나를 대타로 내보냈다. 복귀 후 대타로 나간 첫 타석에서 사이드암 가와하라 투수를 상대로 좌측 펜스를 때리는 2루타를 날리자 감독이 선수들에게 농담을 했다.

"내년 전지훈련 때는 다 한국 군대로 가야겠다."

하지만 기본훈련이 제대로 안 돼 있어 시즌 중반을 넘어서니 지쳤다. 1971년에는 타율 2할 3푼 8리를 기록해 주전으로 뛰기 시작한 1964년 이래 성적이 가장 나빴다.

도에이 시절 홈런 타구를 치고 뻗어나가는 공을 바라보는 모습.

# 니혼햄 파이터스(1974)

**구단 사장-감독 싸움에 첫 트레이드 희생양**

일본으로 건너와 오랫동안 몸담고 있던 도에이 플라이어즈는 한·일 양국을 뒤흔들었던 '김대중 납치사건'이 일어났던 1973년에 닛타구日拓 홈플라이어즈로 넘어갔고, 그 이듬해인 1974년에는 다시 니혼日本햄이 모기업이 돼 팀 이름도 니혼햄 파이터스로 바뀌었다.

신생팀에 흔히 있는 일이지만 니혼햄도 도에이 색깔이 강한 선수들을 차례로 내보냈다. 더군다나 니혼햄의 미하라三原 사장은 도에이의 미즈하라 감독과 예전부터 앙숙관계였다. 시고쿠중학 시절부터 라이벌이었던 둘은 대학도 일부러 갈라져서 진학해 미하라가 와세다, 미즈하라가 게이오를 나왔다.

미하라가 구단 사장으로 와서 팀 개혁을 명분으로 삼아 주축 선수들 트레이드를 시도하고 자기 사위인 나카니시를 감독으로 임명했다.

나는 1975년 1월 28일 히가시다 마사기東田正義와 함께 다이헤이요

1975년 니혼햄 파이터스에서 다이헤이요 라이온스로 팀을 옮기고 난 후 나가시마 시게오 감독과 이야기 나누는 모습이다. 나가시마 감독은 후에 이승엽, 조성민 선수와도 인연을 맺는다.

太平洋 라이온스(세이부 라이온스 전신)로 옮겼다. 같은 시기에 주축타자였던 오스기 카츠오는 야쿠르트로, 장훈 선배는 한 해 뒤인 1976년 요미우리로 이적했다.

각오는 했지만 내 의사와 무관하게 막상 13년간 정들었던 팀을 떠나려니 마음이 편치 않았다. 미하라 사장에게 면담을 요청했다.

"저희를 트레이드하려는 이유가 무엇입니까?"

"미즈하라의 제자여서 내가 돌볼 수 없다."

미하라 사장은 노골적으로 말했다.

그래서 다시 질문을 던졌다.

"프로선수는 어떤 자세로 해야 한다고 생각하십니까?"

주축선수들을 한꺼번에 트레이드하려는 '점령군' 사장의 횡포에 대해 비난의 뜻이 담긴 힐난조 물음이었다.

"무엇보다 성실한 훈련자세와 투철한 승부정신, 그리고 팀을 위해 희생할 줄 아는 선수가 아니겠는가."

"그렇다면 저는 지금까지 그런 선수가 못 됐기 때문에 트레이드되는 것으로 알고 떠나겠습니다."

속으로 울화가 치밀었지만 내색하지 않고 그 자리를 떴다.

"하쿠白상은 생각이 다르구먼. 내가 다시 잡을까?"

그 후 미하라 사장이 기자들에게 이런 말을 했다는 얘기를 전해 들었지만 부질없는 일이었다.

# 다이헤이요 라이온스(1975~1976)

### 다이헤이요로 전격 이적하다

오기가 있는 선수라면 옛 팀에 전의를 불태우는 것은 당연한 일이다. 이적 후 1975년 4월 5일 시즌 개막전은 다이헤이요의 본거지인 헤이와다이 구장에서 열렸는데 하필이면 니혼햄과 맞닥뜨렸다.

나는 그 경기에서 7회에 역전 솔로 홈런, 연장 11회에 끝내기 내야안타를 날리는 등 3안타의 맹타를 기록하며 친정 팀에 후련하게 설욕했다(4 대 3 승리). 니혼햄 오너인 오오코소 눈앞에서 맹활약한 뒤 그에게 인사를 건넸다. 그가 주변에 내 트레이드를 몹시 아쉬워했다는 얘기도 들렸다.

트레이드가 상당한 약이 됐다. 이적 첫해에 타격왕에 올랐으니 말이다. 그해에는 3년 전에 타격코치 스기야마 사토루杉山悟의 권유로 시

1975년 4월 5일 개막전에서 니혼햄을 상대로 홈런과 끝내기 안타를 쳤다. 날아갈 것 같은 기분이었다.

도했던, 왼발을 올리고 타이밍을 잡는 타격 폼이 원숙한 경지에 접어들었다. 일찍이 장형이 말해준 '볼을 피하면 안 된다. 정면으로 맞서라'는 조언을 실천하고 있었다.

홈플레이트에 최대한 가깝게 서서 까다로운 상대투수의 바깥쪽 공을 한복판 치기 좋은 공으로 끌어들였고, 그동안 쉽게 손이 나갔던 스트라이크존을 벗어나는 변화구도 여유를 가지고 그냥 흘려보낼 수 있게 됐다.

좋은 투수와 맞상대하는 법도 단련됐다. 특히 긴테쓰 버팔로스의 좌완 에이스 스즈키 게이시鈴木啓示와의 승부에도 힘을 기울였다. 나는 스즈키의 공을 잘 쳐내지 못했기에 어째서 그의 공을 쳐내지 못할까 하고 골머리를 앓았다.

"스즈키 게이시는 하쿠白상에게는 스트라이크를 단 한 개도 던지지 않는다."

기록원이 내게 귀띔을 해주었다.

스트라이크가 아닌 볼에 손이 잘 나간다는 생각이 들어 다음 게임에서 스즈키의 투구를 유심히 지켜보니까 역시 모두 볼이었다.

"이거야!"

나도 모르게 이런 소리를 내뱉었다. 비로소 스즈키 같은 까다로운 투수의 공도 쳐낼 수 있게 된 것이다. 타격왕에도 올랐지만, 그해는 타격의 이치를 크게 깨달은 해였다.

## 장훈에 이어 한국인 두 번째 타격왕에 오르다

나의 최종 타율은 3할 1푼 9리 2모. 2위 오다 요시토小田義人의 타율은 3할 1푼 8리 7모. 1975년 나는 다이헤이요 라이온스(세이부 라이온스의 전신)로 이적했다. 그해 나는 그야말로 '털끝 같은' 5모 차이로 수위타자 타이틀을 손에 넣었다.

시즌 막판에 오른손 등에 공을 맞아 뼈가 부러지는 부상을 입었다. 경기에 나가기 힘든 상태였지만 규정타석을 채워야 했기에 출장을 강행했다. 타격은 거의 왼손만으로 하다시피 했다.

8경기를 남겨놓고 규정타석을 채웠다. 그때까지 '나갈 수 있는 한 나가라'고 격려했던 에토 신이치江藤愼一 감독도 그제야 '이젠 쉬어라'는 지시를 내렸다.

"잘 맞은 타구도 정면으로 날아가는 경우가 많다. 4타수 무안타가 되면 잘못되는 수가 있다."

감독이 나를 배려해서 한 말이었다. 이적을 되풀이하면서도 양 리그에서 수위타자에 올라봤던 경험이 있는 그의 말에 무게감이 있었다.

2위로 바짝 쫓아오던 오다 요시토와 타격왕 경쟁이 치열할 때인 시즌 막판, 그의 소속팀인 니혼햄 파이터스와 경기를 하게 됐다. 니혼햄은 바로 그해 나를 트레이드했던 팀이다.

첫 타석에서는 선발 다카하시 투수에게서 안타를 뽑아냈다. 그런데 그다음 타석 때부터 니혼햄 벤치가 계속 투수를 바꿔서 내보냈다. 세 번째, 네 번째도 다른 투수가 올라왔다. 내 타율을 일부러 깎아내리는 대신 오다에게 도움을 주려는 의도가 뻔히 눈에 보였다. 그토록 방

장훈 선배에 이어 한국인으로는 두 번째로 타격왕에 오르면서 타격의 이치를 깨닫는 계기가 되었다.

해공작이 집요했다.

나카니시(미하라 사장의 사위) 니혼햄 감독이 내가 트레이드된 것을 감안해 어떻게 하든 수위타자를 막아보려는 심산이었다. 타석 때마다 투수를 바꾸는 행위는 내 눈에는 아주 야비한 짓으로 비쳤지만 어쩔 수 없는 노릇이었다. 한국인이니까 그런 식으로 많이 당한 것이다.

그 후 오다 요시토가 추격해왔지만 나는 리딩히터 자리를 빼앗기지 않은 채 페넌트레이스를 마쳤다. 영광의 관을 쓴 나는 감독에게 고마움을 표했다.

경 향 신 문 서기1975년10월24일 (금요일)

**錦衣還鄕한 白仁天선수**

**招待席 13년 刻苦에 가장 큰 보람**

美國파 세계프로야구의 양대산맥을 이루고있는 日本프로야구에서 타격왕 (퍼시픽리그)에 오른 白仁天선수(33)가 23일낮12시30분 KAL기편으로 錦衣還鄕했다。

이날 트랩을 내려선 白선수는『渡日수업 13년만에 이룬 영광이다。이영광의 뒤안길엔 張勳선배의 정성어린 뒷받침이 가장 컸다』고 밝혔다。

지난62년 農協에서 東映플라이어즈선수로 日本프로야구에 입단했던 白선수는 12년간 함께 생활해온 張勳선수와 트레이드때문에 이별을 해야했고 금년부터 다이헤이요(太平洋)라이언즈에서 중심타자로 활약해왔다。

『모든 선수들의 꿈인 首位打者가 되기위해서는 실력파 運을 함께 갖춰야한다。나는 금년이 최고의 컨디션을 발휘했던 해였고 運도 뒤따랐다』고 白선수는 밝히면서『나를 그토록 알뜰히 보살펴주던 張勳선수와함께 있을때 首位타자가 못된것이 아쉽다』고。

白선수는 張勳선수와 떨어져 아무도 의지할데없는 처지에 빠졌다는 고독감에 젖어 플레이를 펼쳐야했지만 오히려 그것이 독립정신을 길러주는 계기가 되는 다행스러운 결과를 가져왔다고 풀이했다。

白선수는 매일 게임이 끝날때마다 그날의 打法을 분석하고 張勳선배가 지도해줬던 점을 새삼되새기면서 배팅의 단점을 차례로 고쳐나간 결과 타격이 호조를 나타냈다고。

前期시즌이 끝날때 首位타자가 될수있다는 자신이 섰으나 지난8월 日本햄파의 경기에서 볼을 맞아 오른손 네째손가락을 다쳐 1개월간 缺場할때 배를 깎는듯한 괴로움을 느꼈다고 회상했다。

『다행히 1개월만에 다시 출전하여 수위타자로 확정되었을때 13년간 피눈물나는 생활을 해온 보람을 최초로 느꼈다』고 그때의 감격을 감추지 못했다。

『한국인과 한국계 교포선수가 日本프로야구에서 성공하려면 편견과 핍박을 참고 精進해나가는 꾸준한 인내력이 最善』이라고 했다。

京東高시절 초고교급 캐처로 각광을 받았던 白선수는 61년 農協에 입단한지 1년만에 東映플라이어즈(日本햄의 前身)에 스카웃되어 63년부터 1군의 외야수로 전향한뒤 65년부터 중심타자로 활약해왔다。白선수는 68년 趙英愛씨(32)와 결혼, 슬하에 2남을 두고있다。 【元】

1975년 일본 프로야구의 타격왕에 오르고 시즌을 끝낸 뒤 모국 방문 경기를 위해 귀국했다. '금의 환향한 백인천 선수'라는 기사가 실린 10월 24일자 경향신문.

"수위타자의 훈장은 평생 따라다니는 것이다. 감독님 말씀대로 해서 잘됐다."

일본에 간 지 14년의 긴 세월을 보낸 다음에야 얻어낸 훈장이었으니 만감이 교차했다.

## 금의환향, 재일교포 합동 귀국 경기를 하다

타격왕에 오른 그해 시즌을 마친 뒤 나는 한국일보 초청으로 재일교포팀 일원으로 귀국했다. 나로선 '금의환향'이라고 할 만했다. 한국일보 장기영 사장이 롯데 오리온스와 접촉해 장훈이 앞장서 롯데를 비롯한 일본의 각 구단 재일교포 선수들을 규합해 모국 방문경기에 나섰던 것이다.

일본에서 '재는 한국 교포선수다, 한국인 2세 선수다'는 것을 알면

1975년 모국 친선경기를 위해 귀국한 쟁쟁한 재일교포 선수들. 왼쪽에서 네 번째가 장훈 선배이고 후에 한국 프로야구에서 뛰게 되는 김일융은 일곱 번째, 장명부는 오른쪽 앞에서 두 번째다.

서도 내색하지 못했던 쟁쟁한 선수들이 모국 방문팀에 들어갔다. 장훈 선배가 앞장서 주선했다. 김일융, 주동식, 김무종, 송일수, 장명부 등 훗날 한국 프로야구에서 뛰었던 선수들과 박종률(난카이의 강타자였던 아라이) 등 일본 프로야구판에서 나름대로 활약했던 선수들이 망라됐다.

귀국 후 방송 인터뷰도 하고 경기가 없는 날에는 교포선수들과 고궁 나들이도 하는 등 즐거운 시간을 보냈다. 그렇지만 시대가 시대니만치 그때만 해도 한국에서는 프로야구에 대해서 별다른 인식이 없었다. 신문 같은 걸 통해서 간간이 일본 프로야구 소식을 알 때였으니 실제로 느끼는 것은 없었을 것이다.

재일교포 연합팀이 경기 전 선수소개를 기다리는 모습. 선수마다 소속팀 유니폼을 입고 서 있다. 오른쪽에서 첫 번째가 니혼햄의 장훈 선배, 두 번째가 다이헤이요 유니폼을 입은 백인천.

지나놓고 보니 나 이후 점점 후배들이 외국에 가서 선수생활을 하면서 인식이 엄청 달라진 덕분에 수위타자라든지 일본에서의 내 실적에 대한 가치가 더 높아지는 듯하다. 그 당시에는 시대적 한계가 있었으므로 어쩔 수 없었다.

70 평생 살면서 50년간 야구에 종사하다보니 누군가는 그런 과정에서 길을 만들어놓지 않으면 후배들이 따라갈 수 없겠다는 생각이 들었다. 어떻게 보면 선구자라 할 수 있을 것이다. 선구자, 개척자는 힘든 것이다.

나는 다행히 젊어서 갔고, 숱한 어려움을 겪었지만 성과도 이루었기 때문에 아무런 후회가 없고 보람을 느낀다. 한국 프로야구 무대에 와서도 여러 가지 트러블이 있었고, 매스컴이나 주위 사람들이 이해를 하지 못했지만 그런 불편한 시선을 무릅쓰고 야구를 하지 않으면 안 되었다.

내가 그대로 포기했다면, 한국 프로야구의 앞길이 어떻게 변했을지 알 수 없다. 이를테면 몰수게임을 당한 것이나 타격시비, 압축방망이 사건 같은 것도 철저히 규명하지 않고 얼렁뚱땅 넘어갔으면, 우리 야구는 아주 우습게 돼버렸을 것이다.

한국 프로야구 역사가 30년이 흘렀는데 그 세월을 흐지부지 흘려보냈으면 나 자신이 오명을 안았을 것이다. 그 당시에는 비난을 받고 욕을 먹었지만 결과적으로는 비난받을 일이 아무것도 없었다. 거칠게 대응했지만 그런 경험, 현장에서의 치열한 다툼이 한국 야구가 정상적인 길로 갈 수 있게 하지 않았을까 생각한다.

# 롯데 오리온스(1977~1980)

### '타의'로 두 번째 타격왕 타이틀이 날아가다

롯데 오리온스 시절인 1979년 나는 일본 프로야구에서 개인타율로 가장 높은 3할 4푼(타격 3위)을 쳤다. 일본 무대 세 번째 3할대 타율이었다. 선수생활 막바지에 고타율을 기록할 수 있었던 것은 나이와 상관없이 시즌 중이나 시즌이 끝나서도 체력단련을 게을리하지 않고 관리를 잘했다는 반증이다.

나는 비교적 뒤늦게 야구 꽃을 피웠다. 서른이 넘은 나이에 타격왕을 했다. 그렇지만 서른 줄에 들어섰어도 주력이나 모든 면에서 누구에게도 안 떨어졌다고 자부한다. 서른여섯의 늦깎이로 3할 4푼의 고타율을 기록할 수 있었던 이유는 물론 있다. 바로 '타격의 달인'으로 불렸던 야마우치 감독을 만난 덕분이었다.

타격 3관왕을 세 차례나 했던 오치아이도 그렇지만 나도 야마우치 감독을 만나면서 타격에 새롭게 눈을 떴다. 일본 프로야구를 몇십

1977년 롯데 오리온스로 이적하면서 2번 등번호를 달았다. 경동고 시절 달던 번호였다. 서른 넘어 팀을 바꿨지만 체력단련을 꾸준히 해 1979년에는 3할 4푼의 고타율을 기록했다.

년 했는데도 야마우치 감독의 타격이론이 새롭게 다가왔다. 야마우치 감독은 아주 개혁적인 새로운 타격 기술을 가르쳐줬는데, 그것이 아무런 거부감 없이 제대로 들어맞았다.

사실 그해는 또 한 번 수위타자를 노려볼 만했다. 나는 그해 타격왕에 오른 한큐 브레이브스의 가토 에이지加藤英司와 종반까지 수위타자 다툼을 벌였다. 시즌 막판에 교토에서 한큐와 맞대결했을 때 나는 3안타를 쳐서 타율이 3할 5푼으로 올라갔다. 반면 타격 1위였던 가토는 3타석까지는 무안타여서 3할 5푼으로 나와 같아졌다.

그런데 가토가 마지막 타석에 섰을 때 2사 주자 2, 3루에서 롯데

투수 오쿠에가 정면승부를 해버려 그만 홈런을 얻어맞고 말았다. 맥이 탁 풀렸다. 만약 가토가 못 쳤다면 끝까지 알 수 없는 경쟁이 될 수도 있었다. 그 당시 롯데가 9 대 2로 이기고 있었으므로 이미 승부는 기운 상황이었고, 벤치도 오쿠에 투수에게 가토를 거르라는 사인을 냈던 터였다. 그런데도 오쿠에가 승부를 걸어 크게 얻어맞은 것이다.

동료의 개인 타이틀을 보호해줘야 하는데 그는 그 중요한 대목에서 엇박자를 냈다. 경기 후 미국 출신 용병 리와 레온이 '나쁜 놈'이라고 분개하며 감독한테 따졌더니 감독도 볼넷으로 걸리라는 사인을 냈다고 했다.

그땐 의식하지 않았는데 지나놓고 보니까 내가 한국 사람이어서 그 투수가 상대 타자를 도와주는 투구를 했던 듯싶다. 일본인이 외국

1979년 일본 올스타로 선발되어 선수소개를 기다리는 모습.

롯데 오리온스 시절 배트를 휘두르는 모습(1979).

1979년 일본 올스타전에서 홈런을 치고 2루를 돌고 있는 모습. 뒤에는 요미우리 자이언츠의 왕정치 선수.

1979년 10월 4일 한큐 브레이브즈와의 원정경기에서 일본 무대 개인통산 200호 홈런을 기록했다.
사진은 롯데 오리온스 구단으로부터 200호 홈런을 축하하는 상을 받는 모습이다.

선수가 타이틀 따내는 것을 상당히 싫어해 그런 눈에 보이지 않는 견제가 있지 않았나 싶다. 경쟁 막판이었고 경기 승패와 무관했던 데다 그날 내가 홈런 포함 3안타를 치며 투수를 도와줬는데도 그런 행동을 했으니.

그 경기를 정점으로 나 혼자 열심히 한다고 되는 게 아니구나 싶어 사실상 포기했다. 우리 투수가 상대 타자를 돕는 판이 돼버렸으니까. 그해 타격 랭킹은 결국 가토가 3할 6푼 4리로 1위를 했고, 재일교포 아라이(난카이 호크스)가 3할 5푼 8리로 2위, 내가 3할 4푼으로 3위, 롯데의 외국인 타자 리가 3할 3푼 3리로 4위를 했다.

# 긴테쓰 버팔로스(1981)

## 긴테쓰로 이적한 뒤 전별하다

1977년부터 4년간 롯데 오리온스(현 지바 롯데 마린스)에서 뛰었다. 수위타자를 획득한 1975년부터 3년 연속(1975~1977) 타격 10걸에 들어갔다. 앞서 말했듯이 1979년에는 롯데에서 3할 4푼의 고타율로 타격 3위에 올랐다. 영구 귀국하기 1년 전인 1981년, 일본 프로야구 무대 20년째인 그해 나는 긴테쓰에서 일본에서의 마지막 해를 보냈다.

니시모토 유키오西本幸雄 긴테쓰 감독은 시즌 후 퇴임이 예정돼 있었다. 명장 니시모토 감독의 고별 게임이 됐던 닛세이구장에서의 한큐 브레이브스전에서 나는 이마이 유타로今井雄太郎에게서 '전별餞別'의 선제 솔로 홈런을 터뜨렸다.

니시모토 감독이 눈치를 채고선 물었다.

"너도 그만둘 생각이냐?"

"감독이 그만둔다면…."

나는 말문을 채 잇지 못했다. 가슴이 찡했다.

"무슨 소리야. 앞으로 2, 3년은 더해야 해."

니시모토 감독은 격려의 말을 던졌다.

그게 나의 일본 프로야구 무대 마지막 모습이었다. 일본 프로야구사에 남긴 내 기록은 1군 무대 19년간 개인통산 1,969게임에 나가 7,040타석에서 1,831안타, 209홈런, 776타점, 212도루, 타율 2할 7푼 8리였다. 1967년부터 1972년까지 6년 연속 포함 모두 12시즌 동안 두 자릿수 홈런도 기록했다. 염원했던 2,000게임 출장과 2,000안타를 달성하지 못해 미련이 남았다. 더군다나 2,000게임에는 불과 31게임을 남겨뒀으니.

타격 10걸 안에는 1975년 수위타자를 비롯해 모두 6차례(1969년 9위, 1972년 3위, 1975년 1위, 1976년 5위, 1977년 10위, 1979년 3위) 들었다. 3할 타율을 기록한 것은 세 번(1972년 .315, 1975년 .319, 1979년 .340)이었다. 포지션별로는 외야수로 1,516, 포수로 185, 지명타자로 160, 1루수로 1게임을 뛰었다.

### 이정표가 된 세 가지 기록지

나는 세 가지 야구 기록지를 가지고 있다. 1963년 6월 26일 난카이 호크스와의 메이지 진구구장 데뷔전과 그다음 날인 6월 27일 일본 프로야구 무대에서 첫 선발포수로 출장한 날, 그리고 일본 매스컴에서 떠들썩했던 '주심 구타사건'이 일어난 1970년 5월 23일 긴테쓰 버팔로스와의 고라쿠엔구장 경기의 기록지가 바로 그것이다.

이 기록지는 훗날 산케이신문 기자가 복사해서 건네준 것이다. 데뷔전과 첫 선발 출장이야. 나로선 영원히 잊지 못할 경기였고, 심판 구타사건은 기념이라고 하기는 그렇지만, 나름대로 일본 프로야구판에서 치열하게 살았던 흔적이라고 하겠다.

데뷔전 기록지에는 내가 선발포수 마루야마 대신 8회에 대타로 나가 좌익수 뜬공으로 아웃된 기록이 선명하다. 첫 선발 출장은 역시 8번 타순에서 세 번 타석에 나가 세 번째 타석에서 초구에 유격수 키를 넘어 좌중간 삼각지점에 떨어진 2루타 표시를 볼 수 있다.

심판 구타사건의 기록지에는 '삼진 판정에 대해 백白이 주심 배를 접촉해서 퇴장시켰다'라는 메모가 있고 경기가 3분간 중단된 것도 적혀 있다.

선발 중견수, 2번 타자로 출장했던 그 경기는 퇴장당하는 바람에 한 타석밖에 서지 못했다. 한 타석에서 공 세 개로 스트라이크, 파울, 스트라이크로 삼진 아웃된 웃지 못할 기록지다.

기록은 깨지기 마련이라고 하지만, 타율 4할의 내 기록을 깨기는 힘들다.
그러나 나처럼 목숨 걸고 하는 더 독한 놈이 나온다면 깨질 것이다.

# 6회 한국시대

## 1982년 이후

# 6회초

## MBC 청룡
(1982~1983. 4. 25, 감독 겸 선수)

**1981년, 부친 별세로 야구 인생 항로가 바뀌다**

애초 나는 한국에서 프로야구가 생긴다는 소식을 듣고도 귀국해서 야구를 해야겠다는 생각은 별로 하지 않았다. 일본 프로야구 경험을 살려 무언가 도움이 되는 일을 할 작정은 했지만. 처음 일본에 갈 때는 혼자였으나 이제는 일본에 정착한 가족이 있었다. 여러 어려움이 예상될 수밖에 없었으므로 내키지 않았다.

그러나 확실하게 한국 야구가 프로화된다는 소식을 접하면서 마음이 들뜨기 시작했다. 이제 우리나라에도 프로야구가 생긴다는데 어찌할까. 가슴이 뛰었다. 일본 관중은 때로 내게 야유를 퍼붓기도 했다.

"너희 나라에 가서 해라! 왜 너희 나라에서 야구를 안 하느냐?"

이런 설움과 괄시를 당할 때마다 '한국에 프로가 생기면 가서 할

サンケイ新聞社 調査部

56.12.15 サンスポ

# 文化放送 MBCに内定

「母国の球界発展に尽くしたい」

# 白、韓国プロの監督に

近鉄・白仁天選手

近鉄の白仁天外野手(37)が十四日、韓国プロ野球チームMBC(文化放送)の監督に内定した。さきに発足した韓国プロ野球は、来春四月の開幕に向け着々と準備を進めているが、ソウル市をフランチャイズにする文化放送では、今季で近鉄を退団する白外野手に白羽の矢を立て、監督に要請中だった。去る十一月二十日すぎにソウルに帰国した白に対し、関係者が接触して交渉、現役生活に見切りをつけようとしていた白は「渡りに舟」と内諾していた。近日中に正式契約の運びとなりそう。

白外野手はソウル市出身。農業銀行を経て来日、東映入りしてから20年間、日本のプロ野球で活躍した。パの首位打者になったほどのスラッガーだが、寄る年波には勝てず、今季で現役引退を決意、球団とは来季の契約は結ばず、態度を保留していた。

「生まれ故郷にプロ野球が発足すると聞いて、ぜひ自分も何らかの形で参加したいと秘かに考えていたところ、先日話が持ちあがった。自分としては喜んで韓国プロ野球の発展に尽力したい。90%帰国を決意している」と昨日夜、語っている。近鉄に対しては、「こういうケースがあるかもしれないから」と前もって了解を取りつけてあり、近日中にソウル市に飛び、コミッショナー関係者と正式に話し合い、要請を受ければ快諾、ということになる。

韓国プロ野球連盟では、在日韓国人野球選手を帰国させて、各チームに少なくとも二人ずつぐらい加入させたいとする構想も見られ、今後、日本球界に韓国の"スカウト旋風"が吹き荒れる可能性も出てきた。

## 日本在住の人材狩りの前ぶれ

近鉄・白仁天「地元ソウルにプロ野球が誕生すると聞いて、胸を躍らせていた。向こうから監督をやってみないかと持ちかけられた。もう現役に未練もないし近鉄も了承してくれたから、引き受けてもよいと思っていた。ただ家族のことで問題があるのが気がかりだ。長男が中学に入学したばかりなので、当分は単身で行くことになるだろう」

### 1リーグで6球団

韓国プロ野球は十一日、正式に発足。来年からプロ野球リーグ戦を行うことになり、初代コミッショナーには元国防相の徐鐘喆氏が選出されている。1リーグ6球団で、球団名とフランチャイズが決定しているのは▽ロッテ・ジャイアンツ＝釜山市▽三星・ライオンズ＝大邱市▽ヘテ・タイガース＝光州市▽斗山・OBベアーズの四球団。ほかに白が監督に就任する文化放送(ソウル市)、三美社(仁川市)が、近く球団を発足することになっている。

### (50年に首位打者)

◆球歴 韓国・京東高時代はスケート選手と野球選手の二足のワラジをはいていた。スケートでもスプリンターとして鳴らした有名選手。農業銀行に入行したあと、知人の紹介で日本プロ野球への入団を決意した。

◆家族 横浜市戸塚区に婦美愛夫人と賢一くん(中一)、賢三くん(小六)の四人暮らし。横浜市内で「焼き肉店・白」を経営している。

◆首位打者 昭和50年、太平洋クラブ時代に・319で首位打者を獲得。

◆カムバック 52年にロッテ移籍、54年には高打率・340を残し、"不死鳥・白"といわれた。55年、ロッテを任意引退となり、西本前監督の要請で近鉄に移籍、一年間プレーした。

◆趣味 ゴルフ。シングルプレーヤーでハンディは「5」。

《近鉄・白選手年度別成績》

| 年度 | 所属 | 試合 | 打数 | 安打 | 打点 | 本塁 | 打率 |
|---|---|---|---|---|---|---|---|
| 38 | 東映 | 20 | 19 | 3 | 0 | 0 | .156 |
| 39 | 〃 | 92 | 250 | 63 | 23 | 6 | .252 |
| 40 | 〃 | 116 | 356 | 95 | 44 | 14 | .267 |
| 41 | 〃 | 126 | 363 | 95 | 23 | 4 | .262 |
| 42 | 〃 | 128 | 396 | 111 | 51 | 10 | .280 |
| 43 | 〃 | 117 | 382 | 113 | 51 | 15 | .296 |
| 44 | 〃 | 109 | 454 | 132 | 46 | 12 | .291 |
| 45 | 〃 | 127 | 496 | 137 | 64 | 18 | .276 |
| 46 | 〃 | 107 | 421 | 100 | 38 | 11 | .238 |
| 47 | 〃 | 126 | 486 | 153 | 80 | 19 | .315 |
| 48 | 日拓 | 96 | 291 | 72 | 20 | 6 | .247 |
| 49 | 日ハム | 114 | 418 | 109 | 42 | 15 | .261 |
| 50 | 太平洋 | 102 | 379 | 121 | 53 | 16 | .319 |
| 51 | クラウン | 121 | 469 | 135 | 59 | 17 | .288 |
| 52 | ロッテ | 126 | 452 | 127 | 56 | 16 | .281 |
| 53 | 〃 | 58 | 171 | 44 | 11 | 3 | .257 |
| 54 | 〃 | 124 | 415 | 141 | 71 | 18 | .340 |
| 55 | 〃 | 76 | 167 | 36 | 21 | 5 | .216 |
| 56 | 近鉄 | 84 | 194 | 44 | 23 | 4 | .227 |
| | 計 | 1969 | 6579 | 1831 | 776 | 209 | .278 |

■50年首位打者

한국 프로야구 MBC 감독으로 내정되었다는 기사가 실린 1981년 12월 15일자 일본 산케이신문.

수도 있다'는 마음을 먹기도 했던 터였다. 많은 일본인이 "한국에는 언제 프로가 생기지?" 하는 말이 은근히 귀에 거슬렸던 터였다.

그러던 참에 아버지가 돌아가셨다. 1981년까지 일본 무대에서 나는 개인통산 1,831안타를 기록해 2,000안타까지 169개를 남겨놓고 있었다. 긴테쓰 감독직에서 물러나는 니시모토 유키오에게서 '앞으로 2, 3년은 할 수 있다'는 격려도 받았으니 미련이 없지 않았다.

그런데 시즌 종료 직후인 10월 3일 아버지가 돌아가시는 바람에 장례를 치르기 위해 서울로 온 것이 내 야구 항로를 돌리는 계기가 됐다. 비가 내린 그날 급히 귀국했을 때 모여앉은 형제들이 말했다.

"아버님이 너를 불러들이려고 지금 돌아가셨나보다."

프로야구 발족을 위해 동분서주하고 있던 한국프로야구위원회

1981年12月29日 (火曜日) 每日經濟

# 프로野球 우리는 이렇게… 〈完〉

## MBC 青龍

### 분위기 造成에 先驅역할

### 1월10일창단식 2월부터 冬季강훈

### 朴哲淳등 선발「프로냄새」가장 짙어

프로야구 창설에 선도적 입장을 지켜왔던 서울MBC는「청룡」이란팀명을 갖고 창단 첫시즌경기에서도 주도권을 잡기위해 나름대로 치밀한계획을 짜놓고 있다.

특히 MBC는 日本프로야구 긴테쓰(近鉄)팀에서 활약해온 白仁天씨를 감독으로 맞이하고 美프로야구 마이너리그 소속인 朴哲淳선수까지 스카우트, 6개구단중 가장 프로냄새를 짙게 풍기고 있다.

白仁天감독은 계약금과 연봉을 합쳐 6천만원에 계약, 다른팀 감독보다 우대를 받게 됐다.

MBC 趙光植단장은「프로야구 창설에 이니셔티브를 가진 MBC는 팀전력에서도 강팀이 되도록하여 프로야구 활성화에 선도적 역할을 해야할 위치」라고말했다.

전용연습구장은현재3~4곳의 후보지를 물색해 놓았으나 모두 그린벨트로 묶여있어 이의 해제가 가능해지면 곧바로 공사를 시작하겠다고밝혔다.

MBC는 현漢陽大 李在煥감독을 내정해 놓고 있다.

청룡이란 닉네임에 대해 趙단장은 당초『공모결과 드래곤즈란 이름이 압도적으로 많았으나 외래어 인데다 가까운 日本에도 유사한 팀명이있어 청룡으로 부르기로했다』고 밝히고 현사옥이 있는 貞洞은 예부터 용마루로 불리는 용터였다는 古說에 근거, 청룡을 팀심벌로 정했다고 설명했다.

또한 과거 국내서도 축구대표팀명을 청룡으로 명명한바있어 팬들에게 친숙한 팀명이 될것이라고.

선수선발이 끝나는대로 연습에 돌입할 MBC는 한달동안은 서울에서 체력강화훈련을하고 2월초 따뜻한 남쪽으로 동계훈련을 떠날 계획이다.

프로야구를 잘아는 白감독의 지도역량에 큰관심을 가지고 있는 MBC는 강점인 텔리비전・라디오등 전파미디어를 이용, 청룡붐을 일으킬 계획도 구체화 하고 있다.

오는 1월10일 창단식을 갖게될 MBC는 시민들과의 일체감을 조성키위한 화려한 창단행사도 계획하고 있다.

지난27일 渡日한 白감독은 소속팀인 긴테쓰와 계약청산등 제반문제를 마무리짓고 1월26일 귀국, 곧 팀의 훈련을 주도하게 된다.

◇趙光植단장 ◇白仁天감독

프로야구 개막을 앞두고 MBC 청룡의 준비상황을 다룬 1981년 12월 29일자 매일경제신문 기사. 박철순 투수를 MBC 청룡 선수라고 소개했는데, 박철순은 같은 날 서울지역 희망선수들의 추첨에 따라 OB로 가게 된다.

(KBO) 이용일 초대 사무총장 내정자에게서 '협조해달라'는 요청을 받고 일본 커미셔너 사무국의 후쿠시마 사무국장에게서 자료를 얻어 전달하기도 했다.

후쿠오카에 설립됐던 개인후원회에도 한국 프로야구 태동 소식을 알리고 고민을 털어놓자 '그대가 일본에 올 수 있었던 것은 모국 덕분이다. 어려운 시기에 필요하다고 하니 가서 힘이 돼주는 것이 좋겠다'고 권유했다.

어떤 결과를 낳을지 알 수 없었지만 일본 프로 경험을 살려 솔선해서 나선다면 좋은 기회일 수도 있겠다는 생각이 들었다. 긴테쓰와 계약을 이어갈 수 있는 상황이었지만 일본에서 뛰어봤자 고작 1, 2년이었다. 일본에 갔다가 선친 사십구재에 맞춰 다시 귀국했다.

그렇다면 프로선수로 뛰어볼까 하는 생각을 드러내니 친지들은 '좋은 생각'이라며 부추겼다. 돌이켜보면 한국에서 보내줘서 일본에서 뛸 수 있었다. 20년간의 경험을 살려 은혜에 보답해야겠다는 사명감이 생겼다.

### 고국의 부름을 받고 MBC 청룡 초대 감독 겸 선수로 뛰다

1981년 11월 20일 완전 귀국을 결심하고 서울로 왔다. 가족 문제가 신경 쓰였다. 맏아들 현일賢一이 갓 중학교에 입학했기 때문에 당분간 식구들과 떨어져 지내기로 했다. 그 무렵 식구들은 요코하마에서 살고 있었다. 막상 귀국하려니 그동안 야구에만 몰두하느라 가정에 소홀했다는 자책도 들었다. 은퇴에도 타이밍이 있는데 그것도 놓쳤다는 생각이 들었다.

귀국하던 날은 날씨가 맑았다. 도쿄 하네다공항에서 비행기에 몸을 실었다. 만감이 교차했다. 3시간가량 걸려 김포공항에 도착했을 때는 한낮(아마도 오후 이른 시각)이었을 것이다. 귀국을 결정하자 여러 구단이 나를 잡으려고 했다. 나는 만약 감독을 한다면, 맨 나중에 남는 구단으로 가려고 마음먹었다.

해태와 롯데, 삼성, 삼미, OB 구단의 감독이 정해진 다음 MBC 구단으로 가게 됐다. 한국 프로야구 발족은 MBC방송이 주축이 됐으므

1982년 1월 26일 문화체육관에서 거행된 MBC 청룡 창단식.

로 흔쾌히 받아들였다.

경동고 선배인 OB(현 두산) 박용곤 회장은 찾아오지도 않는다고 오해하고 있다는 얘기도 들었다. 역시 경동고 선배인 이용일 총장이 MBC 감독을 제의했다. 현역 연장 미련은 버렸고 소속 구단 긴테쓰에도 양해를 구한 터여서 수락하는 일만 남았다.

그 과정에서 한국야구위원회 초대 서종철 커미셔너의 특별보좌역을 맡고 있던 장훈 선배와 먼저 상의했다. 장훈 선배는 일본 매스컴과 인터뷰하면서 이렇게 말했다.

"(백인천과) 직접 말해보지는 않았지만 그는 최근 1, 2년간 불우했다.

京 鄕 新 聞 1982년1월20일 수요일 [8]

MBC감독으로 제2의 野球人生 펼쳐

祖國의 그라운드에선 白仁天

「프로야구의 世界는 비정」…실력만이 존재

20년간 日本서 갖은시련과 고난극복

"지금까지 배운 모든技術 傳授하겠다"

「프로선수는 승부근성이 강해야한다」고 강조하는 白仁天감독.

MBC 청룡 감독으로의 포부를 밝힌 1982년 1월 20일자 경향신문. 이때 기자와의 인터뷰에서 한국 프로야구를 위해 "지금까지 배운 모든 기술을 전수하겠다"며 강한 의지를 보였다.

그런 점을 KBO에 설명해줬다. 한국에 돌아간다면 그의 성격으로 봐서 진정으로 야구를 잘해낼 것이다."

내 귀국에 찬성을 표시한 것이다.

12월 24일, 오후 MBC 청룡의 초대 감독 겸 선수로 정식 취임했다. 처음에는 지도자를 할 마음이 없었다. 그저 선수로서 프로의 진면목을 알려줘야겠다는 생각만 했다. MBC 청룡은 나에게 '나이도 있고 하니' 감독만 하자고 했지만 나는 '아직 선수로 뛸 수 있다'고 강하게 요구해 결국 감독과 선수를 겸하기로 합의했다. 계약기간 3년에 첫 1년은 선수를 겸하고 2년은 감독만 맡는다는 조건이었다. 프로선수는 어떻게 해야 하는지 보여줄 각오를 새롭게 다졌다.

당초 나는 감독과 선수 계약금을 별도로 계산해주기를 바랐다.

"계약금은 따로 줄 수 없다."

MBC는 막무가내로 버텼다. 그래서 물었다.

"그럼 시즌 들어가서 좋은 성적을 낸다면 어떻게 해줄 셈인가?"

"그럴 경우 계약금을 따로 주겠다."

구두 약속이라도 받은 것이다. 그래서 계약 조건이 계약금 2,000만 원에 연봉 2,400만 원(감독, 선수 몫 1,200만 원씩)으로 됐다.

4할 타율을 기록하면서 시즌을 끝냈을 때 약속을 지켜줄 것을 바랐지만, MBC 구단에서 아무도 책임지는 사람이 없었다. 그 대신 돌아온 것은 '백 감독은 돈밖에 모르느냐'는 말뿐이었다. 그래서 내가 되받아친 말이 있다.

"프로야구는 돈이다. 돈으로 말하는 것이 프로다."

### 1982년 야구세미나에서 미즈하라와 나가시마를 만나다

KBO는 프로야구 출범을 앞두고 1982년 1월 28, 29일 이틀간 서울 상업은행 본점 회의실에서 제1회 프로야구 세미나를 열었다. 그해 1월 15일에 OB 베어스, 26일에 MBC 청룡이 창단돼 프로야구의 기틀이 잡혀가자 '프로라는 것은 과연 아마추어와 어떻게 다른가'를 놓고 고심한 끝에 그런 세미나를 열게 됐을 것이다.

세미나에는 프로, 아마 가리지 않고 많은 야구인이 참석했다. KBO는 일본 프로야구의 명장 미즈하라水原茂 감독과 장훈 선배 그리

1982년 1월 28일에 열린 제1회 프로야구 세미나에 참석한 일본 야구계의 영웅들. 왼쪽부터 나가시마 선수, 명장 미즈하라 감독, 장훈 선배.

고 나가시마 시게오長島茂雄 씨를 초청해 강연을 맡겼다. 나로선 처음 일본 땅에 발을 내디딘 후 도에이 플라이어즈의 감독으로 인연을 맺은 미즈하라 감독과 프로선수의 좌표로 삼았던 나가시마를 다시 만나게 돼 감회가 새로웠다.

세미나에서 미즈하라 감독은 '프로의 용병술'을, 장훈과 나가시마 씨는 '프로선수의 프로근성'에 대해 오랜 경험담을 들려주었다. 미즈하라 감독은 나를 보더니 충고의 말을 해주었다.

"축하한다. 처음에는 어려움이 많겠지만 참고하면 좋아질 것이다. 일본 프로야구를 경험했으니 불만이 있더라도 솔선해서 해야 할 것이다."

미즈하라 시게루 감독은 나의 도에이 시절 감독이었으며 요미우리 자이언츠에서 나가시마 시게오와 왕정치를 길러낸 명장이었다. 나가시마는 1974년 은퇴 후 지도자와 해설가로 활약했다.

그는 덕담도 건넸다.

"대가를 바라지 말고 헌신적으로 하지 않으면 안 된다. 일본 프로야구에서 뛰었던 것도 당시에는 힘든 일이었는데 한국 팬들이나 관계자들이 성원해서 보내준 것이 아닌가. 일본에서 성공했고 한국에도 프로야구가 생겼으니 운명적으로 헌신하라는 뜻으로 생각하라."

그 세미나가 미즈하라 감독의 생전 마지막 공식행사였다. 그는 역사적인 한국 프로야구 개막 하루 전날인 3월 26일 타계했다.

**'프로야구는 이런 것', 본때를 보이다**

사실 감독도 선수와 마찬가지로 야구에 빠져들어야 한다. 양립하기는 어렵다. 나는 '어떤 것이 프로인지' 시쳇말로 본때를 보여주기로 단단히 마음먹었다. 지도자로서는 물론 선수로서도 실력을 보여주리라 작심했다. 그래야 선수들도 따를 것 아닌가. 계약 과정에서 주변에선 감독이 선수를 겸한다는 것에 거부감을 보였다. 일본에는 플레잉 매니저가 있었다.

일부러 선수들과 같이 뛰었다. 강릉 경포대에서 전지훈련을 하는데 바닷가에서 시내 숙소까지 뛰었다. 구단버스는 뒤에 따라오도록 했다. 코치들이 만류했다.

"감독님, 버스를 타고 오셔도 됩니다."

"좀 더 가다가 지치면 타겠다."

나는 손을 내저었다. 선수들을 부지런히 좇아가니까 선수들이 힐끔힐끔 뒤를 돌아봤다. 지쳤다는 증거였다. 나이 마흔에 20대 선수들도 제쳤다. 마지막에는 선두 5명 가운데 3등으로 들어갔다. 선수들은 찍소리도 못하고 따라왔다. 그도 그럴 것이 그동안 선수들보다 더 많이 뛰면서 훈련을 계속했다. 일본에서 그렇게 했다면 다시 3할을 쳤을 것이라는 생각이 들 정도로 했다.

당시 MBC 선수단은 좋은 멤버라고 할 수 없었다. 나는 선수를 모르니까 오로지 구단에 맡겼는데 다들 '이런 선수들 데리고는 안 된다. 삼성 선수는 모두 대표급인데'라며 이러쿵저러쿵 말이 많았다.

### 영원히 잊지 못할 1982년 개막전의 감격

1982년 3월 27일 서울운동장, 드디어 한국 프로야구의 역사적인

1982년 3월 27일 역사적인 한국 프로야구 개막식에서 전두환 대통령이 시구를 하는 모습. 개막전으로 열린 이날 삼성과의 경기에서 나는 6회 홈런을 쳤다.(사진 출처: photo.korea.kr)

막이 올랐다. 개막전에서 나는 홈런을 날렸고 이종도의 역전 결승 만루 홈런으로 한국 야구의 미래에 청신호를 올렸다. 몇십 년을 경험한 야구선수라 할지라도 타석에 들어설 때는 언제나 불안하다. 안타라도 쳐야 마음이 편안해진다.

삼성과의 개막전에 나는 5번 지명타자로 나섰다. 첫 타석에서 내야안타를 기록한 나는 3 대 7로 뒤져 있던 6회에 삼성 선발 황규봉에게서 솔로 홈런을 뽑아냈다. 그 홈런이 역전의 예고편이었다.

7회에 4번 포수 유승안이 동점 3점 홈런을 날려 7 대 7이 됐다. 9회 말 2사 만루 기회를 놓쳐 애가 탔다. 운명의 연장 10회 말, 2사 만루에서 이종도가 역전 결승 만루 홈런을 쳤다. 그야말로 드라마처럼 극적인 승리를 거두자 감정이 북받쳐 눈물이 났다. 내 인생에 영원히 잊지 못할 개막전이었다.

새삼스레 '프로야구란 뭔가' 하는 생각도 들었다. 일부러 그렇게 하려고 해도 안 될 것이다. 한 편의 드라마였다. 야구는 예측할 수 없고 예고도 없다. 신이 그렇게 만들어줬다고 할 수밖에.

일본 야구기구의 시모다 다케조 커미셔너, 내가 존경하는 나가시마 시게오가 지켜보는 가운데 일궈낸 드라마여서 더욱 감격스러웠다. 삼성은 워낙 좋은 선수들로 구성돼 팀이 셌다. 내가 봤을 때 삼성은 득점할 기회가 두 번 더 있었다.

삼성 서영무 감독은 두 번의 스퀴즈 기회에서 강공을 택했다. 나는 '뭔가 숨 쉴 구멍을 주는구나' 하고 생각했다. 야구는 점수 게임이다. 기회가 왔을 때 놓치면 안 된다. 그 경기는 나에게 좋은 가르침을 줬다.

어찌 보면 개막전 끝내기 홈런의 주인공은 이종도가 아닐 수도 있었다. 연장 10회 1사 2, 3루에서 4번 유승안 타석 때 삼성 포수 이만수가 이선희의 공을 일어서서 받았다. 나는 유승안에게 '너는 그냥 있다가 걸어 나가라. 내가 승부할 테니' 하는 지시를 내렸다.

그런데 유승안이 스리 볼에서 바깥쪽 공을 쳐버려 투수 앞 땅볼로 물러나고 말았다. 삼성은 당연히 나를 볼넷으로 내보냈다. 그다음 이종도에게 볼 두 개를 던진 후 3구째에 홈런을 얻어맞은 것이다.

부질없는 가정이지만, 만약 유승안이 볼넷으로 출루, 1사 만루에

1982년 프로야구 개막전에서 연장전까지 가는 승부 끝에 MBC 청룡의 이종도 선수가 역전 결승 만루포를 터뜨리자 선수들이 모두 뛰쳐나가 함께 홈인하는 장면이다.

서 내가 타석에서 병살타를 쳤다면 그런 드라마는 만들어지지 못했을 것이다. 생각만 해도 끔찍하다. 유승안이 아웃당한 것이 오히려 잘된 것이다. 나중에 더그아웃으로 들어온 유승안은 발뺌을 했다.

"나도 모르게 손이 나갔어요."

이종도의, 역사에 길이 남을 프로야구 출범 첫해 개막전 역전 결승 만루 홈런은 이런 과정을 거쳐 나왔다. 그 장면에서 이선희가 스타가 될 수도 있었다. 역설적으로 이선희가 한국 프로야구 원년의 일등 공신이다.

### 마흔에 '꿈의 타율 4할'을 일구다

나는 '프로야구란 어떤 것인가'를 보여주고 싶다는 일념으로 팀을 이끌었다. 시즌이 끝났을 때 타율이 4할 1푼 2리였다. 사람들은 '경이롭다, 그저 놀랍다'거나 '한국 야구의 수준이 낮아서 일본 프로를 경험한 선수가 기록한 것은 당연한 것 아닌가' 하는 식으로 얘기가 분분했다.

나는 4할 타율에 욕심이 없었다. 아니, 감독으로서 욕심을 부릴 처지가 아니었다고 말하는 게 정확할 것이다. 어떻게 하든 선수들에게 기회를 많이 주고 그들을 타석에 내보내 실력을 길러내야 할 책임이 있는 게 감독 아닌가.

내가 타이틀에 연연해 욕심을 부렸다면 홈런왕, 타점왕도 됐을 것이다. 무사, 1사 만루에서 선수들에게 자신감을 심어주려고 대타를 낸 적도 있다. 만약 내가 나갔다면 50퍼센트는 득점할 수 있었을 것이다.

시즌 중간에 코치가 상대 투수를 보곤 나에게 권유한 적이 있다.

"타율 4할이 넘었는데, 못 치면 3할대로 떨어지니 쉬는 게 어떻습니까?"

그러나 나는 만류를 뿌리쳤다.

"그게 무슨 얘기냐? 선수는 그런 것 계산하면서 경기를 하면 안 된다."

그러곤 출장해 2안타를 쳤다. 시즌 막판에 4할 1푼대가 되자 다시 코치가 말렸다.

"감독님, 대타를 내고 쉬는 게 어떻습니까?"

나는 이번에도 손사래를 쳤다. 시즌 중간에 4할을 의식하지 않았느냐는 질문도 많이 받았다. 나는 전혀 의식하지 않았다. 개인 욕심을 부리지 않았다. 마지막 게임에 나갈 때 코치가 다시 한 번 말했다.

"마지막이고 우승이 걸린 것도 아니니 쉬어도 괜찮지 않습니까?"

그때 코치는 내가 4할을 넘긴 것을 알고 하는 말이었다. 만약 내가 마지막 경기에 나가지 않으면 4할이 보장된다는 것을 알고 얘기한 것이다. 결국 나가서 안타를 또 쳤다. 그리고 그 후에도 코치가 대타를 내자고 했는데 계속 나가서 쳤다. 내가 4할을 의식했다면 나가지 않았을 것이다.

야구는 아무리 안 좋은 투수를 상대할지라도 안타를 친다는 보장은 없다. 운동은 좋은 조건에서만 하는 게 아니다. 나쁜 조건에서도 이겨내야 한다. 일본에 있을 때 어느 코치에게서 들은 말이 있다.

"너 이런 식으로 야구하려면 한국으로 돌아가라."

프로는 간단한 게 아니다. 프로선수는 부드럽게 다루면 안 된다. 엄하게 대해야 한다. 그래야 그가 살아남는다. 나는 그걸 일본 야구에서 배웠다.

나는 단거리 빙상선수 출신이기도 하지만 원래 발이 빨랐다. 100미터를 12초대에 뛰었다. 일본에서도 도루를 많이 했다(개인통산 212도루). 도루 사인을 받으면 압박감을 받아 스스로 판단해서 도루하는 게 마음 편했다. 주자로 나가면 코치한테 사인을 보냈다. '내가 뛸 테니까 히트앤드런 사인을 내라' 는 식이었다.

나는 타격한 다음 한 번도 천천히 뛴 적이 없다. 1루로 전력질주했다. 일본에서 몸에 밴 습관이 그랬다. 공수교대를 할 때도 70~80퍼센트로 뛰었다. 도에이 시절 그런 내 모습을 보고 미즈하라 시게루 감독은 선수들에게 "하쿠(백)를 본받아라"고 말할 정도였다. 그 소리를 듣고 더욱 열심히 할 수밖에 없었다.

한국 프로야구에 기여하겠다는 마음도 컸지만 목숨을 걸고 야구하겠다는 각오로 경기에 임했기에 많은 나이에도 프로야구 첫해에 4할이라는 높은 타율을 이룰 수 있었다.

4할 타율을 달성한 데는 내 빠른 발도 도움이 됐다. 나는 한국 프로야구 첫해에 11도루를 기록했다. 공을 정확히 보고 타격하려고 했고, 일단 타격하면 1루로 온 힘을 다해 뛰었다. 그래서 내야안타도 심심치 않게 만들어냈다. 4할 타율과 아울러 출루율 또한 무려 5할대(.502)로 1위를 했다.

기록은 그 시대의 상황을 반영하는 것이다. 기록은 깨지기 마련이라고 하지만, 타율 4할의 내 기록을 깨기는 힘들다. 나처럼 일본이나 한국에서 의지와 집념을 갖추고 '목숨 걸고' 하는 선수가 나타난다면 가능할 것이다. 나보다 더 독한 놈이 나온다면 깨질 것이다.

### 백인천의 1982년 대기록

백인천 감독 겸 선수의 1982년도 타석수는 300타석(298타석 250타수)이었다. 당시 연간 팀당 경기수가 80경기밖에 되지 않았기 때문이다. 그 가운데 71경기에 출장했다. 다른 팀 주축 선수들의 타석수와 비교해도 별반 차이가 없다. 더욱이 몰수게임으로 인한 5게임 출장 정지를 감안한다면, '타의'로 경기수가 적을 수밖에 없었던 정황이라고 할 수 있다.
해태 타이거즈의 준족 김일권은 330타석(282타수)이었고, 롯데 자이언츠의 김용희는 263타석(232타수)에 지나지 않았다.
1982년에 백인천은 여러 가지 경이적인 기록을 남겼다. 일본 프로 물을 먹은 백인천이 걸음마 단계였던 한국 프로야구 첫해에 4할 타율을 달성한 것을 폄하하는 시각이 없지 않았다. '어린아이 손목 비틀기'가 아니냐는. 하지만 그런 시각은 '목숨을 걸고' 경기에 임하는 자세가 굳어져 있는 백인천에게는 모욕이다. 백인천은 자기 야구를 '혼의 야구'라고 했다. 더욱이 백인천은 우리 나이로 마흔에 위대한 기록을 냈다.
1982년 한 해를 갈무리한 뒤 백인천의 종합기록을 살펴보면, 250타수 103안타(1위), 타율 4할 1푼 2리(역대 1위), 최다 2루타(23개), 19홈런(2위), 64타점(2위), 55득점(1위), 42볼넷(3위), 출루율 5할 2리(역대 2위), 장타율 7할 4푼(역대 1위)이었다. 그해 9월 28일 OB전(서울운동장)에서 세운 최소게임(69게임) 100안타(38세 10개월 1일) 기록도 아직 깨지지 않고 있다.
타격 2위였던 OB 윤동균의 타율은 3할 4푼 2리였다. 타율 말고도 기록 가운데 경이적인 것은 출루율 5할대다. 2타석에 한 번 꼴로 출루했다는 얘기다. 5할대 출루율은 그 후 20년이 지난 2001년에 외국인 선수 호세(롯데 자이언츠)가 5할 3리로 백인천의 기록을 깼지만 그 밖에는 기록한 선수조차 없다. 장타율 또한 이승엽이 54홈런을 기록했던 1999년에 7할 3푼 3리로 육박했지만 넘어서지는 못했다.

### 시대와의 불화, '나니' 사건으로 기자들과 부딪치다

1968년 시즌을 마치고 일본 프로야구에 진출한 지 6년 만에 귀국했다. 그해 나는 일본 진출 이후 처음으로 타율이 3할대에 육박(2할 9푼 6리)하고 홈런도 15개로 가장 많이 쳤다. 좋은 성적을 올려 딴에는 기가 살아 있을 때였다. 아들을 데리고 김포공항을 통해 귀국했다.

그런데 어느 신문사 기자가 황당한 질문을 던졌다.

"아, 백 선수. 요즘도 2군에서 있습니까?"

성적도 내고 주전으로 자리를 잡고 해서 나름대로 기분이 좀 들떴던 나로선 무시를 당했다는 생각에 발끈했다.

"나니(뭐야)?"

나도 모르게 반말조 일본말이 툭 튀어나왔다.

일본 프로야구 무대에서 내 꿈은 우선 1군에 올라가는 것이었다. 당초 3년을 잡았던 것이 1년 반 만에 지긋지긋한 2군 생활에서 벗어나 매진할 때였는데 그런 말을 들으니 욱했던 모양이다. 더욱이 일본말을 내뱉었다고 해서 국민감정을 자극한다는 이유로 매스컴의 비난을 받았다. 나중에 텔레비전 방송에 나가 그런 속사정을 들어 해명했다. 그 기자의 소속 신문사 편집국장이 미안하다는 전화를 했다.

MBC 초대 감독을 맡고 나서도 기자들과 마찰이 없지 않았다. 오랜 일본 야구선수 생활에 젖어 있던 내가 한국 기자들의 취재 풍토에 익숙지 못한 데다 훈련 도중에도 그라운드에 제한 없이 드나드는 기자들의 안전을 염려해 제지한 것 등이 빚어낸 오해에서 비롯된 일이었다.

**몰수게임 1호 불명예, 그러나…**

1982년 8월 26일, MBC는 대구에서 삼성과 후기 리그 4차전을 치르고 있었다. 전날 3 대 6으로 패한 데다가 그날도 2 대 5로 이끌리는 상황이어서 신경이 곤두서 있었다. 4회 말 1사 1, 2루에서 삼성 정현발이 타석에 들어서 유격수 땅볼을 쳤다. 물론 더블플레이 코스였다.

그때 1루 주자였던 배대웅이 2루로 들어가면서, 2루를 밟고 1루로

1982년 7월 벌어진 올스타전에 서군 감독으로 출전했을 때의 모습.

공을 던지려던 MBC 2루수 김인식의 송구를 방해하려고 노골적으로 그의 발을 차며 들어갔다. 이에 화가 난 김인식이 배대웅의 얼굴을 때려 양 팀 선수들이 그라운드로 몰려나와 집단 난투극이 벌어졌다.

김동앙 주심이 김인식에게 퇴장 명령을 내렸다. 항의하던 나는 선수들을 더그아웃으로 불러들였다. 김동앙 주심이 그라운드로 나올 것을 종용했다.

"안 나오면 몰수게임을 선언하겠다."

그래서 나는 소리쳤다.

"그래? 몰수할 테면 해!"

그렇게 해서 25분 뒤 한국야구사의 첫 몰수게임이 선언됐다.

그 와중에 관중이 그라운드로 난입해 아수라장이 됐다. 나는 비난을 뒤집어써야 했고, 불명예스러운 기록을 남겼다. 주위에선 나를 두고 '혼자 잘난 척한다'며 손가락질해댔다. 미움도 많이 받았다. 미움을 받더라도 아닌 것은 아니었다.

이틀 뒤에 열린 KBO 상벌위원회에서 나는 벌금 100만 원과 출장정지 5게임, MBC 구단은 제재금 200만 원과 당일 입장료, 텔레비전 중계료 전액 배상, 김인식에게는 제재금 10만 원의 징계가 떨어졌다. 김동앙 주심에게는 제재금 20만 원과 출장정지 5게임, 박명훈 2루심에게는 제재금 10만 원과 출장정지 5게임 징계조치가 내려졌다.

몰수게임과 관련해 이제 와서 '심판이 미숙했다, 뭐다'고 말하고 싶지는 않다. 역설이지만, 어떻게 보면 그런 기록도 한국야구사에 남아야 재발방지 대책이나 당사자의 각성이 따르게 되는 것이 아닌가

京鄕新聞 1982년8월27일 금요일

# 프로野球 첫 몰수게임

## 三星-MBC戰 審判명령不服 게임거부 MBC에

### 兩팀선수싸움…一方退場명령에 靑龍 "不公平" 항의

【大邱·大田】프로야구에서 처음으로 몰수게임의 불상사가 나왔다. 26일밤 대구시민운동장에서 벌어진 프로야구후기리그 삼성라이온즈와 MBC청룡의 4차전에서 MBC가 심판의 선수퇴장명령에 불복, 게임속행을 거부함으로써 주심 金東郊씨에의해 몰수게임이 선언됐다. 삼성은 몰수게임승(9-0)을 거둠으로써 MBC와의 대전에서 3승1패를 기록하고 종합17승6패를 기록했으나 승률에서뒤져 여전히 OB베어스(15승5패)의 뒤를이어 2위를 마크하고있다.

게임몰수 불상사 몰고온 와일드 플레이

1982년 프로야구 첫 몰수게임을 보도한 8월 27일자 경향신문. 기사 사진에도 2루수 김인식 선수에게 배대웅이 노골적으로 발을 높이 쳐들고 달려드는 모습이 담겨 있다.

하는 생각이 든다. 그 사태로 나도 반성했지만 그날 심판이나 선수, KBO도 뭔가 느낀 것이 있었을 것이다.

내가 주장한 것은 심판이 일방적으로 김인식을 퇴장시킬 게 아니라 '쌍방 과실'이었으므로 공평하게 양 선수 다 퇴장을 시켰어야 했다는 것이다. 만약 선수단을 철수하지 않고 그 경기를 계속했다면, 내 기록이 어떻게 됐을지는 아무도 모를 일이다. 프로야구도 직업이다. 장난이 아니다. 나는 그런 생각으로 단련됐기 때문에 죽기 살기로 했다.

1982년 7월 치러진 올스타전에서 동군을 맡았던 김영덕 OB 베어스 감독과 서군을 지휘했던 백인천. 경기 중 오춘삼 주심과 얘기를 나누고 있다.

우리나라에서의 관중 야유는 아무것도 아니다. 일본 야구판에서 "야! 조센징" 하는 소리를 듣노라면 '찡' 하는 뭔가가 '확' 하고 오는 게 다르다. 그곳에서는 나 혼자였다. 1 대 몇만의 싸움이었다.

### 이진희 MBC 사장 간섭에 사표 소동을 벌이다

일본에서 돌아와서 내 딴에는 어떻게 하든 한국 프로야구를 빨리 자리 잡도록 해야겠다는 사명감을 안고 있었다. 그런데 시스템이 전혀 갖추어지지 않았다. MBC 감독 겸 선수로 왔는데 야구단이 아니라 야구부 수준이었다.

구단에 MBC 보도국장을 겸한 단장과 부장 한 명, 경리담당 여직

원 한 명 등 서너 명이 다였다. 겨울에 전지훈련을 가려고 공 300타스와 배트 50자루를 사달라고 했더니 '공이 왜 그렇게 많이 필요하느냐'며 따지고, 배트는 5, 6자루를 돌려쓰고 심지어 부러지면 못 박아 쓰면 된다는 웃지 못할 말도 했다. 그런 판이었으니 '프로'의 진정한 의미를 이해시키기가 그만큼 힘들었다. '초창기니까, 처음이니까' 따위의 말을 숱하게 들었다. 어느 것이 선수단에 좋은지 알지 못했다.

하루는 경기에 졌는데 감독, 코치들이 사장에게 불려갔다. 그 자리에서 이진희 사장이 질책했다.

"백 감독이 일본에서 왔으니까 잘 모르면 코치들이 제대로 해야지 뭐 하는 거야?"

이진희 사장은 결단력이 대단한 인물이었다. 주변에서 누군가 나를 흔든다는 것을 직감했다. 당시 코치래야 유백만, 한동화, 유영수 세 명뿐이었다. 다른 구단도 사정은 별반 다르지 않았다. 코치를 나무라는 것은 곧 감독을 문책하는 일로 여겨졌다.

"내가 책임지고 그만두겠습니다."

나는 사표를 던졌다. 코치가 무능한 것은 곧 감독이 무능한 것이었으므로. 다음 날 경기를 앞둔 마당에 일이 커질 것을 우려한 MBC 이진희 사장이 전화를 걸어왔다.

"백 감독, 코치들이 분발하라는 뜻으로 한 말이야. 오해를 불렀다면 사과할게요."

이 사장은 평소 호랑이로 소문난 엄한 인물이었으나 그래도 속 있는 사람으로 인식했다.

나는 사표를 두 장 써서 들고 가 이진희 사장에게 말했다.

"구단에서 간섭해서 사표를 내려고 합니다."

"섭섭했는가. 격려차 그랬을 뿐인데 간섭으로 느껴졌다면 미안해요. 더 잘하라고 한 것이야."

이 사장이 해명을 겸해 뒤로 물러서서 그 일은 그대로 아퀴 지어졌다.

이진희 사장은 존경할 만한 분이었다. 판단력이 빠르고 냉정했다. 자기 잘못을 솔직히 시인할 수 있다는 것 자체가 대단한 일 아닌가. 이 사장이 누구에게 사과한 것은 처음 있는 일이라고 말했다. 사장한테 사표를 냈는데도 수리가 안 된 것 역시 내 야구 인생에서 처음 있는 일이었다.

# 삼미 슈퍼스타즈

(1983~1984, 코치 겸 선수)

**간통 피소 구속과 이혼, 빈손으로 야구계를 등지다**

1983년 4월 19일 삼성전에서 이긴 뒤 원정 4게임을 모두 지는 바람에 24일 해태전을 끝으로 '건강 사정으로 2주간 휴가'를 내고 지휘봉을 내려놓게 됐다. 외부론 '건강'이 이유로 알려지긴 했지만 실제론 의욕상실이었다.

당초 MBC 청룡과 계약할 때 1년간 계약금 2,000만 원 외에 연봉으로 감독과 선수 몫으로 각각 1,200만 원씩 2,400만 원을 받기로 했다. 선수 계약금은 성적에 따라 시즌 뒤 주는 것으로 김기주 이사가 약속했다. 문제는 그 약속이 서면이 아닌 구두약속이었다는 데 있다.

시즌 막판이 되자 MBC 구단은 나에게 딴소리를 했다. 그러다가 이적선수 등록 마감 날인 6월 30일에 삼미 슈퍼스타즈로 이적해 코치 겸 선수로 뛰게 됐다.

그로부터 얼마 지나지 않은 1983년 8월 23일, 아내가 다른 여성과의 불륜 관계를 걸어 고소하는 바람에 간통죄로 구속됐다. '야구인으로서 내 삶'은 급제동이 걸렸다. 삼미 구단은 수감 중인 나에게 무기한 출장 정지 처분을 내렸다.

3개월 남짓 지난 다음인 11월 17일 나는 조강지처와 이혼에 합의했다. 나는 고소 취하와 이혼 합의에 따른 대가로 아내에게 위자료 4,000만 원과 일본 요코하마에 있는 집(당시 시가 1억 원), 서울 한남하이츠 아파트(시가 8,000만 원)를 양도해주고 앞으로 수입의 3분의 1을 두 아들의 양육비로 지급하기로 했다. 당시 나는 전 재산을 아내에게 건네주고 3,000만 원의 빚까지 안고 있어 그야말로 빈털터리가 됐다.

東亞日報 1983年8月22日

경찰에서 조사를 받고있는 白仁天씨와 吳양。

**白仁天선수 간통혐의 立件**
**夫人이 고소**

프로야구 삼미슈퍼스타즈의 지명타자 白仁天선수(42)가 부인의 고소에 따라 간통혐의로 입건됐다。

白선수는 21일밤11시50분경 서울江西구木3동 吳美京양(24)집에서 吳양과 함께 나오다 부인 趙英愛씨(40)에게 붙잡혀 강서경찰서로 넘겨졌다。

白선수는 이날오후4시부터 仁川구장에서 있었던 삼성라이온즈와의 경기를 끝낸뒤 승용차편으로 밤10시경 吳양집에 도착, 2시간가량 머물렀었다。

趙부인은 경찰에서 『평소 남편의 귀가가 늦어 이상히 여겨온데다 좋지못한 소문이 나돌아 이날 仁川구장에서부터 오빠와함께 남편을 미행했다』고 말했다。

趙부인은 「고소장과 이혼심판청구서등을 22일중으로 준비해 오겠다」는 각서를 써놓고 22일새벽 귀가했다가 이날 오전10시반 서류를 갖춰와 정식고소했다。

吳양은 白선수가 삼미로 이적하기전 MBC팀에 소속해있을때부터 사귀어온 여자로 모방송국 탤런트시험에 합격했으나 방송에 출연한적은 없는것으로 알려졌다。

白선수는 경찰에서 『사생활문제로 물의를 빚어 죄송하다』며 모든것을 사실

간통혐의로 입건되어 조사를 받았다는 기사가 실린 1983년 8월 22일자 동아일보.

법원은 나에게 징역 10월에 집행유예 2년을 선고했다. 그리고 11

간통사건 이후 삼미 슈퍼스타즈와의 결별이 확실시돼 '백인천 야구인생 끝났다'는 보도가 실린 1983년 8월 27일자 경향신문.

京鄕新聞 1983년8월27일 토요일

白仁天「야구人生」끝났다

KBO·三美球團서 永久추방·出場정지處分 움직임

代打없는 三美 戰力차질

後期선두固守 또 먹구름

球團과 不便한관계 金振榮씨

一線복귀여부놓고 팬들 關心

張明夫·선수들간의 의사소통에도 큰지장

월 29일 석방됐다. 야구도 싫증이 났고 사람들도 싫어졌다. 어디로 숨고 싶은 마음뿐이었다. 그렇지만 시련을 극복하고 반드시 명예회복을 해야겠다는 마음도 강하게 들었다.

삼미 구단은 1984년 2월 나를 '임의탈퇴선수'로 KBO에 공시요청을 했다. 구단 동의가 없으면 옴짝달싹못하는 신세가 된 것이다. 집행유예로 석방되던 날 구단에 사표를 냈다. 삼미는 3개월 동안 사표를 수리하지 않다가 활동이 어려워지자 임의탈퇴 공시와 더불어 계약금(3,000만 원)을 돌려받으려고 한남동 아파트에 대한 가처분 압류신청을 했다.

나는 삼미 구단을 상대로 '임의탈퇴 공시 및 가처분 압류신청의 부당성, 밀린 보류수당 지급' 등을 골자로 한 중재요청서를 KBO에 냈다. 그 일로 또 다른 후유증에 시달리게 됐다. 프로야구계를 떠날 수밖에 없었다.

프로야구계를 떠난 뒤 수원 유신고 인스트럭터(정규 코치가 아닌, 특수 분야의 임시 지도자)로 선수들의 타격을 지도하거나 휘문고와 어린이대공원에서 야구교실을 여는 등 어린 선수들을 지도하는 데 정신을 쏟았다. 그런데 생각했던 것보다 프로야구계 복귀가 빨리 이루어졌다.

1년이 흐른 1984년 8월 19일, 삼미 구단으로부터 복귀 통고를 받았다. 코치 겸 선수로 2년 계약을 했다. 삼미가 인천구장에서 가졌던 MBC 청룡과의 후반기 마지막 10차전에 나갔다.

그 경기에서 나는 홈런 한 개 포함 5타수 2안타 3타점을 올리며 팀 승리를 이끌었다. 시즌이 막판에 접어들었고 그해 남은 경기에서 출장한 것은 모두 10게임이었다. 9월 18일 인천구장에서 열린 롯데전에서 한 타석 대타 출장을 마지막으로 짧은 한국 프로야구 선수생활을 마감했다. 마지막 해의 기록은 10게임, 32타수 9안타, 3홈런, 10타점이었다.

선수생활을 끝낼 수밖에 없었다. 삼미 김진영 감독과의 미묘한 불화로 코치를 할 수 없는 상황이었다. 삼미 구단은 선수로만 뛰어줄 것을 요청했다. MBC 감독을 지냈고 삼미에서도 코치 겸 선수로 두 차례 등록했던 나는 심한 모욕감을 느꼈다. 1983년에는 3년 6개월 계약기간을 사생활 물의로 두 달만 뛰었고, 이번에도 계약기간의 4분의 1도 채우지 못했다.

**조강지처에 대한 생각**

사생활 때문에 1983년 8월 구치소에 들어가게 됐을 때 나는 스스로 '참 힘들게 사는구나' 하고 착잡한 상념에 잠겼다. 어찌 보면 피할 수도 있었는데. 참 편한 사랑을 선택해야 하는데 그러질 못했다. 나는 야구 지도자로서도 갖춰져 있는 팀을 선택하기보다는 어려운 팀을 선택하는 유형이다.

야구 밖의 인생살이도 그랬다. 어렵게 만난 인연이었는데. 본처는 고교 후배의 누나 친구였다. 경동고 다닐 때 그 후배가 나를 좋아해서 졸라댔다.

"선배님, 언제 한번 시간 좀 내주시죠."

우스갯소리로 후배보고 물었다.

"야, 너 누나 있냐?"

그랬더니 누나가 이화여고를 나왔다고 했다. 그런데 만날 기회는 없었다. 누구인가 결혼식 때 그 후배를 다시 만났다. 그 자리에서 후배가 말했다.

"소개해드리려고 했던 누님이 이분이에요."

그래서 처음 봤다. 그 인연이 연결돼 일본에서 만났다.

내가 결혼한 뒤 아버지가 사업에 실패하셨다. 돈을 많이 갖다드리긴 했는데, 원래 나는 돈 관리를 안 하고 집사람이 다했다. 몰래몰래 있는 돈을 부쳐주었는데 집사람은 애들도 있고 하니 장래를 생각해서 자꾸 그러면 안 된다고 가로막았다. 집사람은 그런 일로 나와 갈등이 심했다. 그러다가 동생이 고려대에 합격했는데 집에 입학금이 없다고 했다.

누나가 전화를 걸어와 '오늘까지 입학금을 내지 않으면 합격이 취소된다'라고 해서 어떻게 마련해 보내주었다. 지방 원정경기를 간 사이에 아버님이 고맙다는 편지를 보냈고, 아내가 그 편지를 보게 됐다. 그전에 나는 몇 번 서약서를 썼다. 앞으로는 안 그러겠다고 해놓고선 들켜버렸으니. 그런 저런 일로 갈등이 쌓이고 지쳐갔다. 야구에도 지장이 생겼다.

일본에 있을 때는 왔다 갔다 했다. 그러나 한국에 돌아와서는 야구에만 푹 빠져 있으니 갈등이 생길 수밖에 없었다. 한국에 있는 아내 친구들이 옆에서 또 뭐라고 하고, 우리 집안과도 마찰이 생겼다. 아버지가 돌아가셨을 때도 그랬다.

그러다보니 야구를 두고 계속하니 마니 하니까 그쪽 집안과 우리 형제들 간에도 갈등이 생겼다. 나는 그 부분을 완전히 이해해달라는 것이 아니라 어느 정도 이해해달라는 것이었는데, 결국 최악의 선택을 했다. 이혼하자고 했지만 해주지 않고, 난 할 만큼 했다고 생각해 포기해버렸다. 집사람은 마지막에 '간통죄'로 옭아맸다.

장모님은 좋으신 분이었다. 아내는 열받았겠지만 그것도 다 내 운명이었다. 나는 하고자 하는 일은 확 밀어붙이기 때문에 손해도 많이 보았다. 지나고 나면 '아, 인생이 이렇게 가야 하는 것이었구나' 하는 생각이 들었다.

내가 (감옥에) 들어갔다 나온 뒤 아내는 자주 연락을 했다.

"당신은 정말 대단한 사람이야. 보통 사람 같았으면 죽었을 텐데.

당신이 미워서가 아니라 정말 좋아했기 때문에 한번 겪고 나면 돌아오겠지 했어."

아내가 말했지만 이미 엎질러진 물이었다. 있는 것 다 주면 문제가 안 생긴다. 다 주고 나니 빚만 남았다. 보통 '돈이 없으면 분명히 빌려 올 것이다'고 하지만 나는 그러지 않았다. 빌었다면 좀 편하게 살았을지는 모르겠다. 하지만 나는 그게 안 된다. 정말 잘못한 것은 용서를 빈다. 내가 결정한 것은 끝까지 책임진다. 1983년 11월 17일 이혼했다.

그 뒤 전처가 유방인가 자궁에 뭐가 생겼다면서 큰아들한테서 전화가 왔다. 그때는 야구를 해서 수입이 있을 때였다.

"아버지, 일본으로 오셔야겠습니다."

"뭐냐, 돈이 필요하니?"

"그게 아니라 엄마가 입원했어요."

1984~85년쯤일 것이다. 병원으로 갔더니 내가 올 줄 몰랐다고 했다. 의사는 수술해서 지금 상태는 좋다고 했다. 예전에 전처가 아파서 병원에 데려간 적이 있는데 그녀는 그것을 기억하지 못했다. 전처는 미안하다면서 무릎을 꿇고 빌었다. 나는 담담히 말했다.

"이렇게 애들 잘 키워줘서 고맙다. 하여튼 건강 회복해라."

그렇게 우리는 헤어졌다.

"이같이 영광스러운 자리를 마련해주신
야구계 선후배들에게 진심으로 감사드립니다.
34년간의 감회어린 '야구선수 백인천'의 시대는 마감하지만
'감독 백인천의 시대'는 이제부터 시작입니다."

# 7회
# 본격 감독시대

회초

# LG 트윈스(1990~1991)

### 1989년 다시 MBC 사령탑을 맡다

삼미로 이적했던 1983년 시즌 도중 사생활로 뜻하지 않은 봉변을 겪었다. 얼마 뒤 이혼하고 고소가 취하돼 선수로 복귀했지만 힘이 살아나지 않았다. 결국 1984년을 끝으로 현역에서 은퇴했다.

그리고 야구계를 한동안 떠나 골프웨어 수입 사업에 힘을 쏟았다. 다만 야구에 대한 열정은 식지 않았다. 회사 이름도 '백구白球상사'로 지었다. 사업을 하면서도 야구판에 돌아가 재기할 날을 꿈꿨다. 일본에서 배운 지식을 이번에는 감독으로서 발휘해보고 싶었다.

5년 남짓한 공백을 딛고 야구계에 복귀한 때는 1989년 말이었다. 그해에는 롯데에서도 감독 제의가 왔는데 MBC 청룡을 후원해주고 있던 유영구 명지대 이사장(뒤에 KBO 총재를 지냄)과 뒤에서 MBC 선수들을 후원해주던 민병의 회장(작고)이 MBC를 어떻게 하든지 우승시켜야

1989년11월7일 화요일 【8】 경 향 신 문

## "그라운드의 풍운아" 白仁天 6년5개월만에 靑龍 컴백

### 연봉5千萬원 2년간 監督계약

### 후배에 프로근성 심어준 "집념의 사나이"

스포츠화제

짱짱 얼어붙었던「그라운드의 풍운아」白仁天씨(46)의 야구인생에 새봄이 찾아왔다。

프로야구 MBC청룡은 7일 白인천씨와 계약기간 2년에 연봉 5천만원으로 감독계약을 맺고 또다시 지휘봉을 맡겼다。

이로써 MBC창단감독으로 국내프로야구의 산파역을 맡았던 白인천씨는 지난83년 6월 여자문제로 그라운드를 떠난뒤 6년5개월만에 청룡에 복귀하게 된것。

白인천씨의 그동안 야구인생은 글자그대로 파란만장 그자체였다。19세의 어린나이로 일본프로야구에 뛰어들어 2군생활 1년을거쳐 20년간의 고난과 역경을 이겨내고75년에는 수위타자가 되기도했던 대스타였었다。

국내프로야구가 태동한 지난82년에는 MBC청룡의 사령탑겸 선수로도뛰어 타격왕에 올랐던 그는 후배선수들에게 프로근성의 본보기를보여준 집념의 사나이이기도했다。그러나 그의 인생에게먹구름이 낀것은 지난83년。당시 연예인O양(23)과 관계를 가진것이 불행의씨앗이됐다。白씨의 부인趙英愛씨가 이사실을알고 간통혐의로고발, 팬들의 빗발치는 비난과함께말없이 그라운드를등져야했다。

白인천씨는 당시 실형 (징역8월에 집행유예2년)을받았고, 부인 趙씨와 이혼, 일본에있는 재산전부(5천만엔상당)와 2천4백만원의 위자료를 무는등 사회적위치는 물론 경제면에서도 파탄에빠졌다。그러나 白씨는 이같은 역경에 굴하지않고 오뚝이인생을 걷기시작했다。

『야구를 빼면 내인생은 아무것도 없다』는 생각으로 그라운드에 복귀할 그날만을손꼽아 기다리며 보통사람들의 일상생활에 재미를 함빡느끼며살았다。

서울 서초구 방배동의 한 상가건물구석에 자리한 10여평크기의 점포(백구상사)를 차려놓고 의자등받이 등을팔며 사업에 전념했다。이후에도 가죽제품, 문방구류, 골프의류를 취급하는등 꾸준히경제활동을펴, 사업가로서도 관록을 쌓아왔다。그러나 白씨가 끝내 야구에 대한 미련을 버리기에는 너무나 그라운드의 매력이 황홀했다。치고 달리는 호쾌한 자신의 야생마같은 성격이 가만히 놔두질 않은것이다。

지난해에도 MBC와의 재계약설이 파다할만큼 그라운드 주변을 늘 서성거린것이 바로 이때문이다。

『20여년간 청춘을 바친 야구를 버릴수 없었습니다。나의 명예를 되살리고 야구인생을 마지막으로 활짝 꽃피우기 위해서라도 있는 힘과 땀을 몽땅 그라운드에 뿌리겠습니다』

「그라운드의풍운아」白인천씨의 다부진 각오가 내년시즌 국내프로야구의 돌풍을몰고올 기세다。<朴建萬기자>

「그라운드의 풍운아」白인천씨가 6년5개월만에 초록색 다이아몬드에 컴백했다。(사진은 지난82년 MBC청룡창단감독으로 작전을 지휘하고있는 모습)

6년 5개월 만에 MBC 청룡 감독으로 복귀한다는 기사가 실린 1989년 11월 7일자 경향신문. 롯데의 제의도 있었지만 처음 고국 프로야구와 인연을 맺게 해준 MBC 청룡에 빚을 갚고 싶었다.

겠다며 나를 MBC 감독으로 복귀시키려고 했다.

그 무렵 신문에 '백인천 롯데 감독설'이 보도되었다.

"백 감독, 축하합니다. 계약금 많이 받았습니까?"

유 총재가 나를 짐짓 떠보았다.

"해운대에 전세방 알아보고 있지요."

나도 농담으로 받았다.

그날 유 총재와 민 회장은 MBC 청룡 이건영 사장, 조광식 단장과 함께 만나는 자리를 만들었다. 이 사장이 선뜻 말을 안 꺼내다가 넌지시 물었다.

"백 감독, MBC로 올 생각이 있는가?"

유영구, 민병의 두 사람이 설레발을 쳤다.

"무슨 소리야. 롯데에 못 가게 빨리 잡아야지."

하루, 이틀 지나 조 단장이 찾아와 물었다.

"우리에게 오시겠습니까?"

"전 생각이 없습니다."

나는 한 발 뒤로 뺐다. 유영구, 민병의 두 사람이 재차 구단을 채근하고 나에게도 종용했다. 결국 복귀를 결심했다.

나는 MBC 초대 감독으로 성공하지 못해 언제나 미안한 마음을 가지고 있었다. 책임감도 들어 언젠가 기회가 오면 다시 해봐야겠다는 생각도 했던 터였다. MBC와 감독 계약을 한 뒤 구단이 나에게 선수명단을 내밀었다. 거기엔 선수 이름 앞에 빨간색 볼펜으로 ×, △, ○표시가 돼 있었다. 이를테면 선수단 정리안이었던 셈인데, 베테랑도 자르고, 심지어 김용수도 트레이드 대상으로 올려놓았다. 나는 강력하게 반발했다.

"이걸 가지고 하라는 것입니까? 선수, 코치 선임 권한 안 주면 못 하겠습니다."

내가 MBC 감독으로 복귀한다는 보도를 보고 MBC의 김재박과 신언호 등 베테랑 선수들이 찾아왔다. 그들은 초창기 MBC 시절에도 감독과 선수 사이로 지냈던 터여서 낯익은 처지였다.

"축하드립니다. 다시 오셨으니 열심히 하겠습니다."

축하 인사를 건네는 그들을 향해 진로를 물었다.

"너희는 어떻게 할래?"

그랬더니 신언호가 먼저 대답했다.

"무릎도 아프고, 저는 선수 관두고 감독님 밑에서 코치나 했으면 합니다."

영리한 김재박은 다르게 대답했다.

"감독님 하라는 대로 하겠습니다."

그래서 나는 딱 잘라 말했다.

"재박이만 남고 너희는 관둬라."

그들의 눈이 휘둥그레졌다. 이미 구단이 정리할 선수를 다 추려냈고, 코치도 정해져 있는 상황이어서 구단의 선수정리 계획 명단을 보여주었다. 그리고 짐짓 윽박질렀다.

"선수를 안 하겠다면 관둬라. 잘리는 선수를 코치로 쓸 수 없다."

그 말을 들은 선수들은 어이없어 했다. 기대 밖의 말이었던 것이다. 자리에서 일어서지 못하고 그냥 시간을 보냈다.

"구단에서 자르라는데 어떻게 할래?"

나는 재우쳤다. 그 말끝에 그들을 설득했다.

"나도 그렇지만 너희도 자기 야구 역사에 뭔가 남겨야 하지 않겠냐. 나는 나이 마흔에도 해냈는데 너희는 아직도 30대 아니냐. 단 너희가 열심히 하다가 안 되면 얘기해라. 그때는 코치를 시켜줄게."

그들은 그제야 수긍했다.

1982년 내 밑에서 코치를 했던 정순명, 김봉기, 김용달, 최정기를 코치로 끌어들였다. 구단 반대를 무릅쓰고 그들을 데려온 것은 나 때

1989년 스프링캠프 때 MBC 청룡의 선수·코칭스태프들과 함께한 사진이다. 왼쪽부터 김재박·김봉기·백인천·조창수·김인식·김용달 선수.

문에 본업인 야구를 떠나 보험 세일즈나 금산에서 인삼재배, 갈비집 운영 등 엉뚱한 일을 하는 데 대해 남모를 책임감을 느꼈기 때문이다. 본의 아니게 MBC를 떠났던 그 친구들도 한이 맺혔을 터였다.

수소문해 그들을 불러 당시 양재동 사무실에서 점심을 먹으며 물었다.

"미안한 부탁을 하겠다. 만약 이해가 되고 할 마음이 있으면 얘기해라. 야구 다시 안 하겠느냐?"

그들은 뜻밖의 제안이었던지 선뜻 대답을 못했다.

"코치 자리다. 단 1년이다. 납득한다면 이틀 후 답을 다오."

그들은 1시간 후 다시 돌아와 답을 줬다.

"한 번 해보겠습니다."

"내가 지명할 테니까 하라는 대로 해라. 기술보다 야구 자세 잡고, 헌신적으로 하면 된다. 내가 죄를 짓는 것 같은데 너희 부인들도 불러서 함께 물어보자. 마지막으로 같이 정열을 쏟아보자."

나는 진심으로 협조를 부탁했다.

구단에는 코치들에게 계약금, 연봉을 2,000만 원씩 줄 것을 요구했다. 구단은 난색을 표시하면서 계약기간 1년에 연봉만 1,500만 원을 제시했다. 실랑이 끝에 연봉 2,000만 원에 500만 원은 선불로 받기로 합의했다. 코치들에게 미안한 노릇이었지만 1년간 열심히 해서 좋은 성적을 올린 뒤 계약을 다시 하자고 설득했다.

MBC에 오기 전 선수들이 감독불신임 연판장을 돌리고, 끼리끼리 술 마시러 다닌다는 소문이 나돌았다. 그런 선수들을 다잡으려면 특단의 조치가 필요했다. 베테랑 선수들을 불러 차근차근 설득했다.

"야구에 1년이라도 집중해보는 경험을 해봐야 코치도 할 수 있다. 정리대상 선수라도 1년간 열심히 하면 코치로 받아주겠다."

김재박, 이광은, 신언호, 하기룡, 김인식 등 베테랑들이 그런대로 제몫을 해냈다. 베테랑과 코치가 손잡고 뒷받침을 잘해 선수단 단합도 잘돼나갔다. 투수진에도 문제가 많았기에 김용수를 선발로, 정삼흠을 마무리로 돌리는 등 보직을 변경해가며 운영했다.

선수들이 대부분 야구를 깊게 파보지 않아 고생을 몰랐다. 스프링 트레이닝 때부터 강하게 훈련을 시켰다. 그 효과는 여름에 나타났다.

전지훈련에 앞서 투수는 150개, 야수는 100개씩 윗몸일으키기를 시켰다. 따라오지 못하는 선수는 전지훈련에 데려가지 않았다.

가을에는 모든 선수에게 토끼뜀을 시켰다. 김건우와 김영직이 특히 잘 뛰어 일부러 쉬게도 했다. 1989년 2승 3패에 그쳤던 김태원은 145개에서 쓰러졌다. 김용수와 정삼흠은 겨우 통과했다. 낙오한 선수는 타이완 전지훈련 비행기표를 끊지 말라고 구단에 통보했다.

1989년 시즌이 끝나갈 무렵 MBC 청룡이 매각된다는 소문이 여기저기서 나돌았다. 그리고 12월에는 럭키금성이 인수한다는 구체적인 보도도 나왔다. 그러나 MBC 재단이사회의 제동으로 매각이 보류되다가 1990년 1월 18일 인수 계약이 체결되어 MBC 청룡은 LG 트윈스가 되었다. 1983년 한국 프로야구 MBC 청룡의 초대 감독을 맡았던 나로서는 팀을 꼭 우승시키고 싶었는데, 팀이 매각되었으니 MBC 청룡이란 이름으로는 그럴 수 없게 되었다.

야구는 기술도 기술이지만 선수와 코치가 말을 안 해도 서로 통할 정도가 돼야 하고, 남의 실수를 감싸안을 수 있어야 한다. 감독은 선수가 경기에 집중할 수 있도록 이끌어야 한다. 또한 선수들은 시즌을 부상 없이 잘 버틸 수 있는 강한 체력이 있어야 한다.

1989년 가을부터 실시한 강한 체력을 요하는 훈련 덕분인지 김태원은 이듬해 18승 5패를 기록하며 환골탈태했다. 전해 5승 5패 22세이브였던 김용수는 선발로 돌려 12승 5패를 했다. 5승 7패였던 정삼흠은 마무리로 보직을 바꿔 8승 9패 23세이브를 기록했다. 셋이서 '동지적인 단합'을 한 결과 이들은 신생 LG의 기둥투수로 거듭났다.

1990년 3월 15일 LG 트윈스 선수단 창단식. MBC 청룡에서 우승하고자 했던 꿈은 LG 트윈스로 유니폼을 갈아입고 새롭게 도전하게 되었다.

지도자 생활에서 못내 아쉬운 것은 아무리 힘을 기울여도 10명 중 3명만 성공한다는 것이었다. 지도자는 선수들이 집중할 수 있게 이끌어주는 일을 하는 사람인데 끈기가 약해 중도에 포기하는 선수가 많았다. 야구는 솔직한 운동이다. 노력하면 성공하고 하늘도 돕는다.

### 우승을 향해 가는 길, 노상 청문회 봉변을 당하다

1990년 5월 22일 잠실 롯데전에서 LG가 지니까 팬들이 노상 청문회를 요구한 적이 있다.

"감독이 나와서 해명하라!"

이런 식의 청문회는 초창기 한국 프로야구판에서 자주 있던 일이다. 홈 3연패를 당한 터여서 팬들이 격앙됐을 것이다. 그러나 나는 감독으로서 그런 것은 상대도 안 했다. 경기 후 경기장을 나가는데 일부 팬들이 가로막았다. 소동 속에서 팬들이 내 점퍼를 잡아채 찢어지는 일도 있었다.

야구는 여름이 승부처다. 그때 LG는 실제로 써먹을 만한 투수가 많지 않았다. 이기려고만 달려드니까 문제가 있었다. 팬들이 달려들어 난동을 부렸지만 그해 나는 모든 것을 걸고 했다. 청문회를 여는 것도 그렇고 그걸 받아들이는 감독도 그렇다. 감독은 시즌이 끝나면 성적에 책임을 지고 그만두면 된다.

야구는 9회 말 투아웃에서도 뒤집어질 수 있다. 야구는 역전하는 맛이 각별하다. 팬들로서야 팀이 지니까 순간적으로 안타까워서 그러겠지만 그런 걸 참고 지켜봐야 한다. 물론 LG가 과거에 안 좋았으니까 그 연장선상에서 팬들의 난동이 일어난 것이 이해는 된다.

그때 난동을 피웠던 사람들이 LG가 우승한 다음 무슨 파티석상에서 나를 찾아와 무릎을 꿇고 죄송하다고 사과했다. 그 자리에서 코치들이 '점퍼를 물어내라' 는 농담도 했다. 야구를 좋아하는 팬으로서 역시 '이번에도 꼴찌구나' 했는데 우승했으니 '이런 야구도 있구나' 하며 공부도 됐을 테고, 좋은 경험도 한 것이다.

야구팀이 우승하려면 시간이 필요하다. 우승은 하루아침에 이루어지는 것이 아니다. 그해 시즌 전 주축타자인 이광은과 주전투수 노릇을 해줘야 할 김기범이 다치는 등 악재가 많았다. 김기범은 목욕탕에서 넘어졌다고 해서 알아보니 뚱딴지같은 소리였다. 건국대 출신이라고 건국대병원에 입원했는데, 술 마시고 다투다 생긴 골절상이었다. 이광은도 음주운전을 하다가 다쳤다.

그 당시 선수들은 프로 정신이 몸에 배지 않았다. 그래서 조정하기가 상당히 어려웠다. 어떻게 보면 내가 다른 감독과 다른 점은 제칠 때는 뒤도 안 돌아본다는 점이다. 마지막까지 선수들이 열심히 해서 우승했지만 그 과정에서 여러 일이 있었다.

주장이었던 김상훈이 2군으로 떨어진 것도 그 가운데 하나였다. 김상훈은 홈 슬라이딩도 안 하고 뻣뻣이 서서 들어오다 아웃됐다. 더군다나 주장이 그랬으니 본보기로 가차 없이 2군으로 내려보냈다. 주위에서 주장을 보내면 어떻게 하느냐며 말이 많았다. 유영구 전 KBO 총재(당시 LG 후원회장)도 그런 걱정을 했다.

얼마 후 김상훈이 뛰는 2군 경기를 보러 일부러 인천에 가보기도 했다. 1군에서 뛰던 선수가 2군에 떨어지면 처음에는 '에라, 될 대로 돼라. 나도 야구 안 한다'는 식으로 행동하기 쉽다. 그러다가 일주일, 열흘 지나면 고민된다. '아, 이게 아니구나' 하는 것이다. 주위에서 말도 나온다. 그러면 슬슬 운동을 시작하게 되고, 그다음엔 1군으로 가야겠다는 생각을 할 수밖에 없다. 1군에도 못 가고 집에 일찍 들어가면 식구들이 뭐라 하겠는가.

여러 사람이 나에게 전화를 해서 권했다.

"백 감독, 이젠 김상훈을 용서하고 올리시죠."

김상훈도 전화를 걸어왔다. 말 주변이 별로 없던 김상훈은 그저

LG 감독 시절 선수들에게 펑고 훈련으로 수비 연습을 시키는 모습이다. 야구를 그만둘 때까지 나는 항상 직접 배트를 들고 운동장에서 선수들을 훈련시켰다.

이렇게 말했다.

"감독님, 죄송합니다. 열심히 하겠습니다."

그래서 짐짓 떠보았다.

"그래? 2군에서 열심히 해라."

그러자 다시 말했다.

"앞으로 열심히 할 테니까…."

그 후 김상훈을 1군에 올렸는데 그때 1군에서는 김선진이 김상훈 대신 1루에서 잘해줬다. 김선진이 우타자니까 김상훈이 빠진다고 해도 좌투수 전용으로 활용해야겠다는 속셈도 있었다. 김상훈도 스포츠

LG 트윈스 감독 시절(1990).

신문을 보고 김선진이 잘한다는 것을 알았을 것이다. 김선진은 타격이 좋고 발도 빠른 선수였으니 김상훈에게 좋은 자극이 되었을 것이다. 복귀전에서 홈런을 때려낸 김상훈은 그해 3할대 타율(.322)을 기록했다.

LG 우승 축승회 때 김상훈의 부인이 인사를 건넸다.

"감독님, 정말 감사합니다."

그래서 물었다.

"내가 밉지 않았습니까?"

"남편이지만 2군에 떨어졌을 때 오히려 잘됐다고 생각했어요."

자극제가 됐다는 뜻이었다.

### '세이브 포수' 심재원을 추억하다

LG 우승은 포수 심재원의 뒷받침과 2진급 대체요원의 성장이 원동력이 됐다. 심재원은 선발포수 김동수의 뒤를 받쳐 경기를 마무리하는, 이를테면 '세이브 포수'였다. 김선진, 노찬엽, 김영직, 민경삼, 이종렬 같은 선수들도 잘해줬다.

특히 기억에 남는 선수는 유지홍이다. 승차 한 게임을 다투던 시즌 막판 중요한 고비에서 지고 있는 게임에 유지홍을 대타로 냈는데 1루를 넘기는 안타를 쳐서 역전승을 했다. 감독으로선 우승으로 가는 길목에서 터진 그 안타가 그렇게 중요할 수 없었다.

제일 생각나는 선수는 안타깝게 일찍 세상을 떠난 포수 심재원이다. 심재원은 수읽기 능력이 탁월했다. 감독의 심리를 잘 간파해 스스로 알아서 해냈다. 새내기 포수 김동수가 성공한 것도 따지고 보면 심

1990년 LG가 우승하고 나서 두 손을 번쩍 들고 환호하는 관중에게 인사하는 모습이다. 심재원이 포수 마스크를 벗고 홈으로 걸어오는 모습이 함께 카메라에 잡혔다.

재원 덕분이라고 해도 지나친 말이 아니다.

배터리 코치 겸 선수였던 심재원은 내가 사인을 내면 고개를 갸우뚱거리기도 했다. 포수가 감독보다 더 진하게 느끼는 상황이 있을 것이다. 그럴 때면 프리 사인을 주었다. 경기 흐름을 잘 읽고 있으니 마음대로 해보라는 뜻이었다. 그의 수비는 최고였다. 심재원은 야구를 아는 선수였다. 너무 빨리 온 그의 죽음이 마냥 안타깝다.

심재원은 폐암에 걸려 투병하다가 1994년 5월 19일 세상을 떠났다. 사망하기 열흘 전쯤 문병하러 병원으로 찾아갔다. 두 눈을 감은 채 미동도 하지 않던 그가 "재원아" 하자 내 손을 꽉 잡았다. 살아 있었다면 좋은 지도자가 됐을 텐데, 나이 마흔을 갓 넘겨 세상을 떠났으니….

김동수가 마스크를 쓰면 내 사인을 일일이 받았지만 심재원이 경기 전에 조언과 충고를 많이 해줬다. 감독이 사인을 일일이 내는 이유가 있다. 일본에서의 경험에 비춰보면 포수가 사전에 자료를 받아보고 연구를 하지만 경기 승패는 감독이 책임을 진다. 그래서 승부처의 사인은 감독이 직접 낸다. 그렇게 했는데도 진다면 감독으로서 납득이 된다.

아주 중요한 상황, 예를 들어 팀이 한 점 차로 지고 있을 때 9회말 무사 1, 2루가 됐다고 한다면, 상대편은 십중팔구 번트를 생각할 것이다. 그런 대목에서 과감하게 히팅 사인을 내는 것이 승부다.

언론사 해설위원으로 있을 때 삼성 경기에서 한 번 그런 장면을 봤다. 감독이 번트가 아니라 강공 사인을 냈는지 좌전안타로 경기를 뒤집었다. 궁금증이 일어 '대단하다. 내일 한 번 물어봐야겠다'고 생각했다. 만약 내가 감독이라면, 그런 상황에서 히팅 사인을 낼 수 있을까. 다음 날 코치한테 알아보니 '사인 미스'였다고 했다. 아이고, 역시 그렇구나.

상대편이 예기치 못할 때 의표를 찔러야 한다. 투수는 타자가 노리는 공이 아니라 역발상으로 던질 수 있어야 한다. 그래야 수 싸움에서 이기고 A급 선수도 될 수 있다.

### 투수교체 거부 해프닝

1990년 5월 25일 잠실구장에서 열린 삼성전에서 선발로 등판한 김태원이 투수교체를 외면하고 마운드에서 버티는, 이를테면 '항명'

하는 일이 벌어졌다. 6회 무사 1, 3루가 되자 나는 정삼흠으로 교체 통보를 하고 마운드로 올라갔다.

김태원이 계속 던지고 싶다며 내려가지 않으려고 했다. 그때까지 김태원이 3피안타 무실점으로 제 딴에는 잘 던지고 있다는 생각에서 그렇게 행동한 것이다. 문제는 투수들이 그렇게 했다가 실점하고 한 번 꺾이면 확 가버린다는 것이다. 나로선 정삼흠을 내면 마운드가 안정될 거라고 판단했다.

나는 투수가 실점 위기를 맞아 교체 상황이 오면 투수한테 물어보았다. 그래서 '괜찮다'고 하면 오히려 무조건 바꾸었다. 감독이 마운드로 나간 것은 상황이 좋지 않다고 봤기 때문이다. 감독이 나간 것이 좋지 않았다면, 벤치가 잘못 판단한 것이다.

포수한테 사인을 주고 물어보았을 때 포수가 투수 컨디션이 안 좋다고 한다면, 감독과 포수 두 명이 안 좋다고 본 것이니 마운드에 올라가는 것이 당연하다. 괜찮으냐고 물었을 때 투수가 괜찮다고 하면 오히려 이상한 것 아닌가. 본인이 얻어맞아서 흥분해 있고 핀치 상황이 됐는데도 '괜찮다'고 한다면 정상이 아니다.

김용수 같은 경우 '괜찮냐'고 물었을 때 '아, 좀 좋지 않네요'라고 하면 본인이 좋지 않은 것을 알고 있으니까 오히려 거기에 맞춰 좋지 않은 대로 투구를 계속할 수 있다.

일본에서도 그런 경험을 많이 했다. 괜찮다고 하면 오히려 바꿨다. 그대로 놔두면 결과가 좋지 않았다. 좋지 않다고 하면 그런대로 끈질기게 밀고 나가 좋은 결과를 얻는 경우가 많았다.

### 1990년 LG트윈스 창단 감독으로 '서울 신화'를 만들다

1990년 삼성과의 한국시리즈에서 3연승을 거두자 한국시리즈 4차전을 앞두고 삼성 사장이 김종정 LG 사장에게 농담 비슷하게 우는 소리를 했다.

"이대로 가면 재미없는데요. 한 번쯤 져서 서울에 가서 하면 어떻겠습니까?"

김종정 사장이 내게 물었다.

"백 감독, 여기선 3승하고 잠실 가서 이기면 어떻겠습니까?"

그래서 되받아쳤다.

"7차전 가도 꼭 이긴다는 보장을 해준다면 그렇게 하죠."

하루라도 빨리 승부를 끝장내고 압박감에서 해방되기를 바라는 마음은 지도자나 선수나 똑같다. 3연승을 했다고 마음을 놓아서는 안

LG 트윈스 감독 시절 경기 중 심판에게 항의하는 모습.

되는 것이 승부의 세계다.

그 소리를 듣고 4차전 선발로 내정돼 있던 김용수에게 농담 삼아 물었다.

"용수야, 너 하루 쉬고 서울 가서 한 게임 더 할래?"

그랬더니 김용수가 정색을 하며 손사래를 쳤다.

"아닙니다. 저는 오늘 선발로 나가야 합니다."

사실 김용수 말고도 4차전에 선발로 나갈 만한 투수가 있었다. 삼성전에 강한 문병권도 대기하고 있었다. 주위에서 하도 그런 얘기를 하니 나도 모르게 느슨해지는 듯했다. 그래서 '아, 이렇게 내가 마음을 풀어서는 안 되겠구나' 하고 마음을 다잡고 예정대로 김용수를 선발로 내보냈다.

### 구본무 LG 구단주의 통 큰 야구사랑

구본무 LG 구단주는 결단력이 대단한 분으로 훌륭한 기업가였다. MBC 청룡을 인수했을 때 그는 여의도 쌍둥이빌딩 집무실로 나를 불렀다. 구본무 회장이 말했다.

"나는 야구에 대해 아무것도 모르니까 백 감독이 편하게 할 수 있도록 뭐든지 얘기하십시오. 지원해주겠습니다."

구본무 구단주는 실제로도 선수단에 지원을 아끼지 않았다. 한 달에 한 번씩 불러서 애로사항을 물어보기도 했다. 잠실구장 LG 라커의 에어컨은 내가 요구해서 단 것이다. 선수들이 연습한 뒤 옷을 갈아입을 때는 에어컨이 필요했다. 그래서 조광식 단장에게 요청했다.

원정 경기에서 승리한 후 선수들과 함께 그라운드를 걸어나오는 모습.

"단장님, 에어컨을 넣어주십시오."

하지만 조 단장은 거절했다.

"에어컨 바람은 선수들 몸에 좋지 않아요."

하는 수 없이 구본무 구단주에게 말해 그때 창원공장에서 출고 대기 중인 에어컨을 잠실구장 라커에 들여놓게 됐다. 그전에는 다른 구단도 그랬지만 선수들이 큰 아이스박스에 물수건을 넣어두고 더위와 땀을 식혔다.

시즌이 끝나고 구본무 구단주가 물었다.

"뭘 도와줄까요?"

선수들 연봉 상한선 25퍼센트를 깨줘야겠다고 생각했다.

감격의 LG 트윈스 우승 세리머니(1990).

“선수들 연봉을 확 올려주십시오.”

나중에 이 얘기가 퍼져나가 다른 구단 사장들한테 내가 미움을 많이 받았다.

시즌 중 6연패를 당했을 때의 일이다. 가끔 친구들과 술 마시러 가는 곳이 있었다. 굳이 징크스라고 할 것까지는 없었지만, 거기에 다녀오면 게임을 곧잘 이겼다. 그런데 구본무 구단주가 느닷없이 내 손을 끌었다.

“오늘 나하고 갈 데가 있어요.”

따라가 보니 바로 내가 연패에 빠지거나 할 때 가던 곳이었다.

"감독이 여기에 오면 경기가 잘 풀린다기에 함께 오자고 했소."

그 말에 나는 깜짝 놀랄 수밖에 없었다.

구본무 구단주는 진솔하게 얘기했다.

"나는 야구에 대해 아는 게 없어요. 백 감독만 믿고 있으니까 죽이 되든 밥이 되든 알아서 하세요."

주위에서 쓸데없는 참견을 못하도록 바람막이가 되어주었다.

"야구단에 이러쿵저러쿵 간섭하는 사람이 있으면 나한테 얘기하세요."

이렇듯 힘을 실어줘 나를 감격시키기도 했다. 그 후 LG는 6연승을 했다. 구단주가 그만치 섬세하게 신경 써주는데 우승 안 할 도리가 있겠는가.

기자들이 '백 감독의 야구는 무슨 야구인가' 라는 질문을 던졌을 때 나는 '혼의 야구' 라고 답했다. 선수와 내가 일치돼야 한다. 내가 생각하는 것을 선수들이 읽고 움직여야 한다. 1990년 우승은 한 해 전 가을 훈련 때부터 이미 '제작'에 들어간 것이었다.

'혼魂'이란 선수와의 소통이다. 포기하지 않는 것이 '혼의 야구'다. 도를 3년간 닦으면 무슨 일이든 할 수 있다. 일본에 갔을 때 실력 차이가 너무 커서 아침, 점심, 저녁 오로지 야구 생각만 했다. 일본 야구 해설자들이 열에 일곱은 가망이 없다고 낮추어 봤다. 그러나 나는 체력적으로 견디면 가능하다고 생각했다. 그리고 끝내 해냈다.

LG 트윈스 창단 첫해, 팀을 우승으로 이끌고 나니 혈혈단신 일본으로 건너가 영욕을 맛봤던 프로선수 생활 20년과 귀국 후 9년간의 파란만장했던 시간이 주마등처럼 스쳐 지나갔다. 프로의 세계는 비정하다. 승자만이 살아남는다. 양보의 미덕이 있을 수 없는 곳이다. 실력 있는 자가 힘을 쓰는 세계다.

돌이켜보면 귀국 첫해 타율 4할의 영광을 뒤로한 채 가정문제 등으로 비롯된 개인적 수난으로 어렵사리 선수생활을 연명했다. LG의 우승도 시즌 개막 직전 팀 투타의 주축인 김기범과 이광은의 예기치 못한 부상과 교통사고로 당초 구상이 큰 차질을 빚은 가운데 일궈낸 것이었다. 이런 악재 속에서도 선수들은 강훈련을 견뎌냈고, 내 지시를 군말 없이 따라줬다.

### 추억에 길이 남은 은퇴식

9월 29일, OB와 시즌 마지막 경기를 하기에 앞서 김재박, 이광은, 신언호 등 고참선수들이 주동이 돼 뒤늦은 은퇴식을 마련해줬다. 나는 은퇴식에서 호기롭게 말했다.

"이같이 영광스러운 자리를 마련해주신 야구계 선후배들에게 진심으로 감사드립니다. 34년간의 감회어린 '야구선수 백인천'의 시대는 마감하지만 '감독 백인천의 시대'는 이제부터 시작입니다."

정말 감격스러웠다.

그 경기를 승리로 이끈 후 영동 반도유스호스텔에서 있은 LG의 1990년 시즌 자축연 도중 저녁 7시 반쯤 해태가 태평양전에서 지면서 경기가 마무리되었다. 이로써 LG의 페넌트레이스 1위가 확정되어 감

올스타전에서 OB 베어스 어린이 팬에게 축하의 꽃다발을 받고 있다(1990).

은퇴식에서 선수들의 축하 세리모니를 받고 있다(1990).

격이 더했다. 선수들이 샴페인을 퍼부으며 '백 타이슨(내 별명)'을 연호했다. 나는 피하지 않고 샴페인 세례를 고스란히 맞았다. 이런 일들이 이젠 아련한 추억으로 남아 있다.

### 이만수에게 고의 홈런, 우승 미끼를 던진 전말

나는 시리즈 직전 투수들을 불러 각자 임무를 알려줬다. 사람들은 페넌트레이스에서 18승을 거둔 김태원을 1차전 선발로 낼 것으로 생각하는 듯했다. 그렇지만 노련한 김용수에게 1차전을 맡겼다. 첫 단추를 잘 꿰어야 일이 잘 풀리는 법이다. 그리고 김태원을 2차전 선발로, 정삼흠은 여차하면 즉각 투입할 대기조로 편성했다.

나의 선발투수 기용은 적중했다. 1차전을 13 대 0, 2차전을 연장 11회에 김영직의 밀어내기 볼넷으로 3 대 2로 이긴 다음 3차전에는 다른 사람들이 예상치 못한 김기범을 내세웠다.

LG는 2회 초 3점을 낸 뒤 계속 앞서나가다가 7회 말 2사 후 김기범이 이종두에게 볼넷을 내주었다. 나는 지체 없이 정삼흠을 투입했다. 무사히 위기를 넘긴 정삼흠이 9회 말 2사 1루에서 이만수와 맞섰다. 나는 그때 벤치에서 일일이 사인을 냈다.

볼카운트 원 볼에서 포수 김동수를 통해 일부러 이만수가 치기 좋은 바깥쪽 직구를 던지라는 주문을 냈다. 그리고 홈런을 얻어맞았다. 아니 얻어맞도록 사인을 냈다. 이만수를 무시한 것은 아니다. 다만 팀이 이기기 위한 작전의 하나였다.

만약 이만수가 타격을 못했다면 삼성 감독은 다음 날 포수를 바꿀

가능성이 있었다. 이만수는 2루 견제가 약했지만 박정환 포수는 투수 리드를 잘하는 데다 발도 빨랐다. 그래서 그가 마스크를 쓰면 우리 타자들이 상당히 곤욕을 치렀다.

그런데 이만수가 홈런을 쳤으니 대구 관중의 환호성이 대단했고, 감독도 쉽사리 포수를 바꾸지 못할 것이라고 내다본 것이다. 나로선 모험을 한 셈이다. 우리 투수는 당연히 이상하다고 생각했다. 이만수는 중간에서 약간 바깥쪽 조금 낮은 공은 거의 장타로 만들어냈기 때문이다.

사실 그 대목에서 내가 그런 사인을 낸 것은 안타나 내줘 기를 살려주고, 다음 날에도 이만수가 다시 포수 마스크를 쓰고 나오길 바랐던 것이다. 그래야 이만수의 투수리드를 훤히 읽고 있는 우리 팀에 유리할 것이 아닌가. 좀 뭣한 얘기지만 이만수가 타격에 신경을 집중해 투수리드에 소홀하도록 일부러 유도한, 이를테면 '작전상 홈런 퍼주기'였던 셈이다.

비록 3 대 2로 쫓기긴 하겠지만 2사 후 나온 홈런이어서 큰 피해를 입지 않겠다는 계산도 작용했다. 상대 포수의 기를 살려준 대가로 결국 3차전은 LG가 3 대 2로 이겼다. 4차전에는 다시 김용수를 선발로 내보냈고, 김용수가 7이닝, 정삼흠이 2이닝을 던져 6 대 2로 시리즈 4게임을 휩쓸었다.

시리즈가 끝난 어느 날 정삼흠이 물었다.

"감독님, 그때 왜 그 볼을 던지라는 사인을 내셨습니까?"

"임마, 안타나 맞아주라고 했지 누가 홈런을 내주라고 했어."

1991년 4월 5일 잠실경기장에서 벌어진 LG와 태평양의 프로야구 개막전에서 애국가를 부르기 위해 참석한 슈퍼스타 조용필과 잠시 얘기를 나누고 있다.

그래도 정삼흠은 눈치를 못 채고 여전히 어리둥절해 했다.

"그때 이만수가 별 도움이 안 되는 홈런을 치고 좋아서 뛰는 거 봤지. 그래야 기가 살아서 4차전에서도 마스크를 쓸 게 아닌가."

비로소 정삼흠은 감을 잡는 눈치였다.

이만수의 투수리드는 충분히 알 수 있는 정도지만 백업포수 박정환이 마스크를 쓰면 헷갈릴 수 있다. 그러니 정동진 삼성 감독이 이만수를 빼지 않게 하려면 밑밥을 던질 수밖에. 매스컴에 이런 얘기가 흘러나가 스포츠서울의 이종남 기자가 '90년 우승 따낸 백인천의 미끼작전' 이라고 했다던가.

### 각서 파동, 1991년 시즌 후 LG 감독 자진 사퇴

MBC 청룡 때는 야구 이전에 구단의 간섭이 너무 심해 가외로 힘들었다. 투수 기용을 놓고도 이래야 한다, 저래야 한다는 말이 많아 '야구는 전문가에게 맡기고 지원만 충실히 하길 바랐던' 나와 툭하면 갈등을 빚었다.

애초 MBC와 감독 계약을 할 때도 이중계약으로 말썽의 소지가 많았다. KBO에 제출하는 통일계약서는 계약기간이 1년으로 돼 있었지만 그와 별도로 MBC와 '합의서' 형식의 이면계약을 따로 한 것이다. LG가 우승한 뒤 계약 문제를 터뜨린 것은 MBC 때 하도 많이 당했던 탓도 있었지만 근본적으로는 성적에 따른 합당한 대우를 해줘야 한다고 생각했기 때문이다.

나의 재계약 사건이 밖으로 불거진 것은 11월 4일 일간스포츠 1면 보도를 통해서였다. LG 담당 홍윤표 기자가 11월 2일 반도유스호스텔에서 열린 축승회 자리에서 내 옆에 앉아 있다가 그 얘기를 듣고는 기사화한 것이다.

그때 내가 LG 구단에 요구한 것은 두 가지였다.

"첫째, 앞으로 선수들 계약을 지저분하게 해서는 안 된다. 둘째, 코칭스태프의 노고를 인정해달라. MBC와 계약할 때 멸시감이 아직도 남아 있는데, 우승했으니 충분히 보상해주는 것이 마땅하다. 자기 구단 상품의 값을 깎는데서야 말이 되는가. 나하고 같이 입단한 코치는 공평하게 계약금 3,000만 원, 연봉 3,000만 원으로 해달라. 연봉은 조정해도 무방하지만 계약금은 1년+3년으로 4년에 3,000만 원이면 1

년에 1,000만 원꼴도 안 되는데 코치들 얼마나 불쌍한가. 1년 고생 죽자고 했는데 일단 1년치는 소급해서 1,000만 원씩 주고 그다음 2년이든 3년이든 계약기간은 상관 않겠다."

LG 구단은 내가 MBC와 계약할 당시의 '합의서'를 들추어내 내 요구를 일방적인 억지주장으로 몰아갔다. 1989년 11월 7일자로 작성된 그 합의서 내용은 이렇다.

> 본인은 귀 구단의 감독으로서 입단계약을 체결함에 있어 한국야구위원회 공인계약서 제1조 및 제7조의 규정에 관계없이 다음과 같이 합의합니다.
>
> 1. 계약기간: 2년(1989. 11. 7~1991. 11. 6)
> 2. 연봉: 연간 5,000만 원
> 3. 입단보너스: 5,800만 원(입단보너스 5,000, 자동차구입 보조비 800)
> 4. 1년 후 구단의 사정에 의하여 해약 시 잔여기간의 연봉은 요구하지 않는다.
>
> 1989년 11월 7일

나는 이 합의서에는 계약기간이 2년으로 돼 있지만 실질적으로 1년 계약을 한 것과 마찬가지고 구단이 바뀌었으니 새로 계약해야 한다는 것이었다. 우승에 따른 정당한 평가와 대가를 바랐던 나는 사실 시즌 중 이미 이런 요구를 구단에 던져놓고 있었다.

재계약 문제를 놓고 구단과 실랑이가 길어지는 와중에 구단이 나와 상의도 하지 않고 미국인 마틴 패튼을 2군 투수코치로 영입했다.

1990년 9월 29일의 은퇴식은 영원히 잊을 수 없는 추억으로 남아 있다.

결정 과정에서 나를 배제해버린 것이다. 화가 치민 나는 1990년 12월 10일, 주정규 당시 LG 운영부장에게 전화를 걸어 감독을 그만두겠다고 선언했다.

이 각서 파동은 12월 19일에야 LG 구단 김종정 사장과 점심 때 마포가든호텔에서 만나 코치 여섯 명에게 계약금을 지급하고 패튼 코치 건과 같은 코칭스태프 인사는 앞으로 사전에 충분히 의논한다는 약속을 받고 매듭지었다.

프로야구팀에서 우승하는 것은 결코 쉬운 일이 아니다. 온 힘을 다하고 정열을 쏟아 부어야 한다. 그러다보면 마음도 풀리고 허탈감도 느끼게 마련이다. 프로야구 우승은 대단한 명예지만 성취했을 때는 역시 돈으로 보상해야 하는 게 프로다. 나로선 이런 과정에서 실망감이 자연히 생겼다. 실망감은 열정을 식게 만들었다.

MBC와 계약할 때 KBO에 내는 통일계약서에는 1년으로 해놓고 따로 2년 계약을 하면서 이건영 MBC 사장에게 '성적이 좋으면 어떻게 할지' 물었다. 그는 '그때 가서 다시 계약하자'는 구두약속을 했다. 계약 조건이 나한테 불리했고 돈을 떠나서 자존심 상하는 계약이었다. 긴 시간 실랑이 끝에 나는 '구단이 알아서 해달라'고 맡겨버렸다.

그때 LG 구단은 나에게 우승 보너스로 2,000만 원을 줬다. LG에서 마음이 떠나게 된 결정적인 이유는 선수들의 정신이 해이해진 때문이었다. 재계약 파동 이후 감독 자리를 노리는 사람들이 수작을 부리기 시작했다.

1991년 시즌 들어 선수들이 노름을 했다. 내 귀에 판돈을 크게 놓고 선수들끼리 노름을 한다는 얘기가 들려왔다. 심지어 원정경기에 가서도 그런 짓을 한다는 소문이 떠돌았다. 조창수 수석코치한테 지시했다.

"애들이 화투나 트럼프로 노름한다는 얘기가 있으니 점검해봐."

"그런 일은 없을 겁니다."

조 코치는 선수들을 두둔했지만 미심쩍었다.

여름날 밤 숙소에서 에어컨을 틀어놓고 담배를 피우며 노름하는 것은 건강에도 좋을 턱이 없었다. 양승관 코치를 2군에서 불러올려 확인시켰다. 마침 쌍방울과의 전주 원정경기 때 비가 내려 게임이 취소된 적이 있다.

선수들에게 피곤할 테니 쉬는 대신 노름은 절대로 하면 안 된다는 전갈을 해놓고 연습을 소집했더니 신인급만 나왔다. 숙소를 덮치니 아니나 다를까, 고참선수들이 노름에 빠져 있었다. 선임급 선수들이 대부분 끼어 있었다. 선수들을 전원 집합시켰다.

"세 번째 얘기하는데, 절대로 노름하지 마라."

다시 경고했다. 8월이었으므로 아직도 4강이 가능한 시점이었다. 내 얘기를 안 듣는다는 것은 나더러 그만두라고 하는 것과 마찬가지였다. 차라리 내가 그만둬야겠다는 마음을 먹게 만들었다. 선수들이 노는 데엔 심지어 프런트 중간간부도 끼어 있었다. '얘들 좀 노는데 뭐 그러냐' 는 식의 반응도 나왔다. 일본에서 승부조작 도박 파동을 체험한 나로선 그런 일을 도저히 받아들일 수 없었다.

당시 LG에서는 경기에서 이기면 선수들에게 보너스를 줬다. 만약을 대비해 구단에 선수들 통장으로 넣어주라고 했지만 듣지 않고 선수들한테 직접 줬다. 그 돈을 가지고 몇백만 원 판돈을 걸고 노름을 한 것이다.

선수들에게 서너 번 주의를 줬지만 그렇다고 그런 사실을 외부에 까발릴 수는 없었다. 선수들이 내 자식과 같은데 어떻게 발설하겠는가. 구단에는 시즌이 끝나면 관두겠다고 말했다. 부모가 자식을 내칠 수 없듯이 감독이 선수를 자르거나 트레이드할 수 없었다. 온갖 일이 벌어지는 선수단에서는 그런 일도 있었다.

# 삼성 라이온즈(1996~1997. 9. 3)

**이승엽과의 만남, 영원한 스승과 제자로**

선수는 '과보호' 하면 안 된다는 게 내 지론이다. 엄하게 다루어야 성공한다. 그래야 선수에게 오기가 생긴다.

1996년 삼성 라이온즈 감독으로 취임했다. 거기에서 다이아몬드의 원석과도 같은 재목을 만났다. 그가 바로 입단 2년째였던, 투수에서 타자로 막 전향한 이승엽이었다. 이승엽에게 물었다.

"어떤 타자가 되고 싶은가?"

이승엽은 지체 없이 대답했다.

"홈런 타자입니다."

눈빛이 초롱초롱한 열아홉 살짜리 이승엽의 우람한 하체를 보고 있노라면 '왕정치와 비슷하구나' 하는 느낌을 받았다.

그래서 쉽지는 않겠지만 내가 시키는 대로 하면 된다고 했더니 남들보다 두세 배는 더 훈련했다. 목표를 세웠으면 밀고 나가는 방법은 훈련밖에 없었다. 이승엽은 훈련에 중독이라도 된 듯 오로지 훈련에만 몰두했다.

야구선수는 언제, 어느 날 성적이 터질지 모른다. 그래서 하루라도 훈련을 쉬면 안 된다. 그런 점을 내 경험에 비추어 이승엽에게 설명해줬더니 잘 받아들였다. 타격 폼을 보니 배트를 가슴 높이에서 휘둘렀다. 나는 '배트를 귀 높이에 놓아라. 자세가 낮으면 높은 볼에는 힘이 전달되지 않는다' 고 충고했다.

일본 도에이 시절 타격코치였던 이지마로부터 '달을 바라보고 치라'는 말을 들은 적이 있던 나는 '해머를 내리치는 요령으로 하라'고 예를 들어 설명해줬다. 이승엽은 1.3킬로그램짜리 마스코트 배트로 폼을 익히고 몸에 배도록 훈련을 계속했다. 이승엽은 마침내 1997년에 32홈런을 기록, 홈런왕에 올랐다. 한국을 대표하는 홈런 타자로 성장한 것이다.

남한테는 거짓말을 할 수 있어도 자기 자신한테는 거짓말을 못한다. 스타는 외롭고 고독하다. 그래도 잡념이 있으면 안 된다. 100퍼센트 집중하려고 노력해야 한다. 그러면 성공할 수 있다.

나는 이승엽의 성장을 쭉 지켜볼 수는 없었다. 그해 6월 뇌경색으로 쓰러졌고 8월에 복귀했지만 결국 팀을 떠나고 말았다. 한때는 왼쪽 반신이 마비되기도 했지만 불굴의 의지로 재활했다. 그리고 한·일월드컵이 열린 2002년 롯데 자이언츠 감독으로 부임할 정도로 회복됐다.

내가 일본에서 돌아온 이후 한국 선수들이 줄줄이 일본 프로야구

삼성 라이온즈 감독 시절 선수들의 훈련 모습을 지켜보고 있는 백인천.

1996년 4월 21일 일요일

중앙일보

"잘했군 잘했어" 연장10회말 굿바이 솔로홈런을 날린 삼성 이승엽이 백인천감독을 얼싸안고 기뻐하고 있다. 손에 든 사자인형은 구단에서 준 홈런기념 상품. [대구=오종택 기자]

# 짜릿한 10회말 결승포

# 이승엽 '멋쟁이'

**백인천 뚝심야구 시동걸렸다**

**삼성 뒤집기쇼 잘나가던 롯데잡아**

96 프로야구

삼성 8—7 롯데

대구=이태일 기자

삼성이 승리의 여신으로부터 짜릿한 입맞춤을 받았다.

삼성은 20일 롯데와의 대구홈경기에서 벼랑끝에 몰린 승부를 두차례나 동점으로 만드는 끈질긴 투혼으로 8—7 케네디스코어로 역전승, 홈팬들로부터 기립박수를 받았다.

3—0, 3—1, 3—2, 4—2, 4—4, 7—4, 그리고 7—7.

승부는 초반 롯데, 중반 삼성의 집중력이 돋보였고 9회 3점씩을 주고받는 공방을 거쳐 연장 10회말에 가서야 삼성의 팔이 올라갔다.

연장10회 선두타자로 나선 삼성 이승엽은 볼카운트 1—1에서 김상현의 3구째 가운데 직구를 받아쳐 우중간 담장을 넘기는 올시즌 첫번째 끝내기 홈런을 터뜨려 팀에 승리를 안겼다. 전날 4타수 무안타, 이날 3타수 무안타의 부진에 허덕이던 이승엽은 자신의 시즌 첫번째 홈런을 끝내기로 장식, 백인천감독과 뜨거운 포옹을 했다.

롯데는 1, 2회 특유의 빠른 발을 뽐내며 3—0으로 앞서나갔다. 1회초 김종헌이 좌전안타를 치고 나가 후속 박정태의 중전안타때 3루까지 뛰는 기동력을 발휘, 김응국의 좌익수 희생플라이로 손쉽게 선취점을 뽑았다. 롯데는 2회초에도 박현승이 좌전안타를 치고 나간 뒤 김민재가 히트 앤드 런을 성공해 1사 1, 3루의 기회를 만들었고 2사후 더블스틸과 김종헌의 적시타로 2점을 추가했다. 발로만 3점을 뽑은 셈.

반격에 나선 삼성은 3회말 신동주의 솔로홈런으로 1점을 따라붙은뒤 4회말에는 이동수·이종두의 연속안타로 3—2, 1점차로 추격했다. 7회초 롯데가 선두 전준호의 3루타에 이은 박정태의 적시타로 1점을 도망가자 삼성은 기다렸다는 듯이 7회말 2점을 뽑아 동점을 만들었다.

4—4로 균형을 이룬 9회초 롯데가 마해영의 3점홈런으로 승리를 굳히는가 했으나 삼성은 9회말 1사후 이종두·강기웅·김성현·유중일이 안타와 2루타를 징검다리로 터뜨려 3점을 따라붙는 저력을 발휘, 경기를 연장으로 몰고갔다.

선동열 팔꿈치 부상 8경기 출장 못할듯

도쿄=노재현 특파원

1996년 4월 21일자 중앙일보. 4월 20일 롯데와의 대구 홈경기에서 연장 10회 말 결승 홈런을 치고 홈으로 들어오는 이승엽 선수를 얼싸안고 기뻐하는 모습이 스포츠면에 크게 실렸다.

도전에 나섰다. 이승엽도 그러했다. 나같이 서툰 사람도 활약할 수 있었으니 후배들에게 꿈과 희망을 심어주었다고나 할까.

이승엽이 일본으로 건너가 큰 성공을 거두었지만 요미우리에서 부진에 빠졌을 때는 당사자 못지않게 안타까웠다. 이승엽이 틈틈이 나에게 국제전화를 걸어오면, 나는 아낌없이 조언해줬다. 무엇보다 심리적 안정이 중요했지만 경우에 따라서는 기술적인 부분도 얘기해줬다.

요미우리 시절 이승엽은 타격이 잘 안 되자 그동안 고수했던 '외다리타법'을 포기하는 대신 양발을 고정하고 타격하는 자세로 바꾸었다. 그 뒤에는 다시 오른발을 약간 들어올리는 자세로 바꾸기도 했다.

나는 그때 이승엽에게 예전의 '외다리타법으로 돌아가야 한다'고 조언했다.

"양다리로 타격 자세를 잡으면 맞추기는 쉽지만 아무래도 배팅 파워가 떨어진다. 하체에 힘을 싣지 못하고 상체에 힘이 들어갈 수밖에 없다. 상체에 힘이 들어갈 경우 타구가 막히고 왼손이 울리게 된다."

외다리타법을 구사하게 되면 타격할 때 힘을 집중할 수 있고, 리듬과 타격 타이밍만 제대로 맞춘다면 큰 타구를 만들어낼 수 있다는 게 내 생각이었다. 문제는 '타이밍을 맞출 수 있느냐'는 것이다. 이승엽이 외다리타법을 고수할 수 없었던 가장 큰 이유가 투수들의 집중견제와 내·외곽을 치고 빠지는 투구에 타이밍을 잡기 어려웠기 때문이다.

결국 마인드다. 타자는 타석에 들어섰을 때 '잡념'이 있으면 안 된다. 투수의 볼 배합이나 그전 타석에서 당했던 안 좋은 이미지, 부정적인 생각 등이 겹치다보면 잡념에 빠져 좋은 타격을 할 수 없다. 타격은 3할이면 된다. 10번에 한 번 홈런을 치면 된다는 마음으로 할 필요가 있다. 내가 내린 결론은 '기본적인 리듬을 찾는 게 중요하다. 반복해서 몸에 익혀야 한다'는 것이었다.

이승엽의 돌아가신 어머니 생각이 난다.

어느 날 대구구장에 이승엽의 어머니가 찾아왔다. 이승엽의 어머니는 나를 보자 정중하게 말씀하셨다.

"승엽이 에미입니다. 감독님께 하나만 부탁드립니다."

"무슨 말씀입니까?"

"승엽이가 말 안 들으면 방망이로 때려서라도 가르쳐주십시오."

내가 처음 삼성 감독으로 갔을 때만 해도 이승엽을 몰랐다. 어머니를 뵙고 나서 이승엽을 만났다.

"아, 너냐?"

"승엽아, 너는 이제 죽었다."

양준혁이 옆에 있다가 너스레를 떨었다. 나는 엄하게 말했다.

"네 부모님한테 부탁을 받았다. 내가 너를 팰 수도 있다."

이승엽의 어머님은 훌륭한 분이시다. 어느 어머니가 감독한테 그런 말을 하기가 쉽겠는가.

### 기억에 남는 최익성 선수

삼성 감독 시절 기억에 남는 선수로 최익성이 있다. 1994년 삼성에 입단한 최익성은 1군 출장이 1994년 겨우 한 게임, 1995년 세 게임밖에 없었다. 제자리를 잡지 못하고 겉돌았다. 내가 감독으로 가자 최익성은 나름대로 노력했고, 1996년에는 57게임을 뛰었다. 내 눈에 들려고 애도 썼다.

그해 시즌을 마치고 구단이 나에게 선수 명단을 넘겨줬다. 1997 시즌을 앞두고 선수 선별 작업의 일환으로 잔류 대상자는 ○, 트레이드 대상자는 △, 퇴출 대상자는 ×로 분류해서 넘겨준 것이다. 최익성은 퇴출 대상자로 맨 위에 ×로 표시돼 있었다. 가을 훈련을 시켜보니 최익성은 발이 빠르고 힘도 있었다.

"너, 어떻게 할래?"

1997년 2월 베로비치 다저타운 스프링캠프 때 LA 다저스 구단 관계자들과 삼성 라이온즈 선수단의 단체 사진. 뒷줄 정중앙이 박찬호 선수고 바로 앞 오른쪽이 최익성 선수다.

"감독님이 오셨으니 죽기 살기로…."

"그게 아니다. 너 정리됐는데 다른 데 알아봐라."

얼굴이 벌게진 최익성은 한 시간이 지났는데도 그 자리에서 일어날 줄 몰랐다.

"결정했나?"

"월급도 필요 없습니다. 3개월도, 6개월도 좋습니다."

나는 어떻게 하든지 써봐야겠다고 생각했다. 최익성은 손가락이 짧아 송구가 잘 안 됐다. 그래서 조건을 달았다.

"하루에 공 300개 이상 빨리 던지는 연습을 해라."

1997년 2월 삼성 라이온즈의 훈련 캠프를 찾은 토미 라소다 전 LA 다저스 감독이 야구 배트를 들고 직접 스윙 자세를 설명하고 있다.

1997년에 최익성은 삼성의 1번 타자로 새로 태어났다. 그해 최익성은 20(홈런)-20(도루)을 달성했다. 타율은 2할 9푼 6리를 기록했고, 22홈런으로 홈런 7위, 33도루로 도루 5위를 기록했다. 그해 처음으로 홈런왕에 오른 이승엽(32개)과 양준혁(30개)에 이어 삼성 구단에서 세 번째로 홈런을 많이 쳤다.

#### 부정배트 시비로 울화병이 생기다

1991년 10월, LG 감독에서 물러난 뒤 5년 만인 1996년 삼성 감독으로 부임해 의욕적으로 선수단을 이끌었다. 하지만 그해 팀 성적이 6

위에 그쳐 1997년 시즌을 앞두고 스프링캠프에서는 강훈련을 시켰다. 팀도 중위권에서 머무르며 4년 만에 4강 가능성이 커졌다.

5월 5일, 엉뚱한 일이 터졌다. 5월 3~5일에 대구에서 치른 LG와의 3연전에서 3연승을 거둔 다음 LG 천보성 감독이 '부정배트' 시비를 건 것이다. 그런 사건이 벌어진 것 자체가 야구 선배로서 부끄러운 일이었다.

나는 천보성 감독에게 설명했다.

"내가 뭐가 부족해서 그런 짓을 하겠나. 야구인으로서 야구 선배로서 그런 치사한 짓은 안 한다."

하지만 울화가 치미는 것은 어쩔 수 없었다. 상대가 시비를 건 것 자체가 어처구니없는 일이어서 문제가 된 배트를 톱으로 잘라 보여주기까지 했다. 5월 4일 정경배가 연타석 만루 홈런을 날려 27 대 5로 대승을 거둔 데 이어 5월 5일에도 이승엽이 만루 홈런을 쳐내 다시 13 대 1로 크게 이기자 '이상한 배트를 쓴 게 아닌가' 하는 의혹을 표출한 것이다.

말도 안 되는 일이었다. 지금 생각해도 야구인으로서 가슴 아프다. 야구로 살아온 놈이 그런 일로 시비에 휘말리게 된 것이 납득할 수 없었다. LG는 처음에는 압축배트 시비를 걸다가 미국산 미즈노 배트를 정체불명의 배트로 몰아갔다.

언론과 LG가 물고 늘어지니까 결국 KBO가 나서서 5월 6일 배트 두 자루를 목공소에 맡겨 절단해 검사했지만 아무런 이상이 없는 정상 배트임이 판명됐다. 5월 8, 9일에는 일본 미즈노사에 분석을 의뢰

했지만 역시 정상으로 나왔고, 나중에는 미국 애틀랜타의 미즈노 공장과 뉴욕의 커미셔너 사무국, 브라운대학교 생체공학연구소에도 찾아가 배트 도료검사까지 받았지만 아무런 하자가 없음을 최종 판정받았다.

낯부끄러운 이 일을 겪고 난 다음 6월 22일에는 9회 초 LG 공격 때 LG 3루코치 조 알바레즈가 입에 담지 못할 욕설을 하며 빈볼시비를 벌여 내가 뛰쳐나가 몸싸움을 벌였다. 그 사건으로 KBO로부터 5게임 출장정지 징계를 받았다. 이 두 사건이 내 건강에 악영향을 끼친 것이 분명하다.

### 빈볼은 안 되지만 '위협'은 필요하다

1996년 6월 2일 인천구장에서 벌어진 삼성과 현대 경기에서 현대의 정명원 투수가 삼성의 양준혁과 이승엽을 잇달아 맞히는 사건이 있었다.

그 경기에서 정명원 이전에 우리 투수가 현대 타자를 맞히는 일도 있었지만 그야말로 우연히 그렇게 된 것이다. 나는 절대로 그런 짓(일부러 맞히라고 지시하는 것)은 하지 않는다. 하지만 정명원은 일부러 깠다.

야구는 원래 공격적인 운동이다. 빈볼은 일부러 해서는 안 되지만 경우에 따라 자극을 주는 위협구는 필요하다. 극중 효과를 고조하는 수단이 될 수도 있다. 하지만 야구 분위기상 그렇다는 것이지 고의성이 개입되면 곤란하다.

그날 경기가 끝난 다음 현대 김재박 감독이 더그아웃으로 나를 찾

# 백인천 뇌출혈

삼성 감독

행동 불편·언어 장애

삼성의료원 입원 "5~6개월 요양 필요"

임진국 김우석 기자

삼성 백인천감독(54)이 쓰

러졌다.

지난달 28일 서울 삼성의료원에 입원한 백감독의 병명은 오른쪽 시상부 출혈(뇌출혈)인 것으로 2일 밝혀졌다.

삼성의료원 1402호에 입원하고 있는 백감독은 현재 왼쪽 팔과 다리의 움직임을 70~80% 정도 할 수 있고 말을 하는데 지장은 없으나 발음이 정확하지 않은 것으로 전해졌다.

백감독은 뇌출혈의 상태가 위험기준인 3㎝ 미만이어서 2주일쯤 뒤 퇴원, 집에서 치료할 예정이다.

그러나 삼성의료원의 한 관계자는 신경이 약화된데다 고혈압, 동맥경화와 함께 콜레스테롤 수치가 워낙 높기 때문에 항상 재출혈 위험을 안고 있어 합병증이 우려돼 적어도 5~6개월 정도 요양이 필요하다고 보고 있다.

뇌출혈로 쓰러졌다는 기사가 실린 1997년 7월 3일자 스포츠조선 1면.

아와 사죄했는데, 나는 선수들끼리 흥분하다보면 그럴 수도 있는 일이라고 대범하게 받아넘겼다.

### 덮친 병마, 뇌졸중으로 입원하다

아직 출장정지가 풀리지 않았던 1997년 6월 27일 토요일 낮게임으로 벌어진 대구구장 경기에서 한화 포수 강인권의 타격 방해로 삼성이 7 대 6으로 이기는 것을 보고 집으로 돌아왔다.

텔레비전을 보고 있는데 집사람이 식사하라고 했다. 그런데 갑자기 몸이 말을 안 들었다. 그 자리에서 일어날 수 없었다. 뇌출혈을 일으켜 반신마비가 온 것이다. 곧바로 구급차를 불러 대구 동산병원에서 응급치료를 받았다.

그 직후 구단이 준비한 헬리콥터로 서울 삼성병원으로 이송될 예정이었지만 공교롭게도 태풍이 상륙하는 바람에 헬리콥터가 뜰 수 없게 됐다. 하는 수 없이 앰뷸런스로 긴급 후송됐다. 그로부터 7월 17일 퇴원할 때까지 꼬박 3주간이나 병원 신세를 졌다.

평소 건강을 자신했던 나로선 머리가 터져 몸을 못 쓴다는 것은 생각조차 해본 일이 없었다. 큰 충격이었다. 게다가 이렇다 할 치료방법이 없었다. 삼성의료원 주치의에게 물었다.

"이 병, 나을 수 있습니까?"

"앞으로 좋아지겠지요."

의사는 그저 이 말만 했다.

"방법이 있습니까?"

다시 물었더니 똑 부러진 대답이 나오지 않았다.

병원 안에서 마음 편히 쉴 수 없어 퇴원한 뒤 휠체어를 타고 움직였다. 지팡이를 짚고 자꾸 걷기를 시도했다. 한방 침을 맞으며 나름대로 온갖 치료방법을 다 동원했다. 주위에서도 많이 도와줬다.

어느 정도 회복됐다 싶어 구단에 요청해 8월 1일 팀에 복귀했다. 팀은 4위를 유지하고 있었는데 어쩐지 분위기가 달라져 있었다. 9월 3일 잠실구장에서 열린 LG와의 연속경기 1차전에서 투수 전병호가 내 사인을 어기는 일이 벌어졌다. 경기 후 더블헤더 2차전 직전에 나는 구단에 사의를 밝히고 소지품을 꾸려 그라운드를 떠났다. 건강상 이유

삼성 라이온즈 김종만 단장과 함께.

를 댔다. 삼성 구단은 2차전 도중 즉각 조창수 수석코치를 감독 대행으로 발표했다.

그날 4 대 4 동점이던 7회 말 LG 최동수와 심재학 타석 때 두 차례 전병호 투수한테 사인을 냈는데 모두 전달되지 않았다. 순간적으로 아찔할 정도로 위협을 느꼈다. 그 무렵 그런 일이 자주 일어나 경기 전 미팅에서 당부했다.

"책임은 내가 모두 진다. 어떠한 작전도 따라달라."

하지만 내 말이 먹히지 않았다. 나로선 참을 수 없었다. 게다가 어려운 경기를 많이 치러서 혈압도 많이 치솟았다. 이러다 안 되겠다 싶어 더그아웃을 나와 버렸다. 팀이 중요한 경기를 치르는데 감독이 현장을 뜬다는 것은 있을 수 없는 일이지만 당시엔 건강에 신경을 쓸 수밖에 없었다.

### 일시 중도 퇴진, 복귀 그리고 삼성과 결별하다

내가 쓰러지니까 감독 후보가 여섯 명 나섰다는 얘기가 들려왔다.

8월 1일 팀에 복귀한 뒤 분위기가 묘하게 돌아간다는 것을 직감했다. 코치나 선수들이 감독 작전을 따르지 않는다면, 그 감독은 존재 이유가 없다.

서울 삼성병원에 입원해 있는 동안 삼성과 LG가 플레이오프를 하게 됐다. LG 김용달 코치 등이 문병을 왔으나 전주에서 올라온 삼성 조창수 수석코치나 권영호 투수코치 등은 코빼기도 안 비쳤다. 내가 쓰러져 복귀하기가 어렵다는 걸 알고 딴마음을 먹은 것이다. 권 코치는 김대현 단장이 부탁해서 내가 코치로 채용한 처지였다. 당시 단장에게 권 코치가 투수를 책임지되 안 되면 책임을 묻겠다고 했더니 뒷전에서 딴소리를 했다.

삼성은 그해 플레이오프에서 LG에 져버렸다. 그토록 심혈을 기울여 팀을 만들어 포스트시즌에 나가게 했는데, 그 끝을 제대로 갈무리하지 못했으니 가슴 아픈 노릇이었다. 하지만 어쩔 수 없었다.

나는 당분간 쉬겠다는 말을 구단에 전하고 물러났다. 거취는 구단에 맡겼다. 선수, 코치들 움직임이 실망스러웠고, 한편으로는 건강 때문에 두렵기까지 한 상황에서 목숨까지 걸고 야구를 할 수는 없었다.

# 롯데 자이언츠(2002~2003)

### 롯데 감독으로 부임하다

1997년 시즌 막판에 삼성을 그만둔 나는 6개월 만인 1998년 3월 경동고 2년 후배인 김충남 감독이 있는 연세대에서 타격 인스트럭터로 일했다. 꾸준한 재활치료와 운동으로 건강을 회복해 어린 선수들을 가르칠 수 있게 된 것이다.

한 번 쓰러져본 경험이 있는 터여서 건강을 유지하기 위해 온갖 노력을 기울였다. 틈틈이 아마추어 선수들을 가르치기도 했고 SBS 방송 일본 야구 해설도 했다.

2002년에는 한화와 SK 인스트럭터도 맡아봤다. 그해 초여름, 롯데 이상구 단장으로부터 팀을 맡아달라는 요청이 왔다. 당시 롯데 구단의 성적이 바닥에 내려앉아 특단의 조치가 필요했던 것이다. 롯데 구단에 대한 내 인상은 구단이 '나쁘다, 좋다'를 떠나 인기는 있는데 일본 롯데 구단과 마찬가지로 적극성이 없다는 것이었다.

처음에는 갈 생각이 별로 없었다. 그런데 한마디로 조건이 아주 좋았다. 상상외로 많은 돈을 제시했다. 우용득 전임 감독이 물러난 다음 6월 21일 '계약기간 2년 6개월에 계약금 2억 원, 연봉 2억 원 등 총액 7억 원'의 조건에 사인했다. 그때만 해도 롯데 구단은 2군 전용구장과 숙소가 없었다. 롯데 구단은 2군 구장과 숙소를 지어달라는 내 요구를 받아들였다. 김해 상동구장 조감도도 보여줬다.

롯데 구단에 들어가보니 선수들이 야구할 자세가 안 돼 있었다. 게다가 1,200~1,500만 원짜리 낮은 연봉 선수들이 수두룩했다.

6월 25일 선수단과 상견례 자리에서 나는 A4 용지 3쪽 분량의 유인물 두 가지를 선수들에게 나누어줬다. '프로야구선수란', '나의 일본 프로야구 생활 20년'이라는 제목을 단 그 유인물에는 내 일본 프로야구선수 생활 경험담을 풀어서 '일류 프로선수는 평범한 선수가 할 수 없는 것까지 참고 해야 한다. 3년 동안 매일 스윙을 1,000번 하면 반드시 일류선수가 된다'는 내용이 들어 있었다.

그 무렵 롯데는 무려 16연패를 당했다. 26일 취임식을 하고 그 이튿날인 27일 사직구장에서 맞선 LG전에서 5 대 2로 이겨 겨우 연패에서 탈출했다. 취임식 후 기자회견에서 나는 대략 구상을 밝혔다.

"롯데가 패배 노이로제에서 벗어나는 게 시급하다. 일단 선수들이 진정한 프로의식을 갖게 하겠다. 2, 3개월은 걸려야 달라지는 게 보일 것이다. 우선 8, 9월부터 중위권 팀들이 까다롭게 여기게끔 팀

2002년 롯데 자이언츠는 성적이 좋지 않았다. 감독으로 부임한 후 롯데의 떨어진 경기력을 높이려고 직접 선수들을 하나하나 지도했다.

컬러를 바꿔나가겠다. 김주찬, 신명철 등 재능 있는 선수들을 중용하겠다. 김응국, 박정태 등 베테랑 선수들도 최고 모습으로 선수생활을 마무리할 수 있도록 기회를 주겠다."

그해 시즌 후 박정태가 FA(자유계약선수)로 돼 구단과 실랑이를 한창 벌였다. 팬들도 아우성이었다. 협상 과정에서 구단과 틀어졌다. 구단은 필요 없다고 내칠 태세였지만 박정태는 막상 마땅히 부르는 팀도 없었다.

보다 못해 내가 박정태에게 조언을 했다.

"내일 당장 비행기 타고 사장 집에 찾아가서 구단에 맡기겠다, 열심히 하겠다고 말해라."

다행히 이 일은 원만히 마무리됐다. 롯데 선수들은 전반적으로 체력이 안 돼 있었다.

2003년 8월 6일, 롯데 감독직을 사임한 것은 물론 성적 부진이 주요인이었지만 그 이면에는 '방망이 사건'이 의욕을 꺾은 탓도 있었다. 1,500~2,000만 원의 연봉이 낮은 선수들은 제 돈으로 배트를 사기 어렵다. 경기 도중 배트가 부러지면 구단이 변상해주는데 10만 원짜리를 6만 원만 보전해줬다. 다른 구단은 티켓을 주는 판인데, 롯데는 오히려 선수들에게 부담을 지웠다.

한심스러운 구단 직원들이 그 차액을 빼돌린다는 소문이 돌았다. 캠프 때 다른 구단은 주문한 대로 다 주는데, 롯데는 100자루 주문하면 1,000만 원이 아니라 600만 원밖에 안 주기에 이상스럽게 생각했다. 그래서 윤덕규의 배트 파손을 체크해봤더니 소문이 사실이었다.

나중에 간여했던 구단 직원이 숙소로 찾아와 무릎 꿇고 빌면서 이실직고했다. 이는 전쟁 나가는 군인들이 총과 총알을 팔아먹는 것과 마찬가지 짓이었다. 그런 팀에서 아무것도 함께할 수 없었다.

선수단 지원을 삼성과 비교해보면 롯데는 확연히 달랐다. 이를테면, 삼성은 투수가 완투하면 최소 100만 원을 주는 데 반해 롯데는 사장이 나서서 붕어즙 10만 원어치를 사주는 식이었다. 단위가 달랐다.

### 이대호와 토끼뜀

가능성이 보이는 선수일수록 엄격하게 다뤄야 한다는 것은 내 지도방식의 철칙이다. MBC나 LG, 삼성, 롯데를 거치면서 그런 내 생각을 일관되게 유지했다. 롯데에서는 김주찬 같은 선수에게 공을 들였는데 성과를 보지 못했다. 강한 훈련을 견뎌내지 못한 것이다.

이대호는 가자마자 집중 관리를 했는데 몸무게가 100킬로그램이 훨씬 넘어 연습을 따라오지 못했다. 체중을 빼지 않으면 안 되겠다 싶어 코치를 붙여 사직구장 스탠드 계단을 토끼뜀으로 계속 돌게 했다. 그런 일로 나를 미워했겠지만, 나로선 귀여운 자식을 험한데 내돌려 단련한다는 생각뿐이었다.

참고 견뎌서 혹독함을 이겨내면 결과가 나온다는 게 내 지론이다. 가을철 연습 때는 이대호와 마찬가지로 몸무게가 많이 나가는 최준석도 똑같이 시켰다. 이대호는 유연하고 센스가 있다. 혹독하게 고생한 경험을 잊지 않고 대처한다면 일본에서도 성공할 가능성이 크다.

삶의 시험을 이겨낸 선수는 강해지기 마련이다. 시험과정에서 과보호는 금물이다. 일본에서 선수생활 걸음마를 뗐을 때 도에이 플라이어즈의 미즈하라 감독에게 인사를 하면 그는 본체만체했다. 오기가 생겨 다시 돌아가서 인사를 했다.

"안녕하십니까? 감독님!"

그러면 감독님은 그저 건성으로 받았다. 1군에 올라간 뒤 연말 납회 때 그에게 일부러 물어봤다. 그의 대답은 이랬다.

"2군에 있는 선수는 선수가 아니다. 대접을 받으려면 1군으로 올라와야 한다."

그런 마당에 반발심과 오기가 안 생긴다면 선수가 아니다. 동물의 세계를 보자. '야생오리'는 새끼오리가 부화하면 극진히 보살핀다. 열

롯데 자이언츠 감독 시절(2002).

심히 먹이를 물어 날라 새끼가 어느 정도 날갯짓을 할 수 있게 되어 '이소離巢'할 무렵이 되면, 어미가 먼저 둥지에서 뛰어내린다. 그러곤 소리쳐 새끼들을 부른다. '어서 뛰어내리라'는 신호다. 이소 과정에서 한두 마리가 낙상하더라도 어미는 냉정하다. 다친 새끼를 이끌고 갈 수는 없기 때문이다.

선수를 어린아이 보호하듯 '강보'에 싸놓으면 안 된다. 시련을 딛고 일어서야 큰 선수가 될 수 있다. 이대호의 성장도 그런 시각에서 바라봐야 한다.

선수생활을 오래하려면 '아웃'당하지 말아야 한다.
실제로 죽는 것은 아니지만 야구는 전쟁을 하는 거나 마찬가지다.

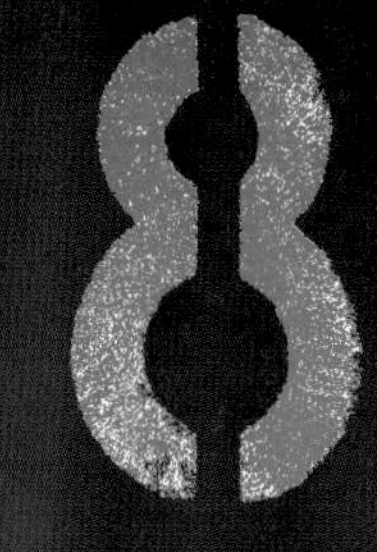

# 8회 은퇴 이후의 삶

# 8회

## 백인천이 구성해본 **한국 프로야구 올스타**

내가 생각하는 한국 프로야구 최고 투수와 타자는 송진우와 양준혁이다. '왜 선동렬이 아닐까' 의문을 갖는 분들이 많겠지만 왼손투수인 송진우가 선동렬과는 시대 차이가 있고, 고교를 졸업한 후 곧바로 프로에 뛰어들었다는 정신력을 높이 사고 싶다.

양준혁은 한마디로 타고난 자질이 우수한 선수다. 4할을 칠 수 있었는데 3할 7, 8푼대에 머물렀다. 삼성 감독 시절 양준혁을 눈여겨보았는데, 그가 '모험'을 꺼려해 안전한 길을 택한 탓이다.

포지션별로는 포수는 박경완, 1루수는 이승엽, 2루수는 박정태, 3루수는 한대화, 유격수는 김재박, 외야수는 장효조, 김일권, 이순철을 꼽겠다. 삼성 감독 시절 이승엽에게 어떤 타자가 되고 싶으냐고 물어본 적이 있다. 앞서 밝혔듯이 그때 그의 대답이 홈런 타자가 되겠다는

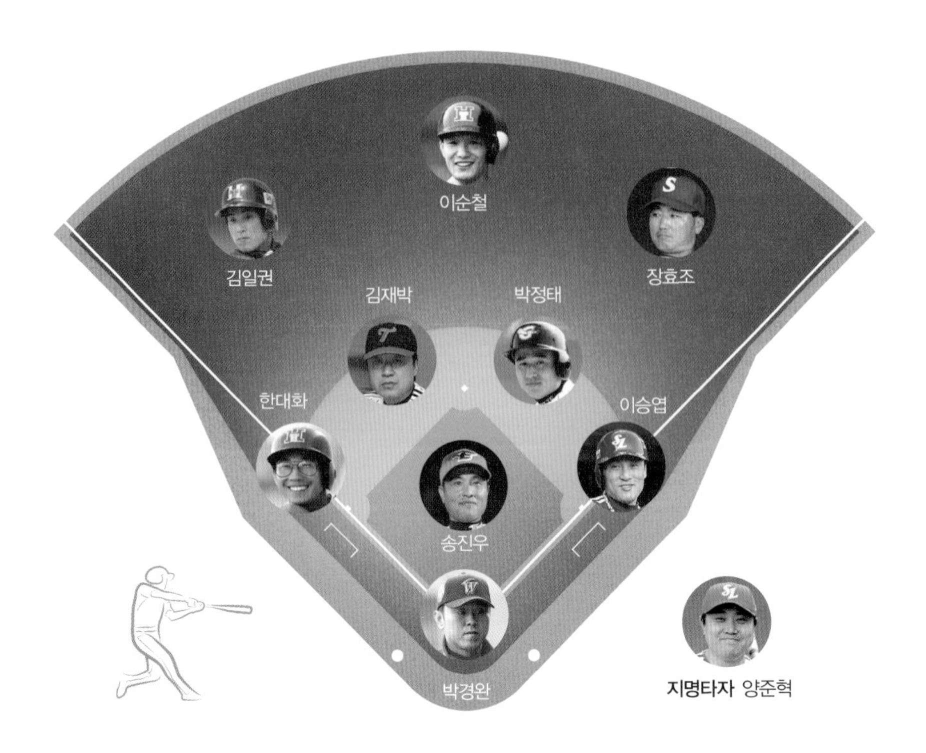


백인천이 생각하는 한국 프로야구 포지션별 올스타.

것이었다. 처음에 이승엽은 그립이 낮아 어퍼 스윙을 했는데 '귀 높이로 올려서 칠 것'을 주문했다.

박정태는 야구에 대한 집념과 팬에 어필할 수 있는 투지를 높게 본다. 한대화는 큰 게임에 강하다. 1991년 한·일 슈퍼게임 때는 죽을 쒔다. 그 후 욕심이 생긴 듯 일본의 왕정치를 닮아갔다. 이승엽은 성격도 그렇고 여러모로 왕정치와 비슷하다. 체격과 발이 느린 것도 비슷하고 다리 알통 크기도 같다.

김재박은 재치 있는 선수였다. 감독이 볼 때 팀에 꼭 필요한 선수다. 외야수 가운데 으뜸인 장효조(고인)는 타격재주가 뛰어난 선수였다. 김일권과 이순철은 감독이 생각하는 것을 미리 읽고 경기를 풀어나가는 능력이 있는 선수들이었다. 게다가 발도 빨라 감독이 작전 실수를 하더라도 커버가 가능한 인재들이었다.

# 한·일 프로야구의 가교가 되다

김소식 전 대한야구협회 부회장은 나를 이렇게 평한 적이 있다.

"백인천은 어렸을 적 일본으로 건너간 프로기사 조치훈과 닮은꼴이다. 두 사람 모두 목숨을 걸고 싸운 승부사였다."

그는 또 이런 표현도 했다.

"한국 야구에 정신력과 투쟁심을 심어준 이가 바로 백인천이다. 발족 당시 백인천이 없었다면 유니폼은 프로지만 실체는 아마추어에 불과한 선수들의 단체로 됐을지도 모른다."

나로선 과분한 찬사였지만 '목숨을 걸고' 야구를 했다는 점에 대해선 동의한다.

도에이 시절 동료였던 다카하시 요시마사(현 주오대학교 감독)는 나에 대해 이렇게 말했다.

"백인천은 언제나 야구에 전력을 기울여 진지하게 임했다. 그래서 두 나라 야구를 묶는 일이 가능했다고 생각한다."

1980년 11월 8일 서울운동장에서 치러진 일본 롯데 오리온스 대 한국대표선발팀의 친선경기에 앞서 나와 장훈 선배가 한국대표 김응룡 감독, 한을룡 코치와 기념배트를 교환하고 있다.

2009년 9월 10일 나는 제10회 한·일 문화교류 기금상을 받았다. 일본으로 가서 야구를 했고, 한국에 돌아와서도 야구를 했던 야구 인생, 고생은 했지만 인정받게 돼서 기뻤다.

한국 프로야구은퇴선수협회 명예회장을 맡고 있는 나는 2011년 봄 한화, 삼성 등 한국 구단들이 캠프를 차린 오키나와에 다녀왔다. 여러 구단의 훈련도 지켜보고 이승엽과 박찬호가 새로 몸담은 오릭스와 삼성의 연습경기도 볼 겸해서 갔던 것이다. 내가 일본 야구에 각별한 관심을 갖는 것은 후배들이 나를 뛰어넘어 일본 야구를 여봐란 듯이 정복해주기를 바라는 마음이 간절해서다.

특히 2006년 월드베이스볼클래식(WBC)을 거치면서 한국 선수들이 일본 선수들과 상대할 때 예전과 달리 주눅 들지 않고 당당히 맞서는 모습을 볼 때마다 누구보다 감회가 새롭다. 옛날 생각을 하면, 일본은 우리가 넘보기 힘든 야구 강국이었다.

처음 일본에 갔을 때는 주변에서 무시하는 시선도 강했기에 열심히 해서 이겨야겠다는 마음을 독하게 먹었다. 오키나와에 갔다 와서 느낀 것은 후배들이, 내가 일본에서 견뎌냈다는 자긍심이 새삼 들게 했다는 것이다.

우리 야구가 일본과 대등한 관계가 됐다고 자만하지 말고 앞으로 일본 야구를 명실상부하게 능가할 수 있어야 한다. 젊고 좋은 선수들이 많이 나와서 충분히 그렇게 할 수 있다고 본다.

### 한·일 문화교류기금

1983년에 설립된 재단법인 한·일 문화교류기금은 일본 외무성 소속 공익법인으로 양국 간 청소년 교류 및 학술, 문화교류 사업을 하는 단체다. 이 단체는 1999년부터 한·일 문화교류기금상을 신설해 매년 문화교류에 공헌한 한국인을 대상으로 시상해왔다.
이 상은 서울 주재 일본 특파원들의 추천을 받아 수상자를 선정한다. 그동안 김수용 영화감독(1999년 제1회)을 비롯해 김덕수 한국예술종합학교 교수, 무용가 김매자, 김용운 한양대 교수, 자연다큐멘터리 전문 윤동혁 PD 등이 이 상을 받았다. 스포츠 관계자가 수상한 것은 백인천 감독이 처음이다.
한·일 문화교류기금 측은 '일본 프로야구에 진출한 최초의 한국인 선수로서 수위타자 타이틀을 획득하는 등 20년간 활약했고 이후 한국 프로야구 출범과 동시에 귀국, 4개 구단 감독을 지내는 등 한·일 야구계의 발전과 상호 교류에 힘쓴 공로를 인정해' 백인천 감독을 수상자로 선정했다고 설명했다.

# 승부조작의 악령,
# **한국도 안전지대가 아니다**

2012년 시즌을 앞두고 느닷없이 터져나온 프로야구 승부조작 사건은 프로야구 출범 당시 LG 트윈스 전신인 MBC 청룡의 감독과 선수로 인연을 맺고 1990년 LG를 한국시리즈 우승으로 이끌었던 나로서는 그야말로 비통한 심정에 사로잡히게 만들었다.

1969년 돌출했던 일본 프로야구 승부조작 파동 당시 내가 몸담고 있던 도에이 플라이어즈 동료 두 명도 그 사건에 연루돼 큰 홍역을 치른 경험이 있기 때문이다. 그해는 내가 일본 프로야구에서 일곱 번째 1군 시즌을 맞은 때였다.

'검은 안개(黑い霧)' 사건도 출발은 단순했다. 한국인이든 일본인이든 선수들은 대부분 단순하고 정에 약하다. 처음에는 식사나 술자리를 통해 친분을 쌓는다. 그러다 '사업이 어려우니 한 번만 도와달라'는 식으로 접근한다.

한 번 뿌리를 뻗게 되면 승부조작은 빠른 속도로 확산된다. 야구는 100퍼센트라는 게 없다. 설사 투수가 승부를 조작하려고 마음먹고 타자 한복판으로만 공을 던지더라도 상대편 타자가 홈런이나 안타를 친다는 보장이 없다. 감독이나 투수코치가 보고 컨디션이 안 좋다고 판단되면 곧바로 교체할 수도 있는 게 야구다. 그래서 경기를 져주는 건 쉽지 않은 일이다.

하지만 조작에 실패하면 돈을 잃은 폭력배가 계속 조작을 요구한다. 그러면 성공 확률을 높이기 위해서 가담 선수가 늘어날 수밖에 없다. 가담 선수가 많아지면서 몇 선수는 양심의 가책을 느꼈고, 가담하지 않은 동료들도 의구심을 갖게 됐다. 시나브로 말이 새어나가 승부조작 사건이 세상에 알려지게 되었다.

도에이 동료로 승부조작에 연루됐던 모리야스 토시아키森安敏明는 1966년 프로 데뷔전에서 완봉승을 따낸 대단한 투수였다. 에이스가 등판하는 경기는 이길 확률이 높다. 폭력배들은 에이스를 매수해 지는 쪽에 돈을 걸었다.

어떤 경기에선가 선발투수가 어깨가 아파 강판되자 모리야스가 등판을 자청했다. 모리야스의 공은 나빴지만 타선이 터져 역전승을 거뒀다. 경기 뒤 폭력배가 모리야스의 집으로 전화를 걸어 괴롭혔다는 얘기도 들렸다. 모리야스는 영구제명 처분을 받은 뒤 결백을 주장했지만 끝내 야구계에 복귀하지 못하고 1998년 51세로 세상을 떠났다.

당시 일본 프로야구계 분위기는 승부조작 사건으로 암울했다. 나도 덩달아 마음고생을 했다. 일본 언론에서 '구로(黑=흑) 선수', '시로(白=백) 선수'라는 표현을 했다. 승부조작에 연루된 선수를 '흑', 결백한 선

1969년 일본 프로야구 승부조작 사건에 연루된 나가야스 마사유키 선수(앞에서 두 번째)의 기자회견 모습. 야쿠자까지 개입한 이 사건으로 프로야구선수 여러 명이 영구제명되었다.

수를 '백'이라는 뜻으로 쓴 것이다. 내가 백씨 아닌가. 그런 점까지 마음에 걸렸다.

1982년 귀국한 다음 혹시나 한국에서도 조작사건이 일어나지 않을까 걱정을 많이 했다. 아는 사이끼리 야구 경기를 놓고 가벼운 내기를 하는 일은 흔했다. 그런 게 승부조작으로 번진다. 그 같은 우려가 30년이 지난 뒤 현실이 됐다.

일본에선 '검은 안개' 사건 뒤 대대적인 자정 노력이 있었다. 조직폭력배와 접촉하는 선수에겐 구단 징계가 내려졌다. 그런 노력으로 조작사건이 재발하지 않았다. 우리 선수들도 사람을 쉽게 만나선 안 된다. 그리고 가슴 아프지만 조작에 가담한 선수는 엄중 처벌해야 마

1963년 일본 프로야구 도에이 플라이어즈 시절 팀의 젊은 유망주로 주목받던 선수들과 함께. 왼쪽부터 이와시타, 오스기 , 사노, 백인천, 오오시타 선수다.

땅하다. 그게 프로야구의 규칙이다. 프로야구선수라면 피땀 어린 노력으로 정당하게 돈을 벌어야 한다.

나는 목숨을 걸었다. 일본에 갈 때 성공이 불가능할 것이라는 비관적인 시선이 팽배했다. '야구에 목숨을 거느냐'고 하실 분이 있을지도 모르겠다. 그렇지만 나는 일본에서 죽기 살기로 했다. 아무나 이렇게 하는 게 아니다. 나 자신이 두려운 적도 있었다.

선수들이 프로야구를 '내 생명', '생명줄'이라고 생각한다면 자세가 달라져야 한다. 선수생활을 오래하려면 '아웃' 당하지 말아야 한다. 실제로 죽는 것은 아니지만 야구는 전쟁을 하는 거나 마찬가지다.

WBC 한·일전 때 우리 선수들의 눈에서 '살기'가 보였다. 야구는 그렇게 눈에 불을 켜고 해야 한다.

한평생 살면서 사람은 여러 가지를 다할 수는 없다. 나는 두 가지만 생각했다. 야구에 중독되고 건강에 중독되는 것. 야구선수는 유혹에 빠지기 쉽다. 야구를 잘해서 돈을 벌어야지 도박 같은 나쁜 길에 중독되면 절대 안 된다.

### 일본 야구계를 뒤흔든 '검은 안개' 사건

일본 프로야구계는 1970~80년대 '마작 도박'이나 투수가 도박 전과자에게 선발 등판일을 미리 알려주는 '등판일 누설' 따위의 크고 작은 불미스러운 사건으로 얼룩졌다. 특히 선수들이 폭력조직과 손잡고 승부를 조작한 '검은 안개(黑い霧)' 사건은 일본 프로야구의 뿌리를 뒤흔들 정도로 큰 충격파를 던졌다.

'검은 안개' 사건이 터진 때는 1969년 10월이다. 니시데쓰 라이온스의 나가야스 마사유키 투수가 폭력단과 손을 잡고 공식전에서 승부조작을 한 것이 발각돼 그해 11월 28일 커미셔너위원회가 영구추방 징계를 내렸다. 나가야스는 일본 프로야구 추방 1호 선수가 됐지만 '져주기 행위에 관계했던 선수가 더 있다'고 언론에 폭로하면서 사건이 일파만파로 번졌다. 이 사건은 이듬해인 1970년 큰 파문을 일으키며 일본 국회가 들고일어나는 등 사회문제로 비화됐고, 마침내 도쿄지검 특수부가 칼을 들이대 전면 수사에 착수하게 됐다.

그 결과 승부조작의 브로커 후지나와 히로다카를 체포하고, 니시데쓰의 주력선수들이 줄줄이 엮여 마스다 아키오, 요다 요리노부, 이케나가 마사아키(이상 투수), 후나다 가즈히데, 모토이 미치오(이상 내야수), 무라카미 기미야스(포수) 등 모두 6명이 연루된 것이 드러났다.

니시데쓰 구단은 청천벽력 같은 사태를 접하고 자체 조사를 거쳐 커미셔너 사무국과 조율 끝에 마스다, 요다, 이케나가 세 투수는 영구추방, 무라카미와 후나다 두 선수는 그해 11월 말까지 출장정지, 모토이는 엄중경고 조치를 내렸다.

그 당시 23세의 이케나가 마사아키는 지난 5년간 103승을 거둔 전도양양한 투수로 데뷔 6년째의 절정기를 맞고 있었다. 니시데쓰의 에이스로 야구계 복귀를 바라는 팬도 있었지만 끝내 돌아오지 못했다.

'검은 안개' 사건은 비단 니시데쓰 선수들에게만 국한되지 않고 다른 구단에도 파급돼 주니치의 오가와 겐타로 투수, 도에이의 모리야스 토시아키 투수도 승부조작에 가담한 것이 들통나 영구추방됐다. 그들 외에도 센트럴, 퍼시픽 두 리그를 통틀어 유명선수 10여 명이 사건에 연루돼 출장정지와 엄중경고 징계를 받았다.

## ‘구도무한球道無限’,
# 끝없는 야구 사랑의 길

야구선수들은 대부분 실패하고 나서야 아, 내가 그때 이렇게 저렇게 했어야 했는데 한다. 10~20년 지나고 나면 ‘아, 그렇구나. 역시 그렇구나’ 해봐야 소용없다. 예를 들어 보자. 경동고 동기가 7명이었다. 그 친구들 가운데 야구에 대한 소신이 나보다 상당히 좋은 친구들이

일본 롯데 오리온즈 시절의 배팅 훈련 타격1 타격2

있었다.

하지만 그 친구들은 고등학교 때부터 야구 외적인 데서 노는 것을 즐겼다. 나는 겨울철이면 스케이트를 타며 운동했지만 그들은 그냥 놀았다. 그러다보니 결국 야구에 대한 소질보다도 운동 횟수, 반복, 노력에서 차이가 나는 것이다. 나는 목표가 달랐다. 중·고교 때는 목표가 뚜렷해야 한다. 여러 이유를 대지만 나는 그렇게 하는 것은 절대로 아니라고 생각했다.

2012년 런던올림픽에서 우리나라 대표선수들의 성적이 좋았다. 그 선수들이 그냥 열심히 해서 성적이 좋은 게 아니다. 4년 동안 선수촌에서 매일 운동만 했다. 선수들 머릿속에는 런던올림픽에 가서 금메달을 따겠다는 목표도 있지만, '나는 반드시 이긴다'는 다짐을 반복하는 것이 힘이 된 것이다. 거기에 가니까 '내가 너한테 절대로 질 수 없다!'는 강한 신념이 생긴다.

타격3

타격4

2001년 7월 16일 프로야구 올드스타 한라팀 선수들과 함께. 왼쪽부터 정삼흠 · 이해창 · 백인천 · 김재박 · 이광은 · 유승안 · 하기룡 · 김인식. 유승안은 백두팀이어서 붉은색 유니폼을 입고 있다.

그럼 요즘 정치인 가운데 4년 동안 그렇게 하는 이들이 있겠는가. 이를테면, '내가 대통령이 되면 무엇을 하겠다'고 미리 준비해야 하는 게 아닌가. 선거철에만 내가 뭘 하겠다고 하는 것은 아니라고 본다.

그러니까 정치인이든 운동선수든 모든 사람은 자기가 목표를 세웠으면 그 목표를 이루기 위해서 헌신적으로 노력해야 한다. 그리고 자기 자신에게 솔직해져야 한다. 다른 사람보다 많이 노력했기에 승부를 걸 수 있고 이길 수 있는 것이다. 그게 안 되면 안 된다.

돌아보면 아쉬운 것이 있다. 야구를 하면서 경제적인 것도 어느 정도 생각해야 하는데 그런 부분에 소홀했다. 그렇다고 그런 것에 사로잡혀서도 안 된다. 사람이 한꺼번에 두 가지를 성취하기는 정말 어렵다. 우리네 삶이나 야구 인생이나 거의 비슷하다. '프로야구는 프로다'라고 하지만 아무나 프로야구선수가 되는 것은 아니다. 최소한 3~4년 도를 닦듯이 해야 한다. 야구에 대해 전문지식을 쌓고 노력하고 경험해야 한다.

인생살이도 그렇다. 일을 시작한다고 해서 모든 게 다 되는 것이 아니다. 이것저것 다하면 나중엔 아무것도 안 된다. 열 가지 중 세 가지만 이뤄도 대단한 것이다. 목표가 잘 안 보이더라도 하다보면 되니까 일단 하라고, 하나를 끝내고 다른 것을 하라고 얘기해주고 싶다.

내가 일본 프로야구에 진출할 당시 10명 중 9명은 성공하기 어렵다고 봤다. 요샌 그래도 선수들이 그 당시 나보다 실력이 좋고 실제로 성공하고 있지만 그때는 그렇지 않았다. 한 가지 목표를 세우고 다른 사람보다 더 열심히 노력하면 이룰 수 있다는 것을 나는 많은 사람에게 보여줬다.

프로란 무엇인가? 프로페셔널이란 무엇인가? 어느 분야든 먼저 그 분야에 대한 지식을 갖추고, 열심히 노력하고, 경험해야 한다. 이 세 가지가 갖춰져야 프로페셔널이 될 수 있다. 이 중 한 가지만 부족해도 안 된다. 그리고 건강해야 한다. 병이 있으면 그 병에 대한 지식을 쌓으며 어떻게 이겨낼지 많이 연구하고 음식을 비롯해 여러 경험을 하다보면 이겨낼 수 있다. 나는 야구에서도 건강에서도 이 세 가지를 갖춰 프로페셔널이 되었다.

### 백인천의 한·일 프로야구 기록

| 해당연도 | 소속팀 | 경기 | 타석 | 타수 | 득점 | 안타 | 2루타 | 3루타 | 홈런 | 루타 | 타점 | 도루 |
|---|---|---|---|---|---|---|---|---|---|---|---|---|
| 1963 | 도에이 플라이어즈 | 20 | 19 | 19 | 0 | 3 | 0 | 1 | 0 | 5 | 0 | 0 |
| 1964 | | 92 | 264 | 250 | 25 | 63 | 12 | 1 | 6 | 95 | 23 | 9 |
| 1965 | | 116 | 378 | 356 | 43 | 95 | 14 | 2 | 14 | 155 | 44 | 9 |
| 1966 | | 126 | 382 | 363 | 42 | 95 | 13 | 1 | 4 | 122 | 23 | 18 |
| 1967 | | **128** | 431 | 396 | 43 | 111 | 17 | 4 | 10 | 166 | 51 | 13 |
| 1968 | | 117 | 397 | 382 | 52 | 113 | 13 | 3 | 15 | 177 | 51 | 9 |
| 1969 | | 109 | 472 | 454 | **68** | 132 | 17 | **9** | 12 | 203 | 46 | 13 |
| 1970 | | 127 | 540 | **496** | 67 | 137 | 30 | 2 | 18 | 225 | 64 | **28** |
| 1971 | | 107 | 448 | 421 | 47 | 100 | 11 | 4 | 11 | 152 | 38 | 17 |
| 1972 | | 126 | **529** | 486 | 67 | **153** | **33** | 3 | **19** | **249** | **80** | 20 |
| 1973 | 닛타쿠홈 | 96 | 312 | 291 | 27 | 72 | 13 | 0 | 6 | 103 | 20 | 8 |
| 1974 | 니혼햄 | 114 | 457 | 418 | 63 | 109 | 20 | 1 | 15 | 176 | 42 | 24 |
| 1975 | 다이헤이요 | 102 | 403 | 379 | 57 | 121 | 18 | 2 | 16 | 191 | 53 | 13 |
| 1976 | | 121 | 498 | 469 | 54 | 135 | 17 | 2 | 17 | 207 | 59 | 15 |
| 1977 | 롯데 오리온스 | 126 | 490 | 452 | 50 | 127 | 11 | 2 | 16 | 190 | 56 | 6 |
| 1978 | | 58 | 181 | 171 | 19 | 44 | 7 | 0 | 3 | 60 | 11 | 5 |
| 1979 | | 124 | 443 | 415 | 47 | 141 | 25 | 4 | 18 | 228 | 71 | 3 |
| 1980 | | 76 | 182 | 167 | 11 | 36 | 1 | 2 | 5 | 56 | 21 | 0 |
| 1981 | 긴테쓰 | 84 | 214 | 194 | 19 | 44 | 11 | 0 | 4 | 67 | 23 | 2 |
| 1982 | MBC 청룡 | **72** | **298** | **250** | **55** | **103** | **23** | **1** | **19** | **185** | **64** | **11** |
| 1983 | 삼미 슈퍼스타즈 | 35 | 135 | 121 | 6 | 23 | 6 | 1 | 1 | 34 | 17 | 1 |
| 1984 | | 10 | 35 | 32 | 6 | 9 | 2 | 0 | 3 | 20 | 10 | 1 |
| 일본 프로야구 19년 | | **1,969** | **7,040** | **6,579** | **801** | **1,831** | **283** | **43** | **209** | **2,827** | **776** | **212** |
| 한국 프로야구 3년 | | **117** | **468** | **403** | **67** | **135** | **31** | **2** | **23** | **239** | **91** | **13** |

붉은색 고딕은 일본 프로야구 최고 기록. 파란색 고딕은 한국 프로야구 최고 기록

★ 표는 1975년 일본 프로야구 수위타자 기록

| 도루실패 | 희생번트 | 희생플라이 | 볼넷 | 고의사구 | 몸에 맞는 볼 | 삼진 | 병살타 | 타율 | 출루율 | 장타율 | OPS |
|---|---|---|---|---|---|---|---|---|---|---|---|
| 0 | 0 | 0 | 0 | 0 | 0 | 4 | 0 | .158 | .158 | .263 | .421 |
| 4 | 3 | 0 | 8 | 0 | 3 | 34 | 5 | .252 | .284 | .380 | .664 |
| 9 | 4 | 3 | 11 | 0 | 4 | 28 | 14 | .267 | .294 | .435 | .730 |
| 5 | 3 | 0 | 12 | 0 | 4 | 30 | 16 | .262 | .293 | .336 | .629 |
| 4 | **12** | 3 | 15 | 0 | 5 | 24 | 13 | .280 | .313 | .419 | .732 |
| 4 | 2 | 1 | 9 | 0 | 3 | 21 | 8 | .296 | .316 | .463 | .780 |
| 5 | 0 | 2 | 13 | 1 | 3 | 31 | 18 | .291 | .314 | .447 | .761 |
| 10 | 2 | 4 | **36** | 1 | 2 | **39** | 13 | .276 | .325 | .454 | .779 |
| 9 | 0 | 0 | 26 | 2 | 1 | 37 | 16 | .238 | .283 | .361 | .645 |
| **13** | 4 | 2 | 35 | **3** | 2 | 32 | 16 | .315 | **.362** | .512 | .874 |
| 6 | 2 | 1 | 16 | 2 | 2 | 22 | 5 | .247 | .290 | .354 | .644 |
| 5 | 5 | 3 | 22 | 1 | **9** | 19 | 18 | .261 | .310 | .421 | .731 |
| 6 | 2 | 3 | 17 | 0 | 2 | 18 | 11 | ★**.319** | .349 | .504 | .853 |
| 10 | 3 | 2 | 23 | 1 | 1 | 33 | **22** | .288 | .321 | .441 | .763 |
| 6 | 1 | 4 | 30 | 2 | 3 | 33 | 11 | .281 | .327 | .420 | .748 |
| 0 | 1 | 1 | 7 | 1 | 1 | 12 | 9 | .257 | .289 | .351 | .640 |
| 5 | 1 | 1 | 21 | 2 | 5 | 25 | 20 | **.340** | .378 | **.549** | **.927** |
| 1 | 0 | **5** | 7 | 1 | 3 | 17 | 4 | .216 | .253 | .335 | .588 |
| 2 | 2 | 0 | 14 | 0 | 4 | 12 | 6 | .227 | .292 | .345 | .638 |
| **3** | 0 | **3** | **42** | **10** | **3** | **17** | **5** | **.412** | **.502** | **.740** | **1.242** |
| 0 | **1** | 1 | 11 | 0 | 1 | 9 | 4 | .190 | .263 | .281 | .544 |
| 0 | 0 | 0 | 3 | 0 | 0 | 3 | 2 | .281 | .343 | .625 | .968 |
| **104** | **47** | **35** | **322** | **17** | **57** | **471** | **225** | **.278** | **.316** | **.430** | **.746** |
| **3** | **1** | **4** | **56** | **10** | **4** | **29** | **11** | **.335** | **.418** | **.593** | **1.011** |

완벽한 것은 없지만 완벽에 가까이 가려면 우선 노력해야 한다.
야구는 경쟁이기 때문에 상대 선수보다
조금 더 앞서서 노력하면 이길 수 있다.

# 건강프로 **백인천**

 회초

# 삼성의료원 그리고 그 이후

### 뇌경색, 그러나 병원에만 내 몸을 맡길 수 없었다

나는 삼성 감독으로 있을 때 처음 쓰러졌다. 아내는 저녁을 준비하고 나는 소파에서 텔레비전을 보고 있을 때였다. 아내가 식사하라고 해서 일어나려는데 몸이 말을 듣지 않았다. 몸에 마비가 온 것이다. 어느 병원에 가야 할지 몰라 하는데 앞집 사람이 동산병원에서 근무한다고 해서 응급으로 동산병원에 갔다. 동산병원에서는 삼성병원으로 가야 한다고 했다. 근데 하필이면 그날 태풍이 와서 응급 상황인데도 헬리콥터를 못 타고 앰뷸런스로 3시간쯤 걸려서 삼성병원 응급실로 들어갔다.

그렇게 쓰러져서 몸에 마비가 오는 상황이 나는 도무지 이해가 안 되었다. 내 몸인데 내가 내 맘대로 못한다니 말이 안 되었다. 그래도 이

제 병원에 왔으니 좋아지겠지 했다. 엑스레이와 MRI(자기공명영상장치)를 찍었다. 그런데 주사를 맞는 것도 아니고, 그렇다고 수술하는 것도 아니었다. 그래서 약 같은 걸로 치료하면 낫는 건가 생각했다. 그렇게 일주일이 지나고 열흘이 지나도 아무 변화가 없었다. 재활한다면서 밑에서 손 움직이는 기계 만지는 운동을 시키는데 내가 보기에는 그것도 아니었다.

이런저런 사람이 와서 보기는 하는데 치료는 별로 하지 않았다. 아스피린을 주었지만 주사를 놓는 것도 아니었다. 병원에서는 아침에 환자를 휠체어에 태워서 산보를 시키는데 딱 나와 같은 환자가 많이 나왔다. 노인네들이 다 몸을 비스듬히 하고 앉아 있었다. 저 사람들 참 불쌍하다고 생각했다. 나도 정상이 아니면서 그 사람들 불쌍하다고 생각하는 게 우습지만 그때는 그랬다. 그런데 사람들이 나하고 얘기할 땐 그런 내색을 하지 않는데 다른 사람하고 이야기할 때 보면 '저 사람은 아니다' 하는 느낌으로 대화하는 것 같았다. 그런 느낌이 내게 왔다.

그렇게 며칠 있다 보니 하루는 매일 보던 할아버지가 안 보였다. 그래서 간호사에게 물었다.

"여기 매일 나오던 할아버지 어디 가셨어요?"

그랬더니 간호사가 무심하게 대답했다.

"그 할아버지 가셨어요."

그래서 나는 그 할아버지가 퇴원해서 집에 가신 줄 알았다. 그런데 그게 아니었다. 돌아가신 것이었다. 근데 간호사도 그걸 가볍게 이야기하는 걸 보면 그런 일이 한두 번 있는 게 아니라는 얘기였다.

그래서 이 병을 삼성의료원에서 고칠 수 있는지를 확실히 물어보아야겠다는 생각이 들어서 주치의를 찾아갔다. 의사에게 단도직입적으로 물었다.

"선생님, 이 병이 나을 수 있는 건가요?"

의사한테서 나을 수 있다는 답이 바로 안 나와 다시 물었다.

"솔직하게 말씀해주세요. 이 병이 낫는 병인가요?"

의사가 바로 대답을 하지 않더니 겨우 이렇게 말했다.

"편하게 계시면 좋아질 겁니다."

그게 나한테는 이해가 안 되었다. 이거면 이거고 저거면 저거지 좋아질 거라는 말은 나빠질 수도 있다는 얘기였다.

"그럼 좋아질 수 있는 방법이 무엇인가요?"

마비가 와서 안 펴지는데 피가 나오면 감각이 돌아올 수 있지 않을까 싶었다. 그럴 각오도 되어 있었다. 그랬더니 의사가 놀라면서 말했다.

"운동하면 좋아질 겁니다."

답답했다. 운동한다고 해서 끝나는 게 아니었다. 당장 움직이지도 못하는데 운동을 하라는 것은 나한테 불가능한 것을 하라는 이야기였다. 중학교 때 일본 간다고, 일본 가는 게 꿈이라고 이야기하는 거나 움직이지도 못하는데 운동하라고 이야기하는 것은 똑같은 말이었다. 내가 지금 운동을 할 수 없는데 의사는 운동하라는 말만 하다니.

### 건강전도사가 되기로 마음먹다

그때 내가 지금까지 야구를 해오면서 쌓은 정신력이랄까, 그런 정신력으로 야구를 죽 해왔듯이 건강프로가 되자고 생각했다. 건강프로란 무엇인가? 건강에 대한 많은 지식과 경험을 바탕으로 건강 중독자가 되면 된다는 것이다. 그래서 결심했다.

'좋다, 이제부터는 건강 중독자가 되자. 그래서 건강을 되찾은 다음 건강프로가 되고 건강전도사가 되자.'

그런데 병원에서는 기어다닐 수 없었다. 그래서 집에서 기어다니면서 운동할 테니까 퇴원시켜달라고 했다. 집에 가서 해보다 안 되면 다시 병원에 들어오겠다고 했다.

그날로 퇴원했더니 집에서는 황당해 했다. 내가 치료 방법을 찾았다고 하니까 더 기가 막혀 했다. 막내아들에게 휠체어를 밀라고 하고는 놀이터로 갔다. 아들에게 절대 건드리지 말라고 한 뒤 지팡이도 안 짚고 일어나서 탁 뛰려고 했다. 몸이 마비되었으니까 못 뛰는 건 당연했다. 고꾸라지면서 그대로 머리를 박았다.

아들이 나를 붙잡더니 병원에 다시 가자고 했다. 나는 괜찮다고 했다. 그리고 또 한 번 탁 뛰는데 손을 못 쓴다는 것을 뇌가 기억을 못 하는 것이다. 뇌경색은 뇌 기능이 작동을 안 하는 것이니 뇌에서는 손을 못 쓴다는 걸 모르는 것이다. 손은 실제론 안 움직였다. 그러니 이게 참 우스운 꼴이었다.

'야, 바보야. 이거 못 쓴다고 하지만 내가 써주겠어.'

이렇게 생각하면서 웃었다. 아들놈은 내가 하는 짓이 도저히 이해가 안 되는지 막 울면서 집에 가자고 했다.

'내가 이걸 못 쓴다는 걸 제대로 기억하지 못하니까 이걸 써도 되지 않나?'

이런 식으로 하면 다시 걸을 수 있겠다는 자신감을 얻었다.

이렇게 무에서 유를 만드는 것이 프로다. 야구 경기에서 타자가 공을 치려고 타석에 들어서면 관중이 막 환호한다. 그 사람들이 내가 안타 치기를 바라고 홈런 치기 바라는데 그걸 해내는 게 프로다. 나는 건강프로니까 스트라이크를 먹고 나서 안타를 쳤다. 그럼 무에서 유를 만든 것이다.

차를 타고 남한산성 밑에까지 가서 서쪽에서 내린 다음 걸어서 남한산성을 올라갔다. 그럼 한 시간 정도 걸렸다. 걷질 못하니까 정상인 사람들보다 당연히 시간이 많이 걸릴 수밖에 없었다. 그렇게 꾸준히 하다 보니까 되었다. 누가 볼까 봐 창피하고 그런 것이 없었다. 내가 열심히 노력하겠다는데 누가 보든 말든 뭐가 창피하겠는가. 프로는 그렇게 해야 한다.

그렇게 끝나고 집에 오면 기분이 좋아졌다. 못했던 것을 조금씩 해냈으니까. 그것이 열흘, 한 달 되면 어떻게 변할까? 아프다 보니 이게 좋네, 저게 좋네 하면서 주위에서 신경을 많이 써주었다. 하지만 내가 판단해서 혈액순환에 좋다는 것을 골라서 먹었다. 그동안 이것저것 잡다하게 먹지 않아서 뭘 먹으면 금방 반응이 왔다. 그게 제일 중요하다. 몸에 잡동사니가 많이 쌓여 있으니까 안 되는 것이다.

삼성의료원에는 3주 동안 입원해 있었다. 3주나 있는데 일어나지도 못하는 것이 이해가 안 되었다. 그때 내 몸무게가 98킬로그램이었다. 저울에서 몸무게를 다는데 내가 똑바로 서지 못하니까 돼지 다는 것처럼 몸무게를 달았다. 근데 지금 몸무게는 78킬로그램이다. 그때보다 20킬로그램이 준 것이다. 20킬로그램짜리 쌀을 가지고 다닌 거나 마찬가지였으니 얼마나 힘들었겠는가.

몸에 불필요한 지방이 없으니까 날아갈 것 같다. 그만큼 철저히 관리했다. 고기 많이 먹다가 안 먹으니 먹고 싶어서 미칠 것 같은 때도 있었다. 그렇지만 한번 혼났으니까 참을 수밖에 없었다. 효소식품, 발효식품 같은 것에 소금만 먹으니까 몸이 달라지는 것이 느껴졌다. 모든 일에는 고비가 있다. 그 고비를 넘으면 된다. 그렇지 않고는 아무것도 안 된다. 프로에서 그걸 많이 경험했다. 잘되기 위해서는 하나의 고비를 넘어야 한다고 생각하면 훨씬 수월하다.

그러니까 야구나 삶이나 마찬가지다. 나는 뭘 해도 아닌 건 금방 알아챈다. 먹어보면 이건 아니다 하는 걸 바로 안다. 하지만 100퍼센트다 해도 그거 하나로 낫는다고는 생각하지 말아야 한다. 길을 만들 때 아스팔트를 깔고 나서 롤러를 굴려야 완전하다. 그전에 자갈을 놔야지 자갈도 안 깔고 아스팔트를 놓으면 금방 망가진다.

침을 맞는 것도 그런 단계라고 생각한다. 그거 한 다음 운동도 하고 소금도 먹어야 한다. 소금은 혼자만 먹어서는 안 되고 가족이 같이 먹어야 한다. 가족이 같이 살면서 먹는 걸 따로 할 수는 없다. 그러면 환자 덕에 가족도 좋아진다.

소금을 1킬로그램 사면 몇 개월을 먹는다. 한 번에 티스푼 하나 정도만 먹으면 충분하고, 음식도 2숟갈 정도면 된다. 그렇게 해서 3단계로 어혈을 풀다보면, 6개월이면 변화가 생긴다. 그런 생활을 힘들더라도 계속해야 몸이 좋아진다. 그다음부터는 효소식품, 발효식품을 만들어서 먹으면 된다. 그러면 건강해진다.

### 엉터리 침선생과 진짜 침선생

나는 대한민국 침술협회 협회장부터 유명하다는 분들에게 침 치료를 받아보았다. 일본에 가서도 침을 맞았다. 그런데 별 효과를 못 보았다. 그러다 지금 침선생을 참 운이 좋게 만났다. 이분은 여든 몇 살 되었을 텐데 60대 중반 정도로 보인다. 면허가 없는데도 너무 바빠서 만나기 어렵다.

이 침선생 전에 침놓는다는 사람을 하나 소개받았다. 어느 날 침 맞는 얘기가 나왔는데 청와대에 비서관으로 가 있는 친구가 추천해주었다. 예술의 전당 앞에 용한 전문의사가 있는데 미국에서 왔다고 했다. 그래서 양의사가 무슨 침을 놓느냐고 하면서도 혹시나 싶어 가보았다.

미국 무슨 대학을 나왔고 부인도 의사라고 했다. 의사는 내가 누군지 몰라보았다. 그래서 이 사람이 미국에서 공부하고 와서 그런가 보다 했다.

"어떻게 오셨습니까?"

의사가 물었다.

"침 잘 놓는다고 해서 왔습니다."

"그래요? 여기 누워보세요."

의사가 혈압을 재보고는 말했다.

"혈압이 높네요."

아니, 풍 맞았는데 혈압이 높은 건 당연한 거 아닌가.

'괜히 시간만 낭비하는 거 아냐?'

이러면서 잘못 찾아왔나 생각하는데 의사가 말했다.

"이 정도면 내가 고칠 수 있습니다."

'이레발'이라고 동그랗고 삑 나오는 조그마한 침이 있는데 그걸 누르면 꽂힌다. 그리고 반창고를 바르면 되는데 그 침은 일본에서 10개 붙은 걸 받은 적이 있어서 이미 알고 있는 거였다. 그런데 그걸 이 사람이 내 등에 놨다. 그래서 물었다.

"지금 놓은 게 무슨 침입니까?"

"이 침은 내가 개발한 겁니다."

순간 열받았다. 내가 알고 있는 걸 자기가 개발했다니. 미국에서 공부했다는 사람이 그런 짓을 하고 있었다. 그렇게 치료가 끝나고 의사가 2, 3일 뒤 오라면서 비타민을 잔뜩 주었다. 야구할 때 미국으로 전지훈련을 자주 갔다. 그때마다 좋은 줄 알고 비타민을 잔뜩 사왔다. 하지만 그걸 먹지 않고 다 버렸다. 그런데 그걸 잔뜩 주니까 얼마나 어이가 없겠는가. 그래서 일부러 물어보았다.

"이거 뭡니까?"

"그거 건강에 아주 좋은 겁니다. 드시면 좋아질 거예요."

그러면서 10만 원을 달라고 했다. 완전히 뚜껑이 열렸지만 어쩔 수 없었다. 그리고 집에 돌아왔는데 그 침선생이 집 근처를 지나간다면서 들르겠다고 했다. 자기가 내 이야기는 벌써 들었는데 바빠서 못 왔다고 했다. 까만 가방을 들고 왔는데 상당히 젊어 보였다.

"침을 많이 맞아봤어요?"

물었다. 침에 대해 학을 뗐으니 떨떠름하게 대답했다.

"네. 많이 맞아봤습니다만."

선생이 맥을 짚어보더니 말했다.

"침을 몇 번 맞으면 괜찮아질 겁니다."

"그럼 침놓으세요."

병원에서도 그런 소리를 했기에 일단 침부터 놓으라고 했다. 그랬더니 선생이 침을 꺼내는데 침이 너무 다양해서 놀랐다.

어머니가 이불 꿰매던 바늘만 한 걸 꺼내더니 침을 놓았다. 그동안 마비가 와서 잘 느끼지 못했는데 찌릿하는 게 느껴지면서 느낌이 아주 좋았다. 피비빅 하더니 전기가 흐르는 것 같았다. 다리가 불편하다니까 다리에도 놓아줬다. 탁 찌르는데 전기가 오르고 발바닥에서 뭐가 튀어나왔다. 오랜만에 서지고 걸어졌다. 그게 정말 신기하고 좋았다.

"침을 몇 번 더 놓았으면 합니다. 이 정도 증상이면 몇 번 더 해야 합니다."

그러기에 얼른 대답했다.

"알겠습니다. 잘 부탁합니다."

그렇게 해서 계속 침을 맞았는데 하루하루가 달라지는 걸 느꼈다.

애들이 코피가 나는 게 나쁜 게 아니다. 나쁜 피가 고여 있는데 그게 터진 것이다. 그러니 그걸 뽑으면 좋은 것이다. 피를 뽑았는데 피가 시커멓게 나왔다. 그걸 보면서 나도 모르게 눈물이 막 나왔다. 가볍고 무거운 것이 바로 느껴졌다. 어떠냐고 묻기에 아주 가벼워졌다고 대답했다.

그리고 목마사지를 많이 했다. 집에 돌아와서 한 번도 마사지해본 적이 없는데. 피가 올라오는데 이걸 뽑아놓으니까 또 올라왔다. 이렇게 5년을 했다. 매일 하진 않았지만 혈관 통로가 상당히 깨끗해진 걸 느꼈다. 뇌에 깨끗한 피가 올라가면 뇌도 좋아지고 몸도 좋아지는 걸 느꼈다. 나한텐 그게 확신이 되었다. 거기에 미네랄 같은 게 도움이 되었다. 결국 이것저것이 종합적으로 맞아떨어진 것이다. 그러다보니 건강해졌다.

### 고비를 넘겨야 이루는 것이 있다

사람은 자기가 해서는 안 된다고 생각하더라도 주변에서 자꾸 요구하면 흔들리게 되어 있다. 그래도 거기에 빠지면 안 된다. 내가 '이러면 절대 안 돼' 하는 건 100퍼센트 맞는다. 프로생활을 할 때 나도 남자니 젊을 때는 예쁜 아가씨들 보면 데이트하고 싶다고 생각했는데 빠지면 헤어 나오질 못한다. 그렇게 빠지면 결국 맛이 가버린다. 그럼 '이걸 하면 안 돼' 하고 딱딱 정리했다.

내 야구 인생은 좋을 때도 있었고 안 좋을 때도 있었다. 사람이 건망증이 있어서 좋을 때는 끝까지 좋을 줄 알고 까불게 되어 있다. 그럼 끝내 궤도에서 이탈한다. 어느 정도 선에서 그만둬야 하는데 제어가 안 되니 그냥 가는 것이다.

나는 마흔세 살까지 야구를 했다. 그건 그런 것을 잘 극복한 덕분이다. 마흔세 살이 되면 사람이 체력도 떨어지지만 한계가 있다. 그렇게 강한 타이거 우즈도 한번 삐끗하고 당하니까 쉽사리 헤어 나오지 못하고 있다. 다시 일어설 수도 있지만 상당한 대가를 치러야 한다. 그게 힘드니까 몸이 따라가야 하고 극복해야 한다.

나는 나이도 있으니까 이제는 더 빠져들 것도 없다. 적당한 운동, 절제된 식사에 긍정적으로 생각하다 보니 좋아진 것이다. 어느 정도 좋아지니까 책도 내게 되었다. 그럼 내가 그에 걸맞게 앞으로 착실히 살면 책 내용과 내 삶이 일치하는 것이다. 사람들이 책을 관심 있게 읽고 도움이 된다면, 다는 안 되더라도 10명이라도 된다면 나는 만족할 것이다.

나도 했는데 너는 못하냐고 하겠지만 나도 과거에 그런 실패를 했다. 그래서 자기가 원한다면 할 수 있다는 것을 책으로 쓰고 싶었다. 병이나 건강이나 똑같다. 완벽한 것은 없지만 거기에 가까이 가려면 우선 노력해야 한다. 야구는 경쟁이기 때문에 상대 선수보다 조금 더 앞서서 노력하면 이길 수 있다. 이긴다는 것은 결국 유혹에 빠지지 않는다는 것이다.

다들 아는 〈토끼와 거북이〉 이야기가 있다. 토끼가 초반에 좀 앞서간다고 까불면서 거북이가 자기를 못 따라잡을 거라고 잘난 체하다가 거북이한테 진 것처럼 삶도 마찬가지다. 안 될 것도 된다고 하면 된다. 옛날이야기가 된 이 이야기가 요즘 시절에 잘 안 맞는다고 생각할지도 모르겠는데, 그만큼 순수하다는 것이다. 그러한 것을 초등학교 때부터 배워야 한다.

요즘 아이들은 산타클로스가 선물을 준다고 하면 거짓말이라고 한다. 시대가 그렇다고 하니 어쩔 수는 없지만 그래도 그건 아니다. 아이들이 어렸을 때 순수한 것을 알려주려고 했다는 걸 깨달으면 되는 것이다. 나는 솔직히 시간에 쫓기질 않는다. 한번에 못해도 되니까 꾸준히 한 걸음, 한 걸음 앞으로 나아가는 게 중요하다.

### 양약보다 한방 치료

나는 양약을 안 먹는다. 캡슐 자체가 싫다. 약을 제약회사에서 만드니까 의사들은 책임을 지지 않는다. 어혈 때문에 막힌 곳을 관절통, 신경통이라고 한다는데 그건 염증이 아니다. 병원에서는 그것을 없애려고 항생제, 진통제를 먹게 한다. 항생제를 먹으면 당장은 없어진다. 그런데 이 물질이 몸에 남아서 자꾸 쌓이니까 점점 더 독한 약을 먹어야 한다.

한방에서는 어혈을 푸는 것을 건강에 가장 중요한 것으로 본다. 그래서 어혈을 어떻게 푸느냐를 건강으로 가는 관건으로 생각한다. 한방은 100퍼센트 생물을 원료로 하고 화학물질은 조금도 사용하지 않는다. 그러다 보니 한방 약제는 부작용이 거의 없다. '웅담원'이라고 어혈을 풀어주는 약이 있다. 이 어혈약이 몸에 들어가면 2시간 안에 사람 몸에 돈다. 그럼 아주 편안해진다. 그래서 진통제 아니냐고 하는

데 하루가 지나도 괜찮다. 진통제는 보통 지속 시간이 2시간이다.

우리 딸이 생리통이 너무 심해서 1년 반 동안 압구정동에 있는 병원에 다녔다. 그런데도 도통 효과가 안 나타났다. 어떤 때는 생리통 때문에 엉엉 울고 난리다. 병원에서 진통제를 주는데 안 먹었다.

하루는 제 방에서 막 울기에 가보았더니 괜히 나한테 짜증을 냈다. 그래서 어혈약을 먹으라고 가져다주었더니 안 먹는다고 했다. 나는 혼을 냈다.

"아빠가 이거 먹고 좋아졌으니까 너한테도 주는 거야. 아빠가 너한테 독약을 먹으라고 주겠냐?"

그랬더니 그제야 애가 먹었다. 그리고 한 30분 됐을까? 방 안에서 아무 소리가 안 나기에 뭔 일인가 가보니 애가 자고 있었다. 아침에 2층에서 내려오면서 인사하는데 자기가 아팠다는 것도 잊어버린 것 같았다.

내 친구는 아팠던 무릎이 다 나았다. 어혈약은 생리통 있는 여자들이 많이 먹는다. 친구 딸이 그걸 30봉 먹었다. 이 친구가 딸 둘 해서 여자 셋과 사는데 얼굴만 봐도 딱 안다고 했다. 그러면 딸들을 구급차에 싣고 병원에 가고 그랬다고 했다. 그러다 어혈약을 먹였는데 완전히 나아서 이제는 맘 편하게 산다고 했다.

밥 먹고 피곤해서 술 한잔하고 잘 때도 먹으면 편해진다. 혈액순환을 원만하게 해주니 몸이 아주 편해지고 피로감도, 통증도 사라진다. 약이라기보다 건강식품이라고 해야 한다.

이 약을 약사님이 4대째 만들고 있는데 이분이 전에는 대구에서 한약사로 있었다. 할아버지, 아버지 모두 욕심이 없는 분들이셨다고 한다. 양약은 임상실험을 동물이 하지만 한약은 자기가 해야 한다고 한다. 너무 많이 먹다보니 쓰러진 적도 있는데 어쨌든 실험해봐야 한다고 했다. 그런 사람들을 만나서 나도 좋아졌다.

# 체험으로 찾은 **나의 건강법**

### 원적외선 사우나 어떻게 활용하나

원적외선 사우나는 1인용 찜질방 같은 것이다. 여기서 원적외선이 나오는데 보통 원적외선은 엉터리인데 이건 아주 좋다. 아프니까 건강을 위해서 하는데 이게 열이 1,300도다. 그러니 뜨거울 것 아닌가. 뜨거워서 손을 대면 데일 것 같지만 그렇지 않다. 여기에 원적외선이 있어서 열을 반사시키니까 그렇다. 사람 몸에 하면 몸속에도 들어간다. 다른 건 보통 5퍼센트도 들어가지 않는데 이건 98퍼센트가 몸으로 들어간다.

원적외선은 몸에 있는 염증을 분해한다고 한다. 그래서 염증이 없어지는 것이다. 환자들이 이걸로 치료받으면 효과를 본다. 의료특허가 나와서 의료기구로 되어 있다. 찜질방은 온도가 40~50도만 돼도 숨차

반신욕을 통한 원적외선 치료.

고 힘든데 이것은 한 시간 있어도 전혀 그런 게 없다. 원적외선이 나오니까 건강한 것이다.

일본 친구들이 나한테 이걸 체험하자고 하기에 어떻게 하냐고 물었다. 괜히 했다가 잘못되면 안 되니 안 한다고 했다. 그랬더니 틀림없다고 한 번만 가달라고 했다. 그 사람들이 한국말도 잘 못할뿐더러 우리나라 사람이 날 보면 쉽게 이해하니까 같이 가고 싶어했다. 그래서 최차혜산부인과라는 곳에 갔더니 큼지막한 찜질방을 설치해놓았다.

사기 치는 거 아니냐고 불만스러운 얼굴로 찜질방에 들어가지 않았는데 일본 친구들이 찜질방 안으로 들어갔다. 그 안에는 아줌마들이 많이 있었다. 나는 하는 수 없이 옷을 입고 잠깐 들어갔다. 그런데 몇 분 동안 친구들과 이야기해도 숨이 차지 않았다. 이거 참 신기하구나 싶었다. 땀이 나기 시작해서 20분 정도 있으니까 땀이 많이 나오는데도 힘이 안 들었다. 밖으로 나온 다음 이걸 이야기하니까 원래 그렇다고 했다.

사장이라는 사람이 오더니 자기가 들어가기 전에 설명하면 사기꾼이라고 할 것 같아 먼저 체험해보게 했다면서 궁금한 게 있으면 질문하라고 하기에 물었다.

"왜 숨이 안 차죠? 내가 볼 땐 10분 이상 그 안에 있기 힘들 것 같은데. 숨이 안 차고 땀이 그렇게 나오는데 안에서부터 뜨거워지나요?"

그랬더니 원적외선이 반응하는 판을 보여주었다. 이 판은 화산에서 나오는 성분에 열 몇 가지를 더해 만들었는데, 열을 100퍼센트 반사한다고 했다.

돌이면 뜨거울 텐데 반사된다는 것이 신기했다. 그래서 구입했다. 사람이 염증 때문에 고생하는데 이게 땀으로 나오니 감각이 달라졌다. 예를 들어 어린애들 중 지혜가 떨어지는 애들도 효과를 보는 것이다. 이걸 머리에 대면 애들이 뜨겁다고 짜증을 낼 텐데 10분만 하면 가만히 있다고 한다. 말은 잘 못해도 편하고 좋다는 것을 아는 것이다.

오산에 가면 원적외선으로 치료하는 곳이 있는데 간호사가 하나씩 붙어 있다고 한다. 간호사, 의사도 효과를 보는 사람들을 보면서 놀라서 말을 못한다고 한다. 결국 뇌종양이나 이런 것을 이것이 분해해서 풀어지니까 변하는 것이다. 눈도 좋아진다고 하는데 나도 상당히 좋아졌다. 염증이 많았는데 그런 게 다 좋아진 것이다.

이런 것을 직접 경험하지 않으면 누구한테도 권할 수 없는데 나는 직접 해보았다. 일본 사람들은 이것으로 건축재도 만든다. 앞으로 전원주택을 짓게 되면 이걸로 하려고 한다. 단열도 잘되고 냄새도 전혀 나지 않는다. 그렇게 좋으니까 다음에 기회가 되면 또 하자고 했다.

### 원적외선 사우나 제품의 원리

원적외선은 빛으로 되어 있어서 우리 몸을 많이 투과하지 못한다. 원자핵을 둘러싸고 있는 중성자와 양전하 사이에서 빛의 알갱이로 이동하는 힘을 컨텀에너지라고 한다. 컨텀은 우리말로 양자라는 뜻이다. 양자가 이동하는 힘을 에너지라고 하는데 이것은 빛보다는 열을 가했을 때 80~400배가 증폭된다. 이것이 몸에 닿게 되면 투과된다. 인체가 가장 좋아하는 파장인 8~12마이크로미터를 이 물질이 맞춘 것이다. 27종류 광물질을 소송로에 구워서 만들어 냈는데, 위와 간에서 나오는 물이 좋아하는 파장에 맞춘 것이다.

절벽에 소나무가 자랄 경우가 있다. 땅도 아니고 바위에 뿌리를 내려서 잘 살고 있다. 전문가들이 바위 안에 어떤 영양분이 있기에 나무들이 잘 자랄까 연구했다. 절벽마다 뿌리를 내리고 있는 돌들을 분석해보니까 공통적으로 규사라든지 백토, 황토, 게르마늄, 기약토 같은 것들이 있었다. 그런 몸에 좋다는 돌을 소송로에 1,300도의 고온으로 구워서 몸에 안 좋은 유리 석영을 태워 날려 보내고 남아 있는 광물질만 가지고 구워서 나온 것이 이 판이다.

이것은 물이 가장 좋아하는 8~12마이크로미터 컨텀에너지에 공명공진할 수 있는 주파수를 가지고 있다. 여기에 열을 가해서 히터도 만들고 사우나도 만든다. 이 안에 들어가서 열을 가하면 열에너지가 전자 마이크로웨이브처럼 파동을 일으키면서 나온다. 이것이 몸에 닿게 되면 땀이 나는데, 밖에서 나는 게 아니라 안에서부터 데워져 안쪽에서 파동이 통과되면서 염증을 가지고 있는 세포를 흔들어서 부숴버린다.

노폐물이 땀이나 나머지 배설물로 나오는데, 특히 땀으로 많이 나온다. 그 땀에는 요산 등의 찌꺼기가 많이 들어 있다. 결국 열에너지가 혈류를 활발하게 만들고 혈액을 개선해서 몸이 아프면 싸워서 이길 수 있는 세포를 움직일 수 있게 해주는 것이다.

예전에는 100미터 속력으로 움직였다면 이걸 조사함으로써 600미터 속력으로 달려가 싸워서 이긴다. 막혀 있는 모세혈관도 확장해준다. 실핏줄이 수없이 많은데 이걸 조사하면 막혀 있는 실핏줄이 터진다. 그러면 백내장이 없어지고 눈이 좋아지는 것은 물론 혈액을 개선해서 안 아프게 만들어준다. 어깨 아픈 데, 류머티스 관절염, 아토피, 허리·눈 아픈 데 모두 효과를 볼 수 있다.

## 원적외선 사우나의 특징과 효과

이 물질의 특징은 첫째, 단열성이 좋다는 것이다. 열을 약간 넣고 문을 닫아도 열손실이 안 된다. 일반적인 사우나는 나무재질로 만들어져 열을 뺏어먹어 열심히 데워야 하는데 이것은 열을 포집해서 보존하는 성질이 있는 세라보드다. 이 보드의 가장 뛰어난 특징이 단열성이다. 그래서 여기에 한쪽 면에 1,300도 가열해서 빨갛게 데운 다음 반대 면에 손을 대고 있어도 뜨겁지 않다. 열을 받아서 통과시키지 않고 튕겨내기 때문이다. 그래서 작은 열효율로도 오래 가고 금방 데워지고 땀이 난다.

둘째, 다공성물질로 안에 엄청난 구멍이 있어서 이걸 벽으로 시공해놓으면 목소리를 냈을 때 소리들이 이 안에 들어가서 튕겨지면서 소리를 낸다. 울림현상이 있는 것이다. 강당 같은 곳에서 '누구야' 했을 때 울리듯이 이걸로 했을 때 소리가 명확하게 들린다.

셋째, 돌인데도 가벼우며 수분을 머금고 있다가 주변이 건조하면 내뱉고 습하면 빨아들인다. 아이들 방에 시공해놓으면 아토피, 새집증후군이 생기지 않는다. 냄새를 빨아들이므로 냉장고 탈취제로도 활용한다. 니코틴이나 안 좋은 성분을 중화시키고 해독해준다. 곰팡이가 피어 있는 지하실이나 결로현상이 많은 곳에 시공하면 많이 좋아진다.

치료되는 시간은 경중에 따라 다르지만 20분 만에 치료되는 사람도 있고 보통 서너 번 정도면 효과가 있다. 몸 상태가 호전되고 불편했던 게 편해진다. 이것도 크게 보면 음이온이라고 할 수 있다. 음이온은 당연히 포함되어 있다. 원적외선에 열을 가해서 열에너지를 전달하는 원리를 적용했다. 쉽게, 음이온이 나오는 원적외선이라고 보면 된다.

백인천 감독이 원적외선을 이용한 지는 2년 정도 되었다.

# 음이온

### 음이온 팔찌의 놀라운 효과를 체험하다

음이온이 나오는 팔찌는 시중에 상당히 많이 나와 있다. 그런데 '스코리아'라고 해서 제주도 화산석 소재로 개발한 팔찌는 음이온도 음이온지만 광화물질과 비슷한 파워가 나온다. 이걸 실험해봤더니 어마어마한 효과가 있었다. 팔찌를 보면서도 믿지 않았는데 데이터까지 있다.

이 팔찌는 스스로 열을 발생해서 파장을 일으킨다. 그래서 저릴 때 끼고 있으면 금방 낫는다. 현미경으로 검사하는 게 있다. 근데 혈관이 건강한 사람과 내 혈관의 모습이 달랐다. 그때 오른쪽 등허리 쪽이 좋지 않았다. 그래서 이걸 3일 정도 끼었다. 그런데 안 끼고 찍은 혈관과 끼고 나서 찍은 혈관이 달랐다. 그다음부터 믿기 시작했다.

여기에 염화라는 까만 돌이 있다. 이걸로 얼굴도 문지르고 평소에 좋지 않던 등도 문질렀다. 하루 이틀 했는데 별로 효과가 나지 않았다.

그런데 3일째부터 효과가 나타났다. 몸속 오염물질이 피부에 벌겋게 조금씩 나타나더니 일주일 지나니까 부황을 뜬 것처럼 안 좋은 부분만 시뻘겋게 되었다. 확 밀어버린 게 아니라 죽죽 문지르는데 놀라서 보니까 상태가 좋은 쪽은 그냥 맨 피부인데, 안 좋았던 등허리 부분이 울긋불긋하게 했다.

생각해보니 전에 풍을 맞았을 때 속 깊이 응혈이 빠지지 않고 있다가 나온 것이다. 그동안 쭉 뻐근하다고 느꼈는데 이걸로 빼고 나서부터 달라졌다.

돌과 관련해 재미있는 일이 있다. 한국 여자가 프랑스 사람하고 결혼했는데 애를 못 낳아서 병원에 갔다가 이 소문을 들었다. 이 돌을 평소 자궁 안에 넣고 있다가 소변 볼 때는 빼는 식으로 사용하는데, 이 여자가 처음에는 믿지 않았다. 자기 남편한테 물어보았는데 남편도 난센스라면서 거절했다. 여자는 밑져야 본전이라고 생각하면서 해봤는데 3개월 만에 쌍둥이를 임신해서 건강하게 낳았다. 그러자 그 사람이 이걸 프랑스로 가져가서 몇 사람에게 해보게 했는데 그들이 다 임신에 성공했다.

이 돌을 자궁에도 넣고 항문에도 넣는다. 남자든 여자든 돌을 하루에 20시간 넣고 있기를 한두 달 정도 하면 조금씩 염증이 없어지면서 좋아진다. 약을 전혀 쓰지 않고 단순히 돌만으로 말이다. 안에 넣고 있다가 빼면 돌 밑에 눌러붙은 게 있다. 누룽지 같은데 잘 안 떨어져서 물에 넣어 긁어야 한다. 돌 자체가 원적외선이라서 반응하면서 열을 내는 것이다.

여자들은 염증을 막으려고 항생제를 먹는데 이것은 염증을 빨아들이는 거나 마찬가지다. 넣고 있다가 뺄 때마다 닦아내는 것이다. 그러니 염증 같은 게 다 나와서 나을 수밖에 없다. 남자들은 치질과 전립선, 여자들은 생리통 같은 게 좋아진다.

내가 머리카락이 다 빠지고 없었다. 지금은 가마가 생겼는데 전에는 이것이 없었다. 밤에 자기 전에 10분, 20분씩 돌로 문질렀다. 두 달쯤 했는데 나도 느끼는 게 있었지만 이발사가 나보고 머리가 많이 자랐다고 했다. 이 사람들은 가위질을 해보면 바로 안다. 전에는 머리카락이 빠져서 잡질 못했는데 지금은 잘 빠지지 않는다. 자고서 아침에 일어나면 베개에 머리카락이 많이 떨어져 있었다. 그런데 지금은 빠지지 않는다. 순환이 잘되게 해주니까 그만큼 머리뿌리가 좋아진 것이다.

또 하나 좋은 게 있다. 절대 풍을 안 맞는다. 풍이 원래 뇌로 오는데 이것을 하면 기분이 좋아져서 잠을 잘 잔다. 이러한 것을 체험해보고 좋으면 하는데, 답이 나온다. 이걸로 치료해서 효과를 톡톡히 본 사람이 있다. 이 사람은 너무 아파서 예전에는 꼼짝도 못했다. 약만 계속해서 먹다가 우연히 이걸 알게 되어서 했더니 사람들이 비웃었다.

"야, 미쳤냐? 그 돌로 병이 낫는다면 병원이 필요 없게?"

지금 완전히 좋아져 전도사가 되었고 남편도 여기에 빠졌다. 자기 부인이 좋아지는 것을 보았으니 당연한 것 아닌가.

이 팔찌로는 최차혜산부인과 원장이 유명하다. 이분이 부인과를 오래했고 지금 나이가 일흔 살이 넘었다. 여자가 애 낳고 나이 들면 자궁에 염증이나 냉증이 생겨 고생을 많이 한다고 한다. 이분이 박사들이랑 이걸 연구 · 개발해서 실험했더니 여자들 물혹이나 멍이 없어졌다고 한다.

나는 이 팔찌를 2012년에 끼기 시작했다. 지금은 사람들이 여기저기서 정보를 많이 얻으니 쉽게 믿지 않을 뿐 아니라 사실 엉터리도 많다. 팔씨름을 해보면 센 사람과 약한 사람이 있다. 이걸 약한 사람한테 끼워주고 팔씨름을 하게 하면 바로 안 넘어간다. 처음에는 나도 믿질 않았는데, 한 100킬로그램 되는 친구가 있었다. 그런데 팔찌를 끼고 그 사람과 팔씨름을 했더니 정말 잘 안 넘어갔다. 이걸 차면 효과가 바로 나서 모세혈관이 쭉 뻗으니까 힘이 생기는 것이다. 혈액순환이 잘되면 힘이 생긴다.

### 좋다는 걸 알지만 설명하기는 쉽지 않다

음이온에 대해서는 웬만한 박사들 못지않게 나도 많이 알고 있다고 생각한다. 광물질에서는 음이온이 나오게 되어 있다. 광물질을 섬세하게 분해하면 음이온이 60 정도 나온다. 방사능이 나오기 때문에 음이온을 많이 쐰다고 좋은 건 아니다. 암환자를 치료할 때 대부분 마지막에 방사능 치료를 한다. 방사능 치료를 하면 머리가 빠지는 부작용이 있다.

나는 이걸 잘 때도 깔고 잔다. 발에 쥐가 자주 나는 편인데 이게 있으면 풀리는 데 5분도 안 걸린다. 쥐가 난 발이 쉽게 풀린다는 것은 혈액순환이 그만큼 잘된다는 것이다. 옛날에는 스펀지가 있었다. 삼십

년도 전에 접했는데 담배나 술을 놔두면 맛이 싹 변했다. 그래서 무척 신기하다고 생각했다.

오키나와 암센터에서는 이걸 돔으로 쓰고 있다. 오키나와에 있는 일본인 친구가 전화해서 뭐 하냐고 묻기에 음이온하고 있다고 했다. 그랬더니 음이온이 얼마나 나오냐면서 자기네는 한 100~200 나온다고 했다. 나는 1만 5,000 나올 수 있다고 했다. 그랬더니 정말이냐며 바로 비행기 타고 왔다. 그래서 회사에 가서 재보니까 2만이 나왔다. 돔을 만드는데 음이온 매트를 만들어서 80도로 열을 올려도 뜨거워진 적이 없다.

일본 오키나와에서는 3~6개월밖에 못 산다고 진단받은 암환자들을 정부 암센터에서 관리하면서 연구를 한다. 오키나와 류큐대학 박사가 음이온 2만짜리가 있다니까 그걸로 돔을 만들었다. 그랬더니 환자들이 3~6개월 넘어도 안 죽었다. 그래서 거기에 빠져버렸다.

내가 써봐도 좋다는 것이 느껴졌다. 그래서 깔창을 만들고 여러 가지를 만들었다. 그럼 피로도 없어지고 냄새도 없어졌다. 음이온 관련 물 만드는 것도 있다. 음이온이 사람 몸에 좋다는 게 나와 있다. 어떻게 쓰냐에 따라 다를 뿐이다. 우리나라는 무조건 세게 하면 좋다고 보는데 그건 아니다. 팔이 이상하다 싶으면 이걸 깔든지 만지든지 하면 신기하게 효과가 있다. 혈액에 파동을 일으켜 순환이 잘되게 하는 효과가 있는 것이다.

음이온 제품도 장갑, 반지 등 여러 가지가 나와 있다. 그런데 그 효과를 입증하기가 어렵다. 나는 측정기까지 다 갖춰놓았다. 분명히 효과가 있다는 것을 여러 체험으로 알고 있다. 어떤 환자는 이걸 했더니 올라가지 않던 팔이 올라갔다. 10분, 20분 정도 했는데 효과를 본 것이다. 이건 안에서 켜면 밖에서 뜨거워질 것 같지만 열이 밖으로 나가지 않는다. 그러니까 집을 짓고 살면 정말 건강하게 살 수 있을 것이다.

# 소금

### 건강에 소금만 한 것이 있을까

50년지기 일본인 친구가 있는데 직업이 의사다. 이 친구가 술·담배도 하고 당뇨, 혈압, 고지혈증, 통풍까지 있다. 어느 날 이 친구가 30년 동안 쭉 자기 몸 검사한 걸 보여주었다. 그러면서 내가 쓰러졌다가 회복되었으니 신기하다고 했다.

일본 사람들은 죽염으로 김치를 담그는데, 그 김치가 아주 맛있다고 한다. 알칼리성 소금으로 담가서 산화되지 않아 오래되어도 파릇파릇하다고 한다. 그것이 산화를 환원하는 ORP 수치가 보통 +150~200 나온다. 천일염도 그 정도 나온다. 그런데 인산죽염은 −200~350 나오니 어마어마한 차이가 있는 것이다. 이제는 일본 친구들이 이 소금으로 김치를 담가 먹는다.

나는 얼굴에 아무것도 바르지 않는다. 소금물만 뿌리고 수염을 깎아도 깨끗하다. 일본 사람들이 봄이면 꽃가루 때문에 비염이 많은데

이 소금은 비염에도 효과가 좋다. 감기도 안 걸리는 걸 보면 정말 기가 막히다. 소금을 아홉 번 구운 것은 짭짜름하다. 소금에는 나쁜 성분이 50퍼센트, 좋은 성분이 50퍼센트 들어 있는데 아홉 번 굽게 되면 독성이 없어진다. 소금에는 염증을 제거해주는 성분이 있어서 통증이 올 때 소금을 먹는다. 이 소금은 먹고 나도 짠맛이 입에 남지 않는다.

소금은 커피는 물론 술에 넣어도 좋다. 커피에 넣으면 맛이 좋아진다. 소주에 넣으면 와인 비슷한 맛이 난다. 맥주에 2, 3번 넣으면 계속 탄산이 올라온다. 그리고 노알코올 맥주가 된다. 친구들이 소금을 넣어봤더니 탄산이 계속 올라오는 게 일본 맥주랑 맛이 똑같다고 했다. 집에서 된장찌개를 끓이면 짠데 이걸 넣으면 짠맛이 싹 사라진다. 밥할 때 밥물에 같이 넣기도 한다. 딸기도 찍어 먹는다.

인산죽염은 침으로 녹이는 게 가장 좋은데 암환자들이 이걸 많이 먹는다. 세 살 먹은 애가 암 종양이 있어서 3개월밖에 못 산다는 진단을 받았다. 그래서 그 애 부모가 아이를 데리고 시골 가서 황토집 짓고 살다가 우연히 소금을 알게 되었다. 이거 먹고 벌써 여덟 살 됐는데 애가 아주 건강하다.

인산죽염은 아홉 번 구울 때 대나무 속에 넣어서 굽는다. 소금 덩어리를 빻아서 넣고 황토로 구멍을 메운 뒤 아홉 번 굽는데 대나무 속에는 유황이 있다. 소나무도 송진에 염증을 제거하는 성분이 있다. 나는 이가 흔들리는 게 없다. 어려서 장충동 살 때 남산에 자주 올라다녔다. 그때 껌이 없으니 송진을 떼어서 씹었다. 그걸 인산죽염 박사한테 이야기하니까 나더러 타고났다고 했다. 송진이 그렇게 좋은데 그걸 씹었으니 염증 같은 게 없어져 탄탄하다는 것이다. 거기에 소금을 그렇게 먹었으니 어떻겠는가.

### 골수팬이 소개한 인산죽염

나는 소금을 먹은 지 거의 20년 가까이 됐다. 내가 송파에 사무실이 있을 때였다. 하루는 아침 9시에 사무실에 나가서 앉아 있는데 웬 노인이 들어왔다. 그때 김 사장이란 내 친구가 같이 있었다. 그 친구가 물었다.

"어르신 뭡니까?"

보니까 뭔가를 팔러 온 사람 같았다. 이 노인이 의자에 앉으며 말했다.

"물이라도 한 잔 주시겠소. 물 300밀리리터 하고 큰 티스푼 좀 가져다주시오."

의심스러운 눈초리로 물과 티스푼을 갖다 줬다. 친구는 좀 이상한 사람이라는 사인을 보냈다. 노인은 허연 가루를 두 숟갈 입에 넣더니 물을 마셨다.

내가 놀라서 물었다.

"뭐 하십니까?"

근데 자세히 보니 그게 소금이었다. 내 친구가 소금인 걸 알아채고 화를 냈다.

"소금 아닙니까? 소금? 이 노인네가 미친 거 아냐?"

그래서 내가 친구를 말렸다. 그랬더니 친구가 큰 소리로 말했다.

"감독님, 이거 먹을 거예요? 지금 혈압으로 쓰러졌는데 어떻게 이걸 먹어요?"

나는 다시 화를 내는 친구를 달랬다. 노인은 그러거나 말거나 차분하게 말했다.

"내가 먼저 두 숟갈 먹었으니 백 감독은 조그마한 걸로 한 숟갈 드시오."

말은 진실성이 있었지만 선뜻 그걸 먹을 수는 없었다.

친구가 계속 화를 냈다.

"감독님, 안 돼요. 할아버지, 됐으니까 나가세요."

나는 다시 친구를 말렸다.

"가만히 있어봐, 김 사장!"

그러자 노인이 말했다.

"자네 백 감독과 친구인 걸 잘 알지만 난 백 감독이 선수로 활약하던 때부터 동대문야구장에서 살다시피 했어. 그렇게 좋아하고 일본에 이어 한국에서 야구를 하게 되었다고 좋아했는데 갑자기 쓰러졌다고 하잖아. 병원에 가서 물었더니 죽는다는 거야. 그런데 이렇게 살아있는 걸 알고 내가 찾아온 거라고."

나는 이 사람이 대단하다 싶었다. 동대문야구장이면 옛날이야기였다. 노인이 다시 간절하게 말했다.

"백 감독, 이걸 안 먹으면 죽을 수도 있어."

나는 아침부터 이게 무슨 소린가 싶었다.

"이걸 반드시 먹어야 해. 내가 두 숟갈 먹는 것 봤지. 절대로 몸에 해롭지 않아. 많이 먹을수록 좋지만 우선 한 순갈부터 시작하게."

이건 속으면 안 되는데 하면서도 알겠다고 대답했다.

"그럼 됐네. 나는 이만 가네."

그래서 물었다.

"그럼 제가 어르신에게 돈을 얼마 드려야죠?"

그랬더니 노인이 이렇게 말했다.

"야, 이거 봐라. 그럴 줄 알았어. 내가 장사꾼인 줄 알았지?"

사실 그렇게 봤다.

"백 감독 한국 와서 살면서 사기꾼에게 사기 많이 당했지? 나는 그런 사람이 아니야. 이거 10킬로그램 정도 되니 염려 말고, 조금씩 먹어도 좋으니까 반드시 먹게. 3개월 지나면 혈압이 내려갈 거야. 그 다음에는 더 내려가고. 돈은 생각지 말고. 3개월 지나면 변화가 있을 테니까 그때 연락하고 놀러오게."

그러면서 노인은 명함을 주고 갔다. 친구는 여전히 화가 나서 소리쳤다.

"요새 이상한 사람들이 얼마나 많은데. 당장 내다 버리세요."

나는 알았다고 했다.

그때 전원주택에 살았는데 집에 갖다놓고 그 할아버지가 두 스푼 먹었으니까 나는 한 스푼씩 먹어봤다. 소금을 먹고 나면 자꾸 물이 먹고 싶을 텐데 이 소금은 그다음 짠맛이 없었다. 신기해서 소금 전문가들에게 보여주고 소금 생산하는 데 가봤다.

측정기가 있어서 소금을 재보면 ORP라는 수치가 일반 소금은

+150, 300 나온다. 근데 이 인산죽염은 −150~−350 나왔다. 똑같은 소금인데 어떤 건−350이고 어떤 건 +200 나온다. 그럼 뭐가 달라도 다를 것이다. 하나는 그냥 파는 소금이고 다른 건 구운 소금이다. 아, 그럼 좋다. 그래서 쭉 먹었더니 혈압이 그때 160까지 내려갔다. 그 선에서 왔다 갔다 하더니 130대로 떨어졌다. 요즘은 운동까지 했더니 120~125로 정상이다.

내 친구 김 사장도 아주 좋아졌다. 이 친구와 거기서 아침에 만나서 같이 시간을 보냈다. 그렇게 매일 나를 보니 상태가 점점 좋아지는 걸 눈치챈 것이다. 내게 소금을 먹느냐기에 다 버렸다고 했다. 그러다 이실직고했더니 놀라면서 자기도 달라고 했다. 그래서 줬다. 비싸서 돈 받아야 한다니까 돈 준다고 했다. 이 친구가 자기 딸, 아내와 같이 먹었는데 다 좋아졌다. 그래서 지금도 소금을 사서 먹는다.

이렇게 소금을 먹으면서 병원에 정기검진을 하러 갔다. 그런데 데이터가 점점 달라지니까 의사가 이상하다고 생각한 것이다.

의사가 물었다.

"뭐 드십니까? 드시는 거 있으세요?"

차마 소금을 먹는다고 솔직히 얘기하지 못했다. 그러다가 몇 년 전에 말했다. 검사 데이터가 정말 좋게 나오니 더 숨길 수 없었다. 혈액도 거의 30대 정도로 나왔다. 의사는 몇천 명을 관리한 경험이 있는데 풍 맞은 사람이 이렇게 좋아진 데는 뭔가 있다는 걸 알아챈 것이다. 운동을 열심히 한다고 해도 풍 맞은 사람은 이렇게 낫지 않는다. 그래서 처음으로 고백했다.

"미네랄이라는 소금을 말씀 안 드리고 먹었습니다."

그랬더니 그런 게 있냐고 하는데 의사도 소금이 좋은 걸 아는 눈치였다.

이 소금이 미국에도 있다. 내 친구도 뇌경색으로 쓰러져서 미국에 있다가 나왔는데 미국에서도 이런 소금을 먹는다고 했다. 그러면서 나한테 보내왔는데 똑같은 것이 아니었나 싶다. 친구에게 인산죽염이라고 이야기했더니 이걸 먹으면 약이 필요 없다고 했다. 동물은 약초는 찾아먹지만 약은 먹지 않는다. 그런데 사람은 약을 먹어서 나으려고 하니까 문제가 생긴다. 사람도 원래 그런 식으로 살면 건강하게 잘살 수 있는데 고기 먹고 치즈 먹는 습관이 들면서 그렇게 되어버렸다.

사람의 위는 육식에 맞지 않는다. 고기를 맛있게 구워서 먹는데 위가 소화를 못 시킨다. 그럼 어떻게 되겠는가? 채소 같은 것은 먹으면 소화 돼서 나오는데 고기는 못 나오니까 대장에 차서 비만이 되는 것이다. 비만이 되면 모든 게 나빠진다. 그러니 우리가 음식을 바꿔야 한다. 친환경 유기농 제품이 많이 나오는데 그게 소화도 잘되고 몸에도 좋다.

사람의 몸은 균으로 이루어졌다고 볼 수 있다. 균이 모든 걸 해준다. 이 균에도 미네랄 같은 게 필요한데 우리는 그 반대로 다른 것만 먹는다. 몸 안에 무엇이든 들어오면 세포는 그중에 나쁜 놈을 이겨야 한다. 지면 병이 생긴다. 하지만 하루 이틀 먹어서는 안 되고 꾸준히 해야 좋아진다.

나는 소금을 20년쯤 먹다보니 많이 좋아졌다. 한 가지 예를 들면 소금 먹고 나서 혹 같은 게 없어졌다. 중·고등학생 때 뾰루지가 나면 그걸 짜가지고 딱딱한 게 남아 있었다. 벌써 50년 전 이야기다. 근데 이게 몇 년 전에 보니 없어졌다. 일본에서 맹장수술을 해서 꿰맨 자리가 딱딱했는데 이것도 없어졌다. 그래서 다시 한 번 이게 참 신기하구나 싶었다.

### 모든 일은 마음먹기에 달렸다

내가 얘기하는 것들 가운데 믿기 어려운 것도 있을 텐데 데이터가 다 있다. 이런 것은 실제 내가 건강하게 되면 증명된다. 사람은 나이를 먹으면 둔해진다. 걷는 것도 그렇다. 점점 더 걷다보니까 느껴졌다. 내가 이런 걸 해서 누구한테 보이려는 게 아니다. 나 자신이 건강을 유지해야 하겠기 때문에 한다. 주위 사람이 참고해서 따라한다면 그것도 좋다. 근데 우선 자기가 거기에 빠져야 한다.

수술해서 좋아졌다는 암환자들이 내 친구를 포함해 많이 있다. 의사들은 병을 치료하면서 정신적으로 좋은 이야기를 많이 한다. 치료해서 좋아지더라도 그걸 유지하려면 자기가 더 생각을 해야 한다. 그런데 좋아졌다니까 다시 나쁜 길로 빠진다. 사람은 중독되는 건 빠르다. 하지만 헤어 나오기는 힘들다. 근데 좋은 중독에 빠지면 안 빠져나와도 된다.

야구선수들 가운데도 안 되는 사람이 있다. 물론 부상이 있어서 그럴 수도 있지만, 일에 중독되면 쉽게 부상을 당하지 않는다. 일본에 있을 때 감독들이 그런 이야기를 했다. 정신이 다른 데 가 있기 때문에 다치는 거라고. 역시 어른들 말씀이 맞다. 정말 그것만 생각하면 딴 짓을 안 한다. 성적이 나쁘면 술이나 한잔하고 풀려고 하는데 술 먹어서 해결되면 다 술 먹지 누가 안 먹을까?

야구라는 것은 자기가 맨 위에 있다 하더라도 적이 있으니까 언제나 싸움을 해야 하는 게임이다. 한 놈이 더 세지면 그놈을 이기려고 노력해서 우위에 있어야 한다. 근데 일단 삐거덕하면 대부분 헤어 나오지 못한다.

장훈 선배하고 10년을 같이 있었는데 10년 동안 저녁을 같이 먹은 적이 열 번이 안 된다. 처음에는 장훈 선배가 오해를 했다. 교포 어른들과 저녁 먹자고 할 경우, 제일 힘든 게 나는 일류선수가 아니고 장훈 선배는 일류선수니까, 나는 안주 노릇이나 한다. 어떤 것이든 음식이 나오면 '잘 먹겠습니다, 고맙습니다, 감사합니다' 해야지 내가 먹고 싶은 걸 이야기하지 못한다. 그러면 내가 불편하다. 그럴 바에는 차라리 안 가는 게 낫다.

나는 어떤 일도 밤 9시를 넘기지 않는다. '먼저 가겠습니다' 하고 나온다. 장훈 선수는 저게 애인이 있나 했겠지만 그게 아니었다. 나는 운동하는 시간이 딱 정해져 있다. 그게 몇 번 반복되니까 이놈은 생각이 다르구나 했다. 그래서 다음부터는 나를 그런 데 데려가지 않았다.

목표가 야구이고 야구에 미친놈이 누가 뭘 준다고 해서 넙죽 받아먹고 따라다니지 않는다. 누구와 만나서 밥 먹을 때 내가 편하게 시켜서 먹을 수 있는 사람이 아니면 안 만난다. 가서 만나더라도 그런 사람은 내가 어떤 사람인지 아니까 "야, 너 먹고 싶은 거 시켜" 한다. 사

일본 롯데 오리온즈 시절 장훈 선배와.

람을 만나는 데 부담스러우면 안 된다. 그런 사람은 꼭 어디 가서 "내가 백인천이 밥 사줬다"고 떠들고 다닌다. 별거 아닌 것 같지만 그만큼 관리를 철저히 해야 한다.

좋은 선수가 되려면 제일 중요한 것이 프로로서 목적이 있어야 하고 중독되어야 한다는 것이다. 중독되려면 조심해야 할 게 있다. 술, 담배, 도박, 여자다. 근데 이건 어느 정도 유명해지면 따라다니게 되어 있다. 이런 건 적당히 컨트롤해서 야구에 지장이 없게 해야 한다. 그리고 결혼해야지 이걸 계속할 수는 없다. 어느 정도 목표를 세워서 달성하면 그땐 다른 목표를 세워야 한다.

나는 요즘 타이거 우즈를 눈여겨보고 있다. 타이거 우즈가 재기하느냐, 못하느냐 지켜보는데 또 다쳤다는 뉴스가 있었다. 전에는 타이거 우즈를 당할 사람이 없었다. 내가 봐도 집중력이 두려울 정도였다. 그런데 부인하고 문제 생기고 매스컴이 떠들면서 달라졌다. 중독에서 헤어 나온 것이다. 그게 사실 돌아오기가 상당히 힘들다. 타이거 우즈는 다시 중독이 될 거라고 생각하는데 어떨지 모르겠다.

일본에 처음 가서 프로로서 어떻게 해야 하는지 배웠다. 일본에서도 성적이 좋을 때는 텔레비전 인터뷰, 후원회 초대 등 바쁘다. 그렇게 시간을 뺏기다 보니까 훈련도 부족하고 몸도 맛이 간다. 그런데 시즌이 끝났는데 성적이 나쁘면 난 3일간 쉰다. 그리고 옷 갈아입고 매일 운동한다. 그러면 그다음에 성적이 좋아진다. 그렇게 하면 되는 걸 본능적으로 아는데 안 하는 것이다.

3할대 타자다 하면 어디 가든 축하한다는 인사를 받는다. 그럴수록 겸손해야 하는데 우쭐해하고 건방져져서 결국 고꾸라지는 것이다. 그러면 다시 어느 정도 초심으로 돌아가게 된다. 그런 것이 몸에 배어 있으니 한국에 와서도 할 수 있었다. 내 나이가 40대인데도 20대들이 나를 따라오지 못했다. 본래 그렇게 다져져 있기 때문에 가능한 일이었다.

나는 야구 프로로서 열심히 살아왔다. 그런데 쓰러지고 난 다음에는 야구도 돈도 다 필요 없었다. 그럼 어떻게 살까? 건강 전문가가 되자. 내 몸 아닌가. 건강프로가 되자. 프로라는 건 중독되는 것이다. 그럼 어떻게 해야 할까? 이 병이 왜 생겼는지, 어떻게 해야 낫는지 방법을 찾는 것이다. 살다보면 고비가 있는데 사람들이 이 고비를 못 넘긴다. 고비는 죽을 때까지 온다. 그걸 넘기다보니 갈수록 좋아지는 것이다.

나도 그동안 실망도 하고 도저히 안 되는구나, 정말 나는 끝났구나 싶을 때도 있었다. 일본에서 야구할 때도 나는 끝났구나 싶을 때가 있었다. 안 되겠다 싶어서 미국 가서 공부할까 싶기도 했다. 그만둬야지 하면서도 한 번만 더 해보자는 생각을 먼저 했다. 그러니까 되었다. 결국 마음먹기가 중요하다. 그렇게 하다보면 좋은 사람도 만난다.

# 수소

## 수소물 활용법

수소는 알게 된 지 얼마 안 됐다. 일본에서는 수소가 일반 사람들에게 상당히 알려져 있다. 일본인 친구가 있는데 이 친구가 일본에서 사업을 한다. 한국에서도 한다고 했는데 잘 안 되었는지 그만두었다. 그런가 보다 했는데 작년인가 우연히 후배가 수소에 대해서 아느냐고 물었다.

일본 오키나와의 무인도 산호초에 수소가 많이 포함되어 있다고 한다. 일본에서는 박사 세 사람만이 그 섬으로 갈 수 있지 다른 사람은 못 들어간다고 한다. 그걸로 수소 산호 캡슐을 만들어 팔았다고 한다. 7, 8년 전 그 친구가 한국에서 그걸 팔았다. 암환자가 주로 먹는데 값이 무척 비쌌다.

그런데 작년에 기박사라는 사람이 한국에서 수소를 연구해서 먹는 수소를 개발했다. 이걸 물에 넣어두면 자동으로 정화해서 수소가 발생한다. 그 물을 먹고 그 물로 씻고 하면 된다. 발을 수소물에 담그면 그 성분이 피부에 침투된다고 한다. 활성산소라는 게 생기면 몸에 해롭다고 하는데 산소가 수소하고 만나면 물이 된다. 그러니까 그게 몸에 들어가면 활성산소가 물로 배출된다는 이론이다.

일본도 그렇지만 중국에서 수소에 대한 반응이 대단하다. 중국 사람들은 원래 작은 병에 차를 넣어가지고 다니면서 마신다. 그런데 요즘에는 수소물을 가지고 다니며 마신다고 한다. 일본이나 다른 나라는 임상실험을 동물로 하는데 중국은 사람으로 하니까 데이터가 그대로 나온다. 그래서 데이터는 중국한테 못 당한다고 한다.

나도 한 열흘 체험했다. 수소물로 족욕, 반신욕, 전신욕을 하고 마셔도 보았는데 일단 발이 상당히 편해졌다. 그래서 계속 사용하게 되었다.

# 수소수 전문가 지은상 박사 인터뷰

**수소가 관심의 대상이 되는 이유는?**

수소는 지구상에서 가장 가벼운 물질이다. 우주가 대폭발하면서 가장 먼저 생긴 게 수소다. 수소는 동물이나 식물, 사람처럼 살아 있는 물체에만 있다. 수소결합이 끊어지면 돌연변이가 일어나고 암이 생긴다. 4개의 염기 중에서 고완이라는 염기가 끊어지면 발암물질로 바뀌는 것이다.

우리 몸의 구성요소 중 수소가 63퍼센트다. 식물이나 동물이나 사람이나 미토콘드리아에서 세포가 증식하고, 죽고, 살아나고 하는데 나이가 들면 그 기능이 떨어진다. 우리 몸에는 효소가 있어서 균형을 맞추는데, 나이가 들면서 효소가 떨어지니 산화가 많이 일어나면서 활성산소가 생긴다. 그러면 제일 먼저 외형에 변화가 온다. 얼굴에 주름이 생기고 눈이 침침해진다.

요즘 사람들은 비타민 C를 챙겨먹는데 비타민 C는 젊을 때 먹어야 효과가 좋다. 활성산소에도 좋은 활성산소와 나쁜 활성산소가 있다. 좋은 활성산소는 몸에 세균 같은 게 들어오면 면역력을 증강시키고 신진대사를 활발하게 하면서 세포증식에 이로운 일을 한다. 그런데 비타민 C는 그것을 같이 없앤다. 젊어서는 몸에 효소가 있어서 리커버가 되는데 나이가 들어서는 효소가 쭉 떨어지니까 활성산소를 좋은 것 나쁜 것 가리지 않고 같이 제거해버려 면역력이 떨어진다.

수소가 좋은 것은 나쁜 활성산소만 제거한다는 것이다. 1997년부터 세계 의학계에서 수소 관련 논문이 나오고 있다. 우리나라에서는 아직 수소에 대해 잘 모르기 때문에 검증 작업을 하고 있다. 손톱이 잘못 나는 것은 미네랄과 관련이 있지만 수소의 영향도 있다.

### 백인천 감독님은 어떻게 만나게 되었나?

백 감독님은 지인 소개로 처음 만났다. 감독님이 워낙 건강에 관심이 많으시다. 감독님이 여기 와서 처음 해본 것이 수소 각탕기다. 그다음 날 일어나니까 발이 가볍고 좋다고 그다음 주에 또 오셨는데 그게 시발점이 되었다. 그다음 물을 만들어서 마시니 몸이 가벼워지고 머리가 맑아지는 걸 직접 느끼면서 계속 애용하고 계시다.

### 수소수를 어떻게 만드나?

감독님은 수소볼로 수소수를 만들어 사용하신다. 저녁에는 각탕을 하고, 요리하거나 몸을 씻을 때 이 물을 사용하신다. 물을 받아서 수소볼을 5분에서 20분 정도 넣어둔다. 그럼 그 물은 용정수소가 0.6ppm 정도의 수소수가 된다. 거기에 채소나 과일을 담그면 몸에 유해한 성분이 제거되고 신선도가 오래 유지된다. 고기를 담가두면 잡냄새를 없애주고 고기의 탄력이 좋아진다.

수소수로 각탕을 하면 첫째, 수소가 피부에 침투해 혈관에 들어가 혈액 흐름을 개선해주고 혈관의 긴장도를 높여준다. 그래서 혈액순환 속도가 빠르게 된다. 둘째, 수소가 혈액을 끈끈하게 하는 물질을 중화해 피를 맑게 해준다. 셋째, 활성산소를 부작용 없이 합리적으로 제거해준다. 그로써 미토콘드리아의 활성도가 높아져 체온이 0.1도에서 1도 정도 높아진다. 그래서 몸 전체가 따뜻해지는 느낌이 든다. 발이 가벼워지고, 아팠던 허리가 나아지는 느낌을 받을 수 있다.

감독님은 부러졌던 다리가 계속 불편했는데 그게 최근에 와서 부쩍 좋아졌다. 그 이유 중 하나가 각탕을 하고 수소수를 마시면서 체내에 손상된 조직들이 빠르게 복구되었기 때문이다.

**수소가 혈액을 맑게 해주고 뇌경색에도 효과가 있다고 하는데**

뇌경색은 혈관이 막혀서 피가 흐르지 않아 일부 조직이 활동이 늦어져서 조직이 손상되는 것이다. 그럴 때 조직이 신호 연결고리가 맞지 않아서 조직을 회복하는 데 문제가 있다. 그런데 수소분자는 아무리 좁은 공간이라도 침투가 된다. 그로써 뇌경색, 알츠하이머, 파킨슨, 치매 같은 데서 정상으로 돌아오는 데 도움을 많이 준다.

백 감독님을 가까이에서 보았는데 처음에는 지팡이를 짚고 다니셨고 그다음에는 쩔뚝쩔뚝하셨다. 물론 고관절에 문제도 있지만 뇌의 영향을 받아서 그렇다고 판단했다. 감독님이 좋아지는 것을 보면서 살아 있는 샘플이 되겠구나 싶었다. 감독님은 다른 방법도 하셨으니 이것 덕분에 좋아졌다고 확실히 얘기는 못하지만 수소를 사용하고부터 몸이 가벼워지고 머리가 맑아졌다고 하셨다.

일본 의과대학에서 생쥐 실험을 했다. 생쥐의 뇌를 손상시킨 다음 수소수를 먹인 쥐와 먹이지 않은 쥐를 비교했더니 수소수를 먹은 생쥐의 뇌세포 복구 속도가 매우 빠른 걸로 나왔다. 뇌의 80퍼센트가 복구되었다. 미로를 만들어놓고 쥐를 보내 인지능력을 실험해보면 일반 쥐는 미로를 찾아가지만 뇌가 손상된 쥐는 찾아가지 못한다. 그런데 수소수를 먹이니까 쥐가 미로를 찾아갔다.

잇몸에 염증이 잘 생기고 입냄새가 나고 이가 자주 시리고 아픈 사람들은 수소수를 1~2분 머금었다가 마시기를 평상시 가글하듯이 일주일 정도 하면 본인이 느낄 정도로 염증이 가라앉는다.

### 우리나라에서 수소는 어떻게 인식되어 있나?

우리나라에서 수소는 식품첨가물로 되어 있다. 2007년부터 수소를 이용해 생활에 필요한 여러 가지 상품을 본격적으로 개발했다. 그런데 중요한 건 수소를 어떻게 할 것이냐다. 수소는 기체, 액체, 고체 형태가 있다. 이를 어떻게 인체에 사용할 수 있느냐가 문제다.

첫째, 수소는 가스 상태로 흡입할 수 있다.

둘째, 수소는 용해해서 먹을 수 있다. 우리는 이것을 수소수라고 한다. 그리고 주사로 접적할 수 있다. 이것은 식염수에 용해해서 쓰는 것이다.

셋째, 수소는 연고처럼 바를 수 있다. 우리나라에서 수소가 쓰인 역사는 그렇게 길지 않다. 1998년쯤 현대자동차에서 수소연료전지를 이용한 수소자동차를 만들었다.

그럼 수소는 대기 중에 있을까? 우주에 가면 90퍼센트가 수소이지만 지구의 대기에는 물에 수소가 존재한다. 간에서 알코올을 해독하는 것이 바로 수소다. 우리 몸에 무슨 수소가 있느냐고 하겠지만 장에서 각종 세균이 수소를 만들어서 간으로 가져간다. 술을 마시면 젊어서는 금방 깨는데 나이가 들면 해독능력이 떨어져서 술을 많이 못 마신다. 간에서 해독을 못하면 그 독들이 몸에 돌아다니면서 활성산소가 늘어난다.

### 좋은 활성산소와 나쁜 활성산소가 있다고 했는데

수소는 간에서 제일 많이 쓴다. 우리는 하루에 산소를 약 540리터 쓰는데 여기서 2~5퍼센트, 즉 7~8리터가 활성산소가 된다. 활성산소의 균형을 맞춰주는 게 체내효소다. 체내효소가 모자라면 밖에서 공급해야 하는데 가장 좋은 방법은 과일이나 채소를 많이 먹는 것이다.

백 감독님은 다리를 많이 써서 퇴행성관절염도 왔지만 관절이 제일 먼저 상한다. 그래서 걸을 때마다 뼈가 부딪쳐 아프다. 결국 관절이 아픈 것도 활성산소 때문이다. 뇌출혈 같은 것도 활성산소 때문에 순간적으로 쇼크가 오면서 일어난다. 그래서 뇌출혈은 남자들에게 많이 생긴다.

여자들에게는 유방암이 많이 생긴다. 나이가 들수록 유방을 마사지해줘야 한다. 활성산소가 유방에 가장 많이 생기고 몽우리가 전이 되기 때문이다. 그래서 유방암이 40대 후반에 많이 생긴다.

어느 날 갑자기 얼굴이 칙칙하다고 느껴질 때가 있다. 활성산소 때문이다. 그래서 활성산소를 잡는 수소화장품이 나왔다. 수소는 햇빛에 활성산소가 생기면 없애준다. 또한 수소는 항알레르기여서 가려운데 바르면 가려움이 없어진다. 그래서 아토피 치료에도 많이 쓴다. 수소는 직효성이 있고 항염증작용을 한다. 또 뇌에 있는 활성산소까지 제거할 수 있다. 비타민 C는 수용성인데 수소는 수용성·지용성 가리지 않는다. 그래서 몸 구석구석을 다니면서 활성산소가 있으면 결합해서 물로 만든다.

### 수소 관련 산업의 발전 현황은

수소는 공산품이 별로 없다. 의학이 발전하려면 공학이 발전해야 한다. 의사들이 해볼 수 있게 물건들을 만들어주어야 한다. 수소에는 여러 가지 효과가 있다. 수소커피를 마시면 한 잔, 두 잔 마시는 게 아니라 한 사발 마셔도 우울증이나 불면증이 없고 속이 편하다. 수소가 진피층까지 들어가므로 수소를 많이 쓰면 잔주름이 없어진다. 청국장에 수소를 넣으면 냄새가 없어진다. 수소는 소금의 불순물을 깔끔하게 없애준다.

식물도 활성산소에 의해 열매가 썩고 잎사귀가 변색되고 죽는데 수소수를 주면 죽지 않는다. 폐수도 깨끗해진다. 수족관에 수소만 넣어놓으면 깨끗해지고 고기도 팔팔하다. 말기암에 수소수를 먹으면 낫기가 쉽지 않겠지만 초기인 사람들은 쾌유하는 데 효과가 있다.

병원에서도 산소나 질소를 사용하듯이 앞으로는 수소를 사용할 것이다. 여자의 경우 족욕이나 좌욕을 하면 난자의 노화를 막는 데 좋다. 수소가 만병통치는 아니지만 의학적으로 규명되어 있는 부분이 많다.

# 효소음식, 발효음식

### 좋은 미생물을 응원하자

소금을 먹다보니 소금과 관련된 발효음식이 여러 가지가 있었다. EM(Effective Micro-organisms, 유용미생물)이라고 좋은 미생물을 만든 게 있다. 이 EM회사에서 초청해서 사천에 갔더니 대학교수가 많이 와 있었다.

전에 국회의원하던 강기갑이라는 분이 있다. 강 의원이 지금 사천에서 매실농장을 크게 하고 있다. 이분이 전에 텔레비전에서 거친 모습을 많이 보여줘서 좋지 않게 생각했는데, 거기에 있었다. 이분이 먼저 인사를 건넸다.

"감독님, 오셨습니까?"

"네. 안녕하세요?"

나도 따라서 인사를 했다. 근데 강 의원이 내가 자기를 좋아하지 않는다는 것을 눈치챘다.

"저는 감독님을 잘 알고 있지만 감독님은 저를 좋지 않게 생각하실 겁니다.”

그래서 물었다.

“아니, 왜요?”

그랬더니 자기는 농사꾼 집안에서 태어났고 아버지가 예전에 머슴이었다고 했다. 지게나 지고 소나 끌고 다니면서 농사지었는데 그 밑에서 자라서 배운 것도 없다고 했다.

그러다 농민들이 살기 어려운데 국회에 나가 할 말 좀 하라고 부추기니까 그래야겠다 싶어 7년 정도 국회의원했는데 헛일했다는 것이다. 국회의원들이 농민을 위해서 일하겠다는 말은 선거 때만 떠들고 다닌다고 했다. 선거가 끝나면 국회의원들이 국민은 몰라라 하고 전혀 협상을 안 하니 혼자 싸움하다 그렇게 되었다고 했다. 자기가 그때 국회의원을 안 했으면 농사를 더 크게 했을 텐데 헛일했으니 이제라도 열심히 하고 있다고 했다. 그러다가 EM까지 만났다면서.

EM은 일본 오키나와의 키가 하루오라는 사람이 개발했는데, 이 사람은 돈을 어마어마하게 벌어들이고 있고 전 세계를 다닌다고 했다. 여기 미생물 박사가 이 사람 이야기를 직접 듣고 싶다고 했다. 그래서 오키나와에 친구가 있으니까 같이 갔다. 친구가 비행장까지 마중 나왔다.

“백 감독, 시즌도 아닌데 웬일이야?”

그래서 다짜고짜 물었다.

“키가 하루오라는 EM 박사가 있다는데 아냐?”

“백 감독이 어떻게 그 사람을 알지?”

"그 사람이 누군지 모르지만 만나고 싶어서 왔어."

그런데 알고 보니 내 친구와 그 교수가 고등학교 동창이었다. 그래서 그 친구가 교수에게 전화했는데 하필 지방에 있었다. 그러면 다음에 만나자고 했다. 그 교수도 내가 야구선수라는 걸 안다고 했다.

오키나와에는 EM호텔이 있다. 거긴 물이나 우유는 물론 음식도 채소도 다 EM을 적용한다. 우리나라에서는 서 박사라고 카이스트 EM 박사가 먹는 EM을 만들었다. EM을 나무에 주면 나무가 어마어마하게 자란다. 보통 꽃을 1년에 한 번밖에 안 피우는데 EM을 주면 세 번까지 피운다.

제주도의 하천이 썩어서 엉망이었는데 다 살아났다. 거기 사는 사람이 하천에 우연히 EM을 뿌렸는데 이게 균이니까 번식을 했다. 그러니까 하천이 살아나서 고기들이 다시 올라왔다. 제주도는 EM이 상당히 활성화되었다. 이걸 하수도에 뿌리면 냄새를 싹 없애준다.

알고 보면 우리 조상들은 예전부터 좋은 미생물을 쓰고 있었다. 옛날에 집에서 엄마들이 쌀뜨물을 버리지 않고 돼지, 소에게 주고 그랬다. 밥 먹고 난 찌꺼기도 같이 섞어서 주었다. 김치에는 유산균이 있는데 이 유산균이 쌀뜨물과 매치된다. 그래서 활성화된 걸 소나 돼지에게 먹였다.

그때도 지금처럼 동물병원이 있었는지 모르지만 동물이 병에 잘 걸리지 않았다. 예전부터 EM이 뭔지는 모르지만 자연히 쓰고 있었던 것이다. 그러다 일본에서 제품으로 개발돼서 온 것이다. 원래 EM이 조금 콤콤한 냄새가 난다. 근데 그걸로 양치도 하고 먹기도 하는데 입냄새가 없어진다.

강 의원이 그 세미나에 꽤 큰 박스를 가지고 왔다. 앞에 놓길래 뭔가 궁금해하는데, 자기가 보여줄 게 있다면서 박스를 열었다. 강 의원이 내게 물었다.

"이게 뭔지 아십니까?"

가까이 가서 보니까 소똥이었다. 이 소똥을 한 시간쯤 전에 갖다 놨다는데 그런 사실을 아무도 모를 만큼 냄새가 나지 않았다.

"제가 매실농장에서 젖소를 3마리 키우는데 이놈들이 여기저기 싼 똥을 따끈따끈한 걸로 가지고 왔습니다."

강 의원이 설명을 해주었다. 소한테 EM을 먹여서 똥냄새가 안 난다고 했다. EM의 좋은 미생물이 똥으로 배출되면 땅에 떨어져 자연 거름이 된다.

"우리 농장에서는 지렁이하고 땅강아지밖에 안 나옵니다. 그래서 제가 EM에 빠졌습니다."

박사 이야기를 들으니 미생물도 좋은 미생물과 나쁜 미생물이 있다고 한다. 나쁜 미생물이 많으면 썩는 것이다. 발효, 효소도 다 미생물이다. 좋은 미생물이 나쁜 미생물을 잡아먹고 강해지는 것이다.

재미있는 게 있다. 좋은 미생물이 몸에 들어가면 나쁜 미생물과 싸운다고 한다. 그 중간에 해바라기균이라고 중립 성격의 균이 있는데, 이놈은 가만히 보고 있다가 강한 놈한테 달라붙는다고 한다. 그럼 그 균이 더 커져서 상대 미생물을 완전히 없앤다는 것이다.

### 건강도 차곡차곡 챙겨야 한다

사람은 배꼽 밑의 단전과 하체가 약하면 병이 생긴다. 그래서 나는 요즘 체력단련을 하려고 하체운동을 많이 한다. 나이 먹으면 하체가 약해진다. 게다가 다리가 부러져서 한동안 운동을 못했다. 지금은 많이 회복되었지만 아직도 운동을 하면 뻐근한 곳이 있다. 그걸 회복하려면 계속 운동을 해야 한다.

뭐든 급하게 하지는 않는다. 건강을 관리한 경험이 있으니까 시간이 걸려야 한다는 걸 잘 안다. 건강을 챙기는 것은 복사용지를 한 장 한 장 쌓는 것과 같다고 생각한다. 종이를 어느 정도 쌓으려면 시간이 상당히 걸린다. 그렇다고 한번에 쌓으려고 하면 안 된다. 요새 속도 경쟁이 치열한데 그게 오히려 문제가 많다.

요즘 사람들은 옛날 사람보다 약하고 느끼지 못하는 게 있다. 똑같이 100년을 살더라도 요샌 의술이 좋아서 오래 살지만 그건 자연적으로 오래 사는 것과는 다르다. 살 거 다 살았으니 언제 죽어도 상관없다고 하지만 그런 사람일수록 아프면 살려달라고 한다. 강하게 보이려고 마음에도 없는 말을 하지만 죽는 거 좋아하는 사람이 어디 있겠는가.

# 건강하게 사는 것이 최고!

### 건강에도 선택과 집중이 필요하다

건강법을 선택할 때 다른 사람 치료 사례를 보고서 찾아가 만난 적도 있다. 내가 가서 보고 판단한 뒤 써보곤 했다. 열 사람 중 몇 사람이 자기도 해볼까 하는데 내가 해본 것은 절대 부작용이 없다. 본인이 얼마나 끈기가 있느냐가 문제다. 예를 들어 일본 사람들은 소금으로 담근 김치를 보고 놀라워했다. 자기네 소금과 다르고 오래 가니 당연했다. 한방 보약도 실제로 먹어보아야 안다.

전에는 봉침도 꾸준히 맞았는데 요새는 잘 안 맞게 된다. 놀러갈 때나 맞고 봉침 선생님과 가끔 통화는 한다. 이 선생님도 참 좋은 분이다. 이 선생님은 중국에 가서 봉침 기술을 알려주고 있다. 그러면서 환자들을 무료로 치료해준다. 중국시장은 어마어마하니까 그걸 바라보는 것이다.

사실, 나도 처음부터 이런 걸 알았던 것은 아니다. 병원에서 나온 뒤 의지할 곳은 없고 살아날 길이 막막했으니 고민이 많았다. 그런데 침놓는 걸 느껴보니까 자신이 생겼다. 이걸 집중적으로 하면 좋아질 거라는 판단이 섰다. 그랬더니 정말 5년 뒤 좋아졌다. 완벽하진 않았는데 왜 그럴까 또 고민했다. 혈을 보는데 찌꺼기가 꽉 차 있었다. 그럼 어떻게 할까 하다가 음이온을 만나고 소금을 만나면서 조금씩 변하니까 빠져든 것이다. 개중에는 그런 사람이 있다.

"이거저거 하다 보니 뭐 땜에 나았는지도 모르시죠?"

하지만 그건 고쳐가는 과정이었다고 생각한다. 그것이 아귀가 서로 잘 맞아 매끄럽게 연결된 것이다.

그리고 한 가지를 결정했을 때 '이거다' 했으면 뭐를 가져와도 끝을 보았다. 침으로 끝까지 해서 효과를 본 다음 소금을 만났을 때도 끝까지 가서 효과를 보았으니까 두 가지 방법이 나왔다. 그리고 다음 방법을 찾았다. 하다 말면 안 한 것만 못하다. 결판을 지어야 한다. 기본적으로 뭐든 금방은 안 된다는 걸 알아야 한다. 노력한 만큼 대가가 나오는 법이다. 그런 것이 야구할 때부터 습관이 되어 있다. 야구도 자기가 연습해야 하는 것 아닌가.

가끔 그때 사무실에 소금 노인이 찾아오지 않았으면 내 인생이 또 어떻게 되었을까 생각한다. 그러고 보면 인생에는 때가 있는 것 같다. 그날 사무실에 안 나갔으면 어떻게 되었을지 모른다. 한 시간 늦게 갔으면 또 어떻게 되었을까?

6·25전쟁때 부산으로 피난 가서는 김밥장사를 했다. 사실 팔아야 하는데 먹고 싶을 때가 많았다. 하지만 김밥이 다 팔리면 그게 정말

좋았다. 신문을 팔 때는 "신문입니다" 하면서 다녔다. 구멍 난 신발을 신고 말이다. 신문은 그날이 지나면 끝나니까 그날 다 팔아야 한다.

그러다 한 번은 지금의 포장마차 같은 곳에 갔다. 거기서 술을 먹고 있는 아저씨들한테 신문을 팔았다. 그중 한 사람이 그 당시 국제신문사의 높은 사람이었다. 그래서 신문을 사달라고 했더니 다 사줬다. 신나서 다 넘겨주고 돈을 받고 나왔는데 문득 저분이 저걸 왜 다 샀을까 하는 생각이 들었다. 저 사람은 내가 불쌍해서 다 사줬다고 느꼈다. 근데 우선 다 팔았으니 좋았다. 쾌감이랄까, 그런 걸 어렸을 때부터 느끼며 살았다.

또 구두닦이, 신문배달을 하면서 계단을 뛰어다녔다. 그게 야구 인생에 도움이 되었다고 본다. 남산의 계단도 그렇다. 안암동 살 때는 매일 뒷산을 넘어 학교에 다녔다. 버스 타면 너댓 정거장인데 가방을 들고 걸어가면서 사람이 없으면 스케이트 타는 것처럼 언덕을 타고 넘었다. 아무도 그렇게 하라는 사람이 없었는데 그게 나한테 상당히 도움이 되었다.

안암동 마당에 타이어를 달아놓고 방망이로 치고 그랬다. 그때는 타이어를 구하기 힘들었는데 내가 어디선가 주워서 끌고 왔다. 나무에 매달아놓고 치면 소리가 좀 났다. 그 방망이에도 파이프를 구해서 끼운 다음 휘둘렀다. 그게 1959, 1960년이었다. 그때는 그런 것이 없었고 아무도 그렇게 하지 않는데도 그런 생각을 했다. 나중에 한 친구가 일본에 가니 파이프를 끼우고 휘두르더라고 알려주었다.

나는 무슨 일이든 시켜서는 절대 안 한다. 나 스스로 해야 한다.

스스로 하고 나서 나름대로 쾌감이랄까 만족감을 느꼈다. 그것이 중독되는 느낌이 되었다고 본다. 그러니까 시합으로 다른 선수들보다 뛰어나다고 인정받은 것이다.

건강도 야구하고 똑같다. 분명 이거다 하면 그렇게 되었다. 그게 미치고 중독되는 것이다. 중독되지 않으면 안 된다. 그래야 상대방도 나한테 모든 것을 준다. '소금에는 이런 효과가, 음이온에는 이런 효과가' 하는 걸 아니까 자신 있게 할 수 있었다. 나이 먹어서 사람들 이런 저런 이야기하는 것 들어보니, 그리 아등바등하며 살 필요가 없다는 생각이 들었다. 그저 건강하게 사는 게 가장 중요하다.

심기체는 야구를 하는 데는 물론 모든 일을 성공하려면 가장 중요한 것이다.
마음가짐을 솔직하게 하고 프로선수가
어떤 마음으로 야구를 해야 하는지 이해해야 한다.

# 0
# 연장전

# 연장전

이 글은 강연에서 발표한 자료를 정리한 것이다.

## 건강전도사
## **백인천**

### 나의 건강

1996년 뇌경색으로 쓰러져 병원에서 투병생활을 했다. 그 당시 앞으로 살아가기 위하여 어떻게 해야 하는지 엄두가 나지 않을 정도로 앞날이 캄캄했다. 아무것도 필요치 않고 오직 건강 회복만 생각하면서 살아왔다.

주변 사람들의 도움을 받아가면서 건강 회복에 좋다는 것은 하나도 마다하지 않고 받아들였다. 그것이 얼마만큼 도움이 될지는 모르지만 잘 생각해가며 내게 맞는다고 판단되면 받아들였다. 물론 맞지 않는다는 느낌을 주는 것도 많았지만 결과는 자기 몫이다.

나 자신을 위해 스스로 선택한 만큼 믿고 시도해보았다.

- 미네랄소금
- 어혈을 풀어주는 한방약
- 개똥쑥으로 만든 엑기스(백혈구 증가)
- 전립선을 보호하는 한방약

이런 여러 가지 건강식품을 복용해온 것이 효과를 보았다고 생각하며 지금도 꾸준히 복용하고 있다. 나는 양약이 내게 안 맞는다고 생각한다. 가능한 한 한방, 특히 자연식품인 약초, 효소식품, 발효식품을 우선으로 믿고 오직 그것을 주로 생활식품으로 하고 있다. 조미료와 농약 등을 철저하게 점검하면서 가능한 한 자연 그대로의 식품을 섭취하고 있다. 육식도 될 수 있으면 줄이고, 지방은 생선에서 섭취하며, 채소, 해산물, 해초류, 콩류, 견과류 등을 먹으려고 한다.

인간이 건강하게 살아가려면 가장 중요한 것은 혈액이다. 몸속 혈액이 깨끗하면 건강한 몸으로 모든 병에서 벗어나 행복한 삶을 누릴 수 있다. 그만큼 혈액이 중요하다. 따라서 어떻게 하면 혈액을 깨끗하게 할 수 있을지 신경 써야 한다.

혈액을 맑게 하려면 식생활이 가장 중요하다. 생활수준이 많이 좋아지다 보니 음식문화도 바뀌고 먹는 것에 중독되고 있다. 입맛 자체가 조미료에 적응되면 몸에 해로운 것도 적응되어 점점 더 심해지는데 이건 아주 심각한 문제다.

기름진 고기맛, 짜고 단맛, 고소한 맛 등은 인체에 아주 좋지 않은 맛이라는 것을 알아야 한다. 이 모든 것은 혈액을 나쁘게 하는 음식물이다. 혈액에 들어가면 혈액을 걸쭉하게 하고 혈관까지 엉기게 하며 혈액순환을 악화시켜 결국 혈관이 막혀버리게 한다. 과식하지 말고 몸에 해로운 음식을 폭식하지 말아야 한다.

자연식품을 많이 섭취하여야 한다. 농약을 사용한 식품은 피하고 가능한 한 자연식, 특히 효소식품이나 발효식품을 많이 먹어야 한다. 음식문화가 발전하다 보니 짜고 단 음식이 많아졌다. 우리 입맛도 거기에 길들여져 그런 음식을 선호하게 된다. 그것이 우리 몸을 망치는 원인이다.

1996년 6월 삼성 라이온즈 감독으로 있을 때 뇌경색으로 쓰러져 삼성병원에 입원하게 되었다. 앞이 캄캄해지면서 앞으로 이 병이 회복될지 참으로 막연한 생각뿐이었다. 모든 것을 운명에 맡겨야 하나 생각하다가 문득 떠오른 것이 있다. 지금 이 상태로 지나는 것보다 새로운 무언가를 찾아 도전해보고 포기를 해도 해야 하지 않겠는가 싶었다.

나는 지금까지 평생을 야구 하나만 생각하며 살아왔다. 오직 프로야구선수로 살아왔고 인생의 모든 시간을 프로선수로 살아왔는데 지금 건강을 잃고 나서 무슨 생각을 하겠는가? 앞으로는 건강 하나만 생각하면서 오직 건강 회복을 위하여 살아가면 된다. 건강 회복을 위하여 건강프로가 되기로 결심하자. 건강생활 하나만 생각하자. 건강프로가 되어보자. 이런 생각으로 버티고 결국 이겨냈다.

# 진정한 프로는
# 심기체心技體가 일치되어야 한다

- 많은 지식(하고자 하는 분야)을 알아야 하고
- 그것을 달성하기 위하여 많은 노력을 해야 하고
- 많은 경험을 해야 한다.

경험을 하다보면 실패도 하게 되지만 그것을 두려워 말아야 한다. 실패하더라도 그 또한 좋은 경험이 된다. 건강프로가 되기로 결심하면서 내 인생도 변하기 시작했다. 다시 한 가지 일에 중독자가 된 것이다. 그동안 야구 중독자로 살아왔으니 그 경험을 바탕으로 건강프로, 건강 중독자로 변할 수 있었다.

이 세상을 살아가기 위해 많은 일을 해야 하지만 모든 일이 뜻대로 되기는 어렵다. 그중 한 가지를 선택해 그것을 얼마만큼 자기 것으로 만드냐가 중요하다. 모든 것을 버리고 오직 한 가지 일에만 집중하고 모든 시간을 그 일에 투자하면 많은 경험을 하면서 좋은 결과를 얻게 된다. 그리고 조금씩 원하는 것을 얻게 된다.

어떤 것을 진정한 프로라고 할 수 있을까? 먼저 프로란 무엇이며 아마추어와 다른 점은 무엇인지 알아보자. 프로는 야구에 대한 지식과 경험이 많아야 하며, 무에서 유를 만들 수 있어야 한다. 프로는 져서는 살아남지 못한다. 계속 못 치고 범타만 하면 그 타자는 다음 시합에 나갈 수 없다. 그런 선수는 팀에서 필요 없다.

시합에 못 나가게 되었을 때 감독이 자기를 싫어해서 시합에 안 내보낸다고 생각하는 선수들이 있다. 현재 자기 실력을 모르고 그렇게 판단하는 선수가 간혹 있다. 잘하는 선수를 안 쓰는 감독이 어디 있겠는가? 그런 감독은 오래 못 가서 팀을 떠나야 한다. 잘하는 선수를 안 쓰면 팀은 이길 수 없기 때문이다.

프로선수는 어떤 자세를 갖고 있어야 하는가? 심기체心技體가 일치되어야 한다. 심기체는 야구를 하는 데는 물론 모든 일을 성공하려면 가장 중요한 것이다. 마음가짐을 솔직하게 하고 프로선수가 어떤 마음으로 야구를 해야 하는지 이해해야 한다.

심기체에서 심心은 올바른 마음을 갖고 목표를 세워 그것을 달성한다는 굳고 강한 마음, 절대로 변하지 않는 강한 신념을 말한다. 심을 이루려면 모든 것을 버리고 오직 야구에만 정력을 쏟아야 한다. 일상생활도 우선 야구를 앞에 놓고 할 수 있는 마음을 가져야 한다. 야구에 어떤 도움이 되고 마이너스가 되는지 솔직하게 판단해야 한다. 사람은 다른 사람에게는 거짓말을 할 수 있지만 자기 자신에게는 할 수 없다. 자기 자신에게 거짓말하는 선수는 그 순간부터 프로로서 자격이 없다.

야구선수가 야구하다가 그만두고 사회에 나가면 무엇을 하겠는가? 50퍼센트 이상은 어렵게 살고 있다. 여러 직업을 갖겠지만 그중에는 사기꾼도 많다. 이것은 프로야구 구단에서 20년간 통계를 낸 결과다. 그렇다면 왜 그럴까 생각해볼 필요가 있다. 현역 시절에 야구에 모든 것을 쓰지 않고 편하게만, 특히 적당주의로 살아왔기 때문에 야구가 속임수가 되었기 때문이다.

선수 시절에 야구를 편하게 하면서 속임수만 배워 사회에 나가면 달리 배운 것이 없기 때문에 야구에서 배운 속임수를 이용하게 된다. 이렇게 되면 사기를 치게 되고 결국 사회에서도 버림받게 된다. 특히 야구는 솔직하게 연습해야 한다. 그러기에 솔직한 마음이 제일 중요하다.

심기체에서 기技는 야구를 잘하기 위한 기술을 말한다. 기술을 터득하려면 상당한 노력이 필요하다. 여기서 노력이란 말로 하는 것처럼 간단한 것이 아니다. 노력에서 노努자는 계집 여자 옆에 일본말로 하면 마다, 즉 우리가 얘기하는 사타구니 사이에 힘력 자가 노력 노자다. 그럼 이 노자를 설명해보자.

어머니 뱃속에서 태어날 때 어머니의 어디서 나왔는지 모르는 사람은 없을 것이다. 어머니 자궁을 뚫고 나온다. 그때 몸 크기, 특히 머리 크기를 생각해보면 그 고통이 얼마나 심할지 상상할 수 있을 것이다. 자궁이 파열되어 생기는 고통은 이루 말로 표현하기 어렵다. 그런 것을 참고 어머니는 아기를 이 세상에 태어나게 해주셨다. 그 참을 수 없는 고통을 견디면서 오늘까지 키워주셨다. 그러기에 노력의 노자는 어머니가 아기를 이 세상에 나오게 하기 위하여 자궁이 파열되어도 참은 것을 나타낸다.

태어날 때는 어머니의 고통을 모르니 성장하면서 그것을 배워서 열심히 노력하라는 것이다. 노력 노자는 그런 고통을 참지 않으면 안 된다는 것이다. 어머니의 고통만큼 참고 노력하면 무슨 일이든 할 수 있다. 그런 참을성을 갖고 연습하면 최고의 기술을 터득할 수 있다. 이것이 기를 말하는 것이다.

마지막은 체體다. 체는 체력을 말한다. 즉 기술을 몸에 익히려면 강한 체력이 안 되면 할 수 없다. 이것도 기량을 갖추기 위하여 참을성과 노력이 상당히 필요하다. 체력이 강해야만 연습을 많이 할 수 있다. 체력 강화운동을 하려면 상당한 노력을 들여야 한다.

심기체가 100퍼센트 갖추어졌을 때 진정한 프로가 될 수 있다. 하고자 하는 야구 외의 일을 생각해서는 안 된다. 오직 야구 하나만 생각하며 살아야 한다. 야구 하나에 중독자가 되어야 한다. 이런 각오가 되지 않으면 시작도 하지 말아야 한다. 사람에 따라서 다르겠지만 자기가 하고자 하는 목표를 이루려면

- 무엇보다 하고자 하는 일을 좋아해야 한다.
- 그 일을 하기 위하여 모든 것을 버리고 그 일에 미쳐야 한다.
- 그 일에 빠져 미쳐버리려면 그 일에 중독되어야 한다.

이 세 가지를 꼭 실천한다면 꿈을 이룰 수 있다.

좋아하고 미치고 중독되자. 이런 각오를 갖고 하기가 쉬운 일은 아니다. 그러나 이 세상을 살아가기 위해 해야 할 길이 아닌가 생각한다.

프로 생활을 잘하면 돈을 많이 벌어 노후에 행복하게 살 수 있다. 다시 한 번 자신을 돌이켜보고 자신을 진정한 프로라 할 수 있는지 생각해보자. 지금 마음먹기가 중요하다. 야구 외에 더 중요한 것이 있는 선수는 그 길로 가는 것이 좋다. 사람은 두 가지를 동시에 할 수 없다. 프로선수에게 제일 중요한 것이 무엇인지 잘 알 것이다. 그렇지만 한 가지를 하면 다른 것을 잃게 되고 다른 것을 하면 야구를 못하게 되니 야구선수라면 야구를 택해야 맞다.

어머니의 고통을 생각한다면 야구를 위해서 모든 것을 버려야 한다. 야구는 시기를 놓치면 할 수 없다. 젊은 사람은 무한한 가능성을 갖고 있다. 그것을 지금 하지 않으면 훗날 후회하게 된다. 젊음은 잠깐이다. 그 젊음을 어떻게 보내는가에 따라 자기 인생이 결정된다.

나이를 먹으니 다시는 현역으로 뛸 수 없다. 후배들이 선수생활을 하는 데 조금이나마 도움이 되었으면 하는 바람으로 과거 경험을 들려줄 뿐이다. 진정한 프로선수는 다른 사람들과 모든 것이 달라야 한다. 누가 보아도 역시 프로선수는 다르구나 하는 것을 보여줘야 한다. 생활도 변화가 있어야 한다. 올해를 작년과 똑같이 보낸다면 그 선수는 올해도 크게 기대할 것이 없다.

야구를 중심으로 변화하려고 모색해야 한다. 프로야구선수는 야구가 생명이다. 야구를 생각하지 않는 생활은 있을 수 없다. 따라서 사생활에 변화가 없으면 야구도 변할 수 없다. 야구를 중심으로 한 생활에서는 야구가 먼저라는 것이다. 말은 쉽지만 실천하기 힘들고 재미없다. 그러나 그것을 참지 못하면 좋은 선수가 될 수 없다. 지나고 나면 잠깐이지만 과정은 힘들고 지루하다. 그것을 참기 위하여 어머니의 고통을 생각하며 노력하자. 1년, 2년, 3년은 잠깐이다.

야구선수, 특히 프로에 들어온 선수는 길게는 3년, 빠르면 1년 노력 여하에 따라 좋은 선수가 될 수 있다. 젊은 선수든 고참 선수든 노력해야 하는 것은 다 같다. 현역이 끝나는 날까지 계속 노력과 연구를 하지 않으면 살아남기 힘든 것이 프로의 세계다. 우리나라 인구가 5,000만 명이 넘었다. 이 중 의사와 판사 · 검사가 몇 명일까? 그리고 야구선수는 몇 명일까? 이런 통계를 내보아도 야구선수 되기가 얼마만큼 어려운지 나온다. 그런 자부심을 갖고 열심히 하자.

세상은 공평하다. 노력한 만큼 대가가 돌아온다. 하늘은 스스로 노력하는 사람을 돕는다. 여러 가지 좋은 말은 많지만 결론은 자신이 얼마만큼 노력하느냐에 달렸다는 것이다. 참고 열심히 해보자. 한 가지 목표에 도달하는 사람이 남자 중의 남자다.

## 십병구담十病九痰

옛 의서를 보면 십병구담(十病九痰, 모든 병의 열에 아홉은 담으로 발생한다)이라는 말이 있다. 담이란 다시 말해서 어혈 또는 탁한 체액이라 할 수 있다. 오늘날 우리 사회를 보면 화학물질에 구조적으로 완전히 장악되어 의식주 전반에 걸쳐 화학물질이 만연해 있다.

한 가지 예로 오늘날 우리 생활을 보면 화학첨가제로 가공한 인스턴트식품과 패스트푸드가 넘치고 있다. 농산물은 화학비료와 화학농약으로 재배되고 있고, 가축이나 양식 어류도 화학 항생제와 화학 성장호르몬제 등으로 만든 사료로 키워지고 있다. 여기에 주거공간도 각종 화학 건축자재와 화학 페인트로 지어지고 있고, 생활용품 자체도 화학용품 용기가 대부분이다.

결국 화학물질 독소가 인간의 입과 코, 피부로 무차별 주입되게 되어 인간은 독혈로 오염될 수밖에 없다. 한편 서구식 식생활의 영향을 받아 육류를 많이 섭취하고 있다. 육식은 사람의 먹거리가 아니라는 것을 알아야 한다. 육식을 하면 소화기가 제대로 소화를 시키지 못한다. 그러면 불순한 용해물이 인체에 축적되어 혈액이 탁하게 오염될 수밖에 없다.

이렇게 피가 독혈과 탁혈로 되면 끈적끈적한 피가 전신을 돌면서 고혈압 현상이 나타나게 되고 혈관에 침착되어 수도관 녹처럼 혈관을 괴사시키니 뇌출혈 등이 일어난다. 또 끈적끈적한 피가 체내를 원활히 순행하지 못하고 관절에 끼니 관절염이 나타난다. 오장육부의 세포들을 오염시켜 죽게 만든다. 그래서 종양과 암이 생긴다.

십병구담이란 말처럼 인간의 병은 열의 아홉은 독혈, 탁혈 때문에 생긴다는 것을 인식해야 한다. 이런 사실은 하천에 정화되지 않은 생활하수가 방류되면 물이 탁수로 오염되어 생태계가 시름시름 병들어 가는 것에서도 알 수 있다. 화학폐수가 방류되면 물이 독수가 되어 물고기 등 모든 것이 떼죽음을 당한 것을 봐도 알 수 있다.

이런 것들을 통찰해볼 때 오늘날 이름도 모르는 질병을 해결하는 방법은 간단하다. 그것은 화학물질로 오염된 생활과 비자연식에서 벗어나는 것이다. 그리고 우리 몸을 정화하고 살리면 된다.

실제로 한때 생활하수와 화학폐수로 오염되어 죽어가던 양재천, 안양천, 중랑천이 환경정화운동을 통해 살아난 것을 볼 수 있다. 그런데 오늘날 사람들이 대부분 병이 생겼다 하면 서양의학의 인공화학요법에 의존하여 치료한다.

이런 일은 마치 화학폐수에 오염되어 죽어가고 있는 하천에 화학물질을 더 방류하는 격이라고 하겠다. 사정이 이렇기 때문에 질병이 해결될 실마리가 찾아지지 않는 것이다. 점점 더 화학물질에 오염되어 질병이 끊이지 않으니 참으로 심각한 일이다.

내가 생각하는 건강 10계는 다음과 같다.

### 건강 10계

1. 음식은 적게 먹고 많이 씹을 것
2. 육식은 적게 하고 채식을 많이 할 것
3. 소금은 적게 먹고 식초를 많이 먹을 것
4. 술은 적게 마시고 과일을 많이 먹을 것
5. 차를 적게 타고 많이 걸을 것
6. 옷을 적게 입고 목욕을 자주 할 것
7. 말수는 적게 하고 운동을 많이 할 것
8. 분한 것을 참고 즐겁게 지낼 것
9. 욕심을 적게 갖고 선행을 베풀 것
10. 번민을 적게 하고 잠은 충분히 잘 것

# 네 가지 치료 · 건강식품이 내 건강을 회복해주었다

내가 건강을 찾게 된 방법은 다음과 같다.

1. 삼성병원(정진상 교수)
2. 침술치료(김용수 원장)
3. 미네랄솔트(김갑수 건강식품영진)
4. 어혈(지하남 약사)

인간의 건강에 가장 중요한 것은 혈액이다. 혈액이 깨끗하면 병을 얻지 않고 건강하게 살 수 있다. 혈액이 좋지 않으면 신체 기능이 나빠져 병에 걸리게 된다. 나는 철저하게 혈액을 깨끗하게 하는 데만 신경을 써왔다. 그 결과 건강을 찾게 되었다.

나는 어혈이 많아 혈액순환 장애를 자주 느끼는데, 무릎, 어깨, 허리 등에 통증이 있어 고통스러웠다. 그런데 미네랄을 복용하여 혈액이 깨끗해지고 혈액순환이 잘되었다. 또한 침술로 혈을 뚫어주고 이 혈을 풀어주니 자연히 순환이 좋아지면서 건강을 찾을 수 있었다. 내가 진정한 건강프로가 된 것은 무엇보다 올바로 판단한 덕분이었다고 생각한다. 앞으로 남은 생을 지금과 똑같은 생각을 갖고 살아간다면 건강하게 오래 살 수 있을 거라고 믿는다. 다시 말하지만 건강을 위해서는 혈액을 얼마만큼 깨끗하게 유지하느냐가 중요하다.

인체에 해로운 음식물, 음료수, 조미료, 물, 공기, 화학물질, 약물(양약) 등의 섭취를 삼가고, 스트레스를 받지 말며, 항상 긍정적으로 생각하고, 모든 일에서 한 발 물러서는 여유를 갖고 마음을 비우며 살자. 그러면 건강하고 즐겁고 행복한 삶을 살 수 있다.

모든 질병은 일상생활에서 생긴다. 음식물에서 오는 독성과 생활환경에서 오는 독성 등이 건강을 병들게 하는 원인이다. 쇠붙이에 왜 녹아 슬까? 습기가 많은 곳에 있으면 녹이 슨다. 그럼 인간이 습기 찬 곳에서 생활한다면 몸에 어떤 현상이 일어날까? 당연히 몸에 이상이 생기고 질환이 생기게 된다.

고급 아파트에서 사는데 거실이나 방에 둔 식물(난초, 꽃 등 관상용 식물)이 오래 못 살고 죽는 이유를 생각해보았는가? 온갖 비료를 주어도 얼마 못 가서 죽어버리는 원인을 심각하게 생각해볼 필요가 있다. 그 원인은 아파트 안에 본드, 페인트 등 독성물질이 다량 있기 때문이다.

인간은 식물보다 면역력이 강하고 때때로 밖에 나가니까 바깥 공기를 마시기는 하지만 계속 그 속에서 생활한다는 것은 참으로 심각한 일이 아닐 수 없다.

인간이 건강하려면 다방면에서 오는 질환에 어떻게 대처하느냐가 중요하다. 인간은 경험을 많이 하니 그것을 토대로 자신에게 가장 잘 맞는 것을 선택해야 한다. 인간이 가장 조심해야 할 것은 욕심이다. 욕심은 다양한 분야에서 낼 수 있다. 그 욕심을 어떻게 잘 다스리느냐가 중요하다.

어혈은 나쁜 피를 말한다. 혈액이 진하거나 좋지 않은 피를 어혈이라고 한다. 무릎이나 허리 통증, 오십견, 목통증 등 모든 통증은 90퍼센트가 어혈 때문에 온다. 어혈이 많은 사람은 몸에 통증이 생겨 몸 여기저기가 아파서 진통제를 복용하게 된다. 그리고 항생제를 복용하여 점점 더 악화되고 심해진다.

한방에서는 어혈 푸는 것을 가장 중요시한다. 어혈이 없으면 혈액은 깨끗하다. 한약은 자연 속에서 얻는 약초로 만든다. 그러므로 인체에 부작용이 없다고 볼 수 있다. 어혈 약을 먹으면 몸의 통증을 완화해주며 어혈을 없애준다. 동양의학은 동양에서는 서양의학보다 오래된 의술이다. 그런 점을 봐서도 동양인은 한의학을 인정하고 더욱 이용해야 한다.

나는 하루의 모든 시간을 오직 건강 회복만 생각하고 다른 것은 아무것도 생각조차 하기 싫었다. 내 몸이 현재와 같이 회복된 것은 물론 병원치료도 중요했지만, 이것이 답이다. 그리고 지금도 식이요법, 꾸준한 운동을 실천하고 있다.

나의 생활 목표는 다음과 같다.

- 돈 욕심을 버린다.
- 권력 욕심을 버린다.
- 오직 건강 욕심만 갖는다.

# 건강을 회복해준
# **효소식품, 발효식품**

아무리 좋은 것을 먹어도 몸에 이롭지 않다면? 몸에 좋다는 건강식품, 유기농식품, 보약을 먹었다고들 하지만 모든 것에 효소가 없으면 아무런 효능이 없다. 인간의 몸에 좋은 영양식품도 중요하지만 무엇보다 필요한 것은 효소다. 효소가 없으면 그 음식을 소화시키는 기능을 못하니 효과가 없는 것이다. 소화되지 않으면 영양분이 고르게 전달이 안 되어 몸을 건강하게 해줄 수 없다.

효소가 인간에게 얼마나 중요한지 이해해야 한다. 나이가 들수록 소화기능이 떨어져서 몸이 힘들게 된다. 그러면 약을 자주 복용하게 되어 몸 상태가 점점 나빠진다. 기운이 없는 것은 결국 몸속에 효소가 부족하여 소화기가 제 역할을 못해 몸이 약해지는 것이다.

옛날부터 돼지고기를 먹을 때는 새우젓을 함께 먹고 쇠고기는 배즙에 재웠다. 그게 바로 효소 때문이다. 효소만 충분히 섭취하면 어떤 음식을 먹어도 잘 소화되고 영양소가 고르게 만들어져 몸속 곳곳으로 필요한 양만큼 적절하게 배분된다. 나이가 들면 소화가 안 되니 좋은 고단백질 등을 먹는데 그것은 잘못된 생각이다. 좋은 음식보다는 소화가 잘되는 효소음식을 섭취해야 건강을 유지하고 장수할 수 있다. 근래 건강식품을 찾는 사람이 늘고 있는데, 예를 들면 청국장과 유산균은 효소식품이다.

나는 혈압도 높았지만 18년 전 삼성 라이온즈 감독으로 있을 때 중풍으로 쓰러져 반신불수가 되었다. 그때 좋다는 약치료는 다 접해보았다. 지금 생각해보면 그 당시 효소에 관한 지식이 조금이라도 있었더라면 그런 병에 걸리지 않고 고생도 하지 않았을 것이다. 오랜 운동으로 다져진 체력만 믿고 몸에 좋다는 음식을 과식하였으며 음식으로 건강을 유지하려 했다. 더욱이 좋은 고단백질 영양음식을 과다 섭취했다. 그것이 체력을 강하게 만든다고 생각했다.

그런 식생활에다 스트레스를 많이 받으며 감독생활을 하다 보니 중풍이란 병을 앓게 된 것이다. 하지만 효소미네랄이란 식품을 접하고 나서부터는 완전히 건강을 회복했고, 다시 건강을 찾고 나니 힘들었던 만큼 많은 분에게 내 경험을 들려주고 싶다.

지금은 혈압도 정상으로 돌아왔고 옛날의 건강한 모습을 되찾아 하루하루가 즐겁고 마음도 편안하게 살고 있다. 아무리 좋은 음식이라도 그 음식을 완전히 소화시킬 수 있느냐가 중요하다. 그러므로 소화 기능을 건강하게 유지하려면 미네랄과 효소를 먹어야 한다.

유산균(요플레)은 소화기능을 촉진하며 대장을 편하게 해주는 아주 훌륭한 발효식품이다. 요플레는 아침식사 대용으로 약 400시시에 다른 식품(과일, 꿀, 잼, 홍식초, 블루베리식초 등 한 가지만)을 적당히 혼합하여 먹으면 좋다. 요플레에는 암세포를 억제하는 균, 암환자들이 쓰는 균인 인터페론이란 균이 들어 있다.

미네랄은 사람에게 꼭 필요한 효소다. 효소를 먹고 나면 방귀가 자주 나오고 속도 편해진다. 음식물이 소화되는 과정에서 가스가 발생하는데 그 가스가 장속에 쌓여 있다면 얼마나 고통스럽겠는가? 상상만 해도 끔찍하다. 냄새가 체내에 머물고 있다고 상상해보라.

장속에서 소화를 시키면 당연히 가스가 생기고 그 가스를 몸 밖으로 배출시키는 것이 효소의 역할이다. 몸속에 효소를 많이 보충하면 건강은 100퍼센트 회복된다고 보장할 수 있다. 많은 분이 효소를 먹고 건강을 찾으면 좋겠다.

# 미네랄의 중요성과 미네랄솔트의 효능

미네랄은 눈의 질환, 코의 질환, 입속의 질환, 피부의 질환, 아토피, 무좀, 염증질환, 각질질환, 몸의 질환, 잇몸의 질환, 목감기, 비염 등 어떠한 질환에도 효능이 뛰어나다. 또한 미네랄은 다음과 같은 역할을 한다.

- 혈액을 깨끗하게 해주고 혈액 속의 이물질을 없애주어 혈액순환을 원활하게 해준다.
- 새로운 세포를 생산하는 데 필요하다.
- 산화된 것을 환원해준다.
- 인간에게 가장 필요한 것이다.

미네랄솔트(Natural Mineral Solt)는 신안에서 생산되는 소금(천일염)을 구워서(1,000도~1,200도) 소금에서 나오는 독성을 완전히 제거한 순수한 물질이다. 이 소금은 ORP 수치가 −350이 나온다. 미네랄솔트를 20년 가까이 복용하고 있는데 6개월 전 체중이 84kg이었던 것이 77kg으로 7kg 감량되었다. 특히 복부지방이 빠져 편안하다. 효과가 좋아 사람들이 놀라고 있고 주위에서 많은 분이 복용하여 혈액이 깨끗해지는 효과를 보고 있다.

처음에 2개월간 복용하자 몸이 변하는 것을 느낄 수 있었다. 인간에게 필요한 미네랄을 체내에 공급하므로 여러 가지 질병에서 회복해주는 동시에 세포를 생각해준다.

미네랄솔트를 복용하면서 몸의 변화를 느끼게 되었고 지금까지 복용하고 있다. 미네랄솔트를 친구들에게도 알려 복용하도록 권하고 있고, 효과를 보고 있다. 절대로 부작용이 없으며 말 그대로 Natural Mineral Salt다.

몸의 세포가 새로 바뀌게 하는 것은 오직 미네랄뿐이다. 미네랄을 먹으면 여러 가지 효과를 볼 수 있다. 우선 몸의 피로를 빠르게 풀 수 있다. 혈액이 잘 순환되는 것을 느낄 수 있다. 혈압이 안정되고 정상으로 돌아온다. 몸이 산화되어 피부가 매우 부드럽고 새로운 피부 감각을 느낄 수 있다. 손과 발의 각질이 없어지고 새로운 세포를 만들어준다. 발바닥과 손바닥이 깨끗하고 늘 촉촉한 감각을 느낄 수 있다.

겨울철이면 감기가 걸려 고생했는데 감기 예방도 되고, 천식과 기침도 좋아졌다. 눈이 아주 맑아졌으며 안경을 벗고도 잘 보인다. 머리도 맑아지고 머리카락도 조금씩 나면서 탈모가 없어져 머리카락이 늘고 있다. 얼굴 피부도 좋아졌는데, 아무것도 안 발라도 부드럽고 매끄러운 피부를 갖게 되었다. 입냄새가 없어지고 입속 균이 살균되므로 잇몸도 튼튼해져 신 음식, 귤 등을 먹어도 아무 지장이 없다. 전에는 양치할 때 피가 나기도 했는데 지금은 그렇지 않다.

미네랄솔트는 일상생활에 가장 중요한 부분을 건강하게 해주고, 변비, 소변, 소화기능 등 모든 것을 아주 순조롭게 해주는 원동력이 되고 있다. 많은 사람이 미네랄솔트를 체험하고 질병에서 회복하고 있다. 인간이 살아가면서 다양한 병과 싸우지만 그 병마를 물리치고 건강하게 살려면 오직 미네랄뿐이다. 소금은 인간에게 꼭 필요한 식품이다. 인간은 소금 없이는 살 수 없다.

미네랄은 세포조직을 만들어준다. 특히 나이가 먹으면 새로운 세포보다 산화되어 죽어가는 세포의 수가 더 많아진다. 그래서 늙으면 점점 체력이 약해진다. 그러므로 새로운 세포를 많이 생산하려면 미네랄을 충분히 섭취해야 한다. 그러면 피부라든지 모든 체내 기능이 젊어지면서 건강을 유지할 수 있고 병을 예방할 수 있으며 강한 면역성을 갖게 된다. 병 회복 속도가 매우 빠르고 아침에 일어나면 몸이 가볍고 편안함을 느낀다. 순발력도 좋아지고 파워가 생기며 기억력도 좋아진다.

미네랄은 체내에 들어가면 혈액을 맑게 해주고 이물질을 체외로 배출해주며 새로운 세포를 생산해주는 원동력이다. 내가 건강을 회복하는 데 가장 중요한 역할을 한 것이 바로 미네랄이라고 확신한다.

### ORP(산화환원전위)

산화된 것을 환원시켜주는 힘을 ORP라고 한다. 소금에는 미네랄이 많이 포함되어 있지만 독성분도 많아 좋은 물질이 50퍼센트, 독성물질이 50퍼센트이므로 고온으로 태워서 독성물질을 없애야 한다. 그러면 남는 것은 인체에 중요한 좋은 미네랄 성분이다.

### 소금이 인체에서 하는 일

- 신진대사를 촉진한다.
- 적혈구 생성을 돕고 혈관을 청소한다.
- 체액의 균형을 이룬다.
- 소화를 돕는다.
- 해독작용을 한다.
- 세포를 재생한다.
- 미네랄을 공급한다.

# 인체 내
# **소금의 작용**

생물이 썩지 않는 것은 염성의 힘이 있기 때문이다. 몸 안에 염성이 부족하면 여러 가지 염증을 일으키고 염증이 오래 가면 암으로 변한다. 염분은 인체가 생명활동을 정상적으로 유지하고 질병에 저항력을 발휘하는 데 절대적으로 필요한 성분이지만 오늘날 식생활 양상이 올바른 소금을 적절하게 먹지 못하도록 하는 데 더 심각한 문제가 있다.

화학소금을 과하게 섭취한 결과 만연하는 갖가지 성인병을 줄이겠다고 현대의학에서 저염식이 권장되고 있다. 하지만 이는 더욱 심각한 체액의 불균형을 초래하고 병증을 고질적으로 심화할 뿐이다.

자연생활요법에서는 솔트를 적절히 복용함으로써 부족한 염성을 보충해준다. 또 세포조직의 변질과 부패를 막고 핵비소의 강력한 제독작용으로 갖가지 암독을 소멸하며 생산력을 강화해 새 세포를 나오게 함과 동시에 신진대사를 원활하게 하도록 해준다. 소금 활용법만 제대로 적용한다면 각종 난치병도 호전되는 신비한 효능을 보이는 것이다.

### 1. 소염작용

살균과 소염작용에서 일반 소금의 유용성은 잘 알려져 있다. 실험에 따르면 일반 소금에 비하여 솔트의 항염증작용과 세균 살균력이 서너 배 강력하다는 사실이 입증되었다. 이러한 솔트의 항균력을 바탕으로 솔트 치약이 개발되어 충치 예방과 치유 효과를 인정받아 시판되고 있다.

### 2. 체질 개선

일반 소금이 약산성인 데 반하여 제대로 법제된 솔트는 pH 11~13의 강알칼리성 식품으로 변하게 된다. 솔트를 지속적으로 복용함으로써 산성 노폐물이 누적되어 있는 체액을 약알칼리성으로 바꿔줄 수 있다. 이는 곧 면역성과 저항력을 길러주어 어떠한 병에도 끄떡없는 강인하고 단단한 체질이 되게 해준다는 말이다.

### 3. 공기를 정화하고 악취를 제거한다

솔트는 사람에게는 약이 되나 해충에는 독이 되기 때문에 구충제로도 훌륭하다. 각종 공해, 술, 담배, 약 등으로 몸속에 노폐물이 쌓이게 되면 입과 몸에서 악취가 나게 되는데, 솔트는 몸속에 쌓인 노폐물을 제거하므로 문명병에 시달리는 현대인에게 도움이 된다.

### 4. 해열작용

균이 쌓여 염증이 생기면 열이 발생하는데 솔트는 살균작용을 하고 몸속의 노폐물을 신속하게 해소해 열을 내리는 작용을 한다. 아기들이 고열에 시달릴 때 솔트 수 관장을 해주고 연한 솔트를 먹이면 신속하게 열을 내릴 수 있다.

### 5. 식욕 촉진

솔트는 위액의 원료인 위염 산을 생산해 음식물의 소화를 촉진하므로 식욕이 좋아질 수밖에 없다.

### 6. 위장을 튼튼히

좋은 약의 특징은 인체의 근원인 위장을 다스려가며 병을 고치는 것이다. 솔트는 건강의 근원인 위장을 튼튼히 하며 염증질환을 원인적으로 치료하는 약리작용을 보인다. 즉 인체의 자연 생리기능을 강화하고 체질을 개선하면서 염증질환을 치유하는 작용을 한다.

### 7. 강한 해독작용

몸속에 생긴 독을 없애준다. 솔트의 강한 해독성분이 몸에 생긴 병독을 빠른 속도로 씻어주어 여러 질환의 치료에 효과적이다. 김치를 담그거나 다른 농작물을 조리할 때 솔트로 간을 하면 농작물에 잔류해 있는 각종 농약을 해독해주기도 하니 고마울 따름이다.

### 8. 백혈구 증강, 병균 살균

병균을 잡아먹는 백혈구의 수를 늘려주고 살균력을 강화하는 중요한 역할을 한다.

### 9. 정결작용

만병의 근원은 피가 흐려지는 것이다. 솔트는 혈관벽에 침착되어 있는 노폐물을 해소하고 피를 맑게 해 혈행을 원활하게 함으로써 모든 병을 근원적으로 치료하고, 각종 성인병을 예방한다.

#### '싱겁게 먹어라'는 말이 곧 건강의 적

순수한 소금(NaCl)에는 독성이 있을 수 없다. 소금과 고혈압이 비례한다는 것은 1967년에 연구·발표되었다. 물론 필수량 이상 과다 섭취하는 것은 금물이다. 다음 글은 읽어보고 참고하기 바란다.

필자는 평소 "생명체는 지·수·화·풍 에너지로 만들어져 있으므로 햇빛, 산소, 물, 소금, 곡·채소를 약으로 삼아 균형 있게 써야 한다", "화학약품이나 약초를 달여 먹는 것은 응급할 때나 일시 효능은 있으나 근본 치료약은 되지 못한다", "5행(금, 목, 수, 화, 토)의 성품, 5색(청, 황, 적, 백, 흑)의 색깔, 5미(신맛, 짠맛, 매운맛, 단맛, 쓴맛)의 맛을 지닌 자극성 음식은 5장5부에 알맞은 명약이다"라는 주장을 해왔다.
그중 오늘의 생활환경에서 보면 생명의 보약, 천혜의 비밀을 간직한 소금을 올바로 쓰는 일이 가장 절실히 필요하다. 소금은 독과 약을 같이 가지고 있는데 어떤 소금을 어떻게 먹느냐에 따라 약이 되기도 하고 독이 되기도 한다. 의사들이 강요하는 '싱겁게 먹어야 한다'는 집단 편견을 깨고 '좋은 소금으로 짜게' 먹는 건강한 생활법을 찾는 것이 중요한 때다.

**■ 염화나트륨이냐, 미네랄 약소금이냐**
소금은 농경사회에서 가장 중요한 소[牛]와 금(金)에 비유하여 소금(小金)이라 한다. 서양에서도 봉급(salary)이란 말이 소금에서 비롯할 정도로 중요한 위치를 차지했고, 권력의 역사와 깊이 연관되어 있다. 소금 없이는 어떤 생명도 살아갈 수 없기에 그러한 역사가 빚어진 것이다. 삼한시대부터 고려 태조에 이르기까지 노예들이나 천민들이 바닷물(갯물)을 증발시켜 만든 소금을 귀족에게 보급했다. 소금은 국가 재정의 중요한 비탕이 되었으며 소금(염전)을 소유한 사람은 권력을 갖게 되었다.

나라에서는 도염원을 설치하여 갯물을 가마솥에 끓이거나, 갯벌을 다져 햇빛에 증발시킨 결정체로 독성물질이 99.5~99.9퍼센트까지 든 소금을 불에 구워 해로운 물질을 없앴다. 조선시대 말에 이르기까지 직접 만들어 백성에게 전매했다.
그러나 일제강점기에 염전은 천일염 제조법을 도입하여 경기, 충청, 전라도 등 서해안에서 집중적으로 만들어졌으며 일본 정부가 소유권을 장악하고 있었다. 이후 우리는 염전을 사양산업으로 여겨 정부가 앞장서 없애기에 바빴고, 국민은 수십 년 동안 '광물질'로 분류된 수입 공업용 소금을 먹어왔다. 소금업체들은 국산 천일염이 아닌 멕시코나 오스트레일리아에서 수입한 소금을 써왔다. 소금은 얼마 전에야 겨우 법이 바뀌어 '식품' 목록에 올라 음식에 제대로 쓰이게 되었다. 염전이 많은 전남은 도 핵심사업의 하나로 천일염을 키우고 있고, 명품 소금을 직접 개발하는 일까지 하고 있으니 세상이 바뀌고 있는 것이다.

### ■ 미국 소금과 다른 우리 소금

의사들은 소금을 건강의 적으로 보고 무조건 '싱겁게'만 먹으라고 외친다. 그 말에 따라 온 국민이 싱겁게 먹다보니 온갖 질병으로 불치병 왕국의 오명을 씻지 못하고 있다. 현대의학을 이끌고 소금제한론을 퍼뜨린 미국은 갯벌 천일염이 거의 없고 산에서 캐낸 암염을 쓴다. 미네랄이 전혀 없는 암염을 먹는 미국에서는 소금을 적게 먹으라고 하는 것이 옳다. 암염은 순도가 높은 염화나트륨이기에 미네랄이 많은 갯벌 소금과는 차이가 크다. 성분도 바닷물을 전기분해한 염화나트륨 99.9퍼센트의 기계염과 비슷하다.
그러나 전통적으로 간수(독소)를 뺀 천일염으로 음식을 만들어 먹어온 우리에게 미국에서 공부하고 온 의사들이 앵무새처럼 '싱겁게 먹으라'는 말만 하는 것은 너무도 어이없고 무책임한 일이다. 미국 의사들이 자기네 실정에서 한 말을 생각 없이 되뇌는 행태는 민중의 건강을 심각하게 해친다는 점에서 그 책임이 무겁다.
의사들은 염화나트륨 99.9퍼센트의 가공염과 미네랄이 많은 좋은 소금을 구분하지 않는다. 여기에 큰 문제가 있다. 진실한 의사라면 "화학염을 쓰지 말고 해로운 물질을 없앤 약소금으로 간장, 된장, 고추장을 만들고 음식의 간을 맞추어 발효시켜 먹어라"라고 해야 한다.

### ■ 우리의 보물 갯벌 천일염=약소금

세계 5대 갯벌에 드는 최고의 갯벌과 염전, 좋은 소금 만드는 법을 가진 우리는 문제를 달리 봐야 한다. 갯벌의 미생물은 바닷물이 염전에 갇혀 온도가 올라가면 자기 몸에 든 미네랄을 토하고 죽는다. 국산 천일염은 이 미네랄을 듬뿍 담고 있기에 최고인 것이다.
더하여 우리는 각종 구운 소금, 죽염 등 최고 소금을 가지고 있다. 이 좋은 소금을 두고 공업용 소금으로 싱겁게 먹고 살아야 하는가? 아니면 '좋은 소금으로 짜게!' 먹을 것인가? 좋은 소금은 천일염의 나쁜 성분을 태워 없앤 소금이다.
이 소금이 생명을 살리는 신비의 약이 된다. 김치의 항암효과를 실험한 결과를 봐도 정제염 〈 천일염 〈 볶은 소금 〈 죽염 순으로 효과가 커진다고 한다.
프랑스 갯벌에서 나는 게랑드소금은 1킬로그램에 5만 원이 넘는다. 우리 천일염은 프랑스 것보다 미네랄이 더 많다는 연구결과(목포대 천일염연구소)도 있다. 좋은 소금을 버리고 싱겁게 먹으며 건강을 찾는 것은 나무에서 고기를 구하는 것처럼 어리석은 일이다.

■ 양수는 바닷물 농도

생명이 있는 모든 동식물은 광합성을 해서 적당한 염분농도를 유지하고 있다. 죽염이나 볶은 소금으로 이만 닦아도 치아질환, 구내염, 식도염 등 많은 질병을 막을 수 있다. 어머니 뱃속에 있는 태아는 바닷물과 같은 양수에서 살기 때문에 미숙아나 기형아가 되지 않는다. 만약 양수의 염분농도가 낮으면 돌연변이, 지체부자유아, 미숙아가 속출하고 불임으로 이어질 것이다. 몸에 염분농도가 떨어지면 무기력증을 막기 위해 알코올과 당분을 원함으로써 체액이 산성으로 기울고, 골수와 골격이 약해지면 악성빈혈로 이어져 질병을 부르게 된다. 싱겁게 먹으면 물을 마시지 않게 됨으로써 몸에 염증이 생기고 자가중독으로 체액이 오염되어 탁해진다. 또 장의 연동운동이 안 되어 배뇨, 배변이 원활하지 못해 숙변과 요산이 쌓이고 일산화탄소가 정체되어 만병을 부른다. 싱거운 음식은 발효도 되지 않고 쉽게 썩는다. 냉장고에 두고 먹는 음식은 산패된다.

■ 소금만이 몸의 무기력(부패)을 막을 수 있다

"나물 먹고 소금 먹고 물 마시고 팔을 베고 누우니 살림살이 이만하면 넉넉하다"는 조상들의 명언이 있듯이 소금은 제염, 제독, 살균, 방부, 조혈, 정혈, 생신작용 등 여러 효능이 뛰어나다. 세계의 명인들도 "물이 있고 소금이 있으니 국민이 건강하고 나라가 부강하다"는 말을 남겼다. 소금을 빼고는 부패를 막을 방법이 없다. 오랫동안 단식을 해도 소금을 먹으면서 하면 굶어죽지 않는다. 소금이 있으니 생명이 있다.

■ 의사들도 '좋은 소금'을 알아야 한다

서양의학은 첨단기자재로 몸을 부분으로 나눠 보면서 어려운 병명을 붙이며 겁을 준다. 그러나 환자들만 확대 재생산할 뿐이다. 응급조치, 천재지변, 외상치료에 큰 공헌을 했지만, 퇴행성질환, 난치병, 생활습관병에는 큰 한계를 보이고 있다.

작은 우주인 몸을 수술, 방사선, 화학약품으로 치료하기란 힘든 일이다. 의료계가 고정관념에서 벗지 못한다면 의료개방시대를 맞아 자연의학의 여러 장점을 수용한 외래 의술에 밀려나 먼 산만 보고 있을 것이다.

■ 보건당국에 호소한다

보건당국에서 소금에 대해서 좀 더 진지하게 연구하고 국민에게 소금의 중요성을 알려 좋은 소금으로 짜게 먹도록 한다면 비용을 들이지 않고 건강한 사회를 만들 수 있다. 물병과 죽염을 가지고 다니며 먹는다면 누구나 명의가 될 수 있다. 정책담당자가 소금에 대해 조금만 연구해보면 충분히 납득할 수 있으리라 믿는다.

필자는 1968년부터 소금의 가치를 느끼고 혼신의 힘으로 그 중요성을 알려오고 있으나 의료계 전체의 '싱겁게 먹어라'는 거대한 물결을 막아서기가 벅차다. 정부당국이 필자의 고언을 깊이 헤아려주기를 간곡히 바란다. "부모의 가치는 죽고 난 뒤 알고, 소금의 가치는 없어지고 난 다음에 안다."

– 장두석 한민족생활문화연구회 이사장

# 음이온이란 무엇인가

이온이란 과학 용어로 '공기 중에 떠 있는 전기적 성질을 가진 공기에너지'를 총칭하며, (−)전류를 가진 이온을 음이온, (+)전류를 가진 이온을 양이온이라고 한다. 공기 중에는 양이온, 음이온이 많이 떠다니는데, 특히 음이온은 가벼워서 대기층을 자유자재로 나돌기 때문에 매우 활동적이다.

공기 중의 이온들은 기상 조건에 따라서도 시시각각으로 변하는데 부연속성 한랭전선, 저기압 등이 통과할 때 양이온이 증가한다. 이에 영향을 받으면 인체 내의 음이온이 줄어들어 양이온이 늘어나고 나아가 신경통, 천식, 뇌졸중 등의 발생률이 높아진다는 보고가 있다.

폭포수, 소나무 숲, 바닷가, 시냇물 근처에서 상쾌함을 느낄 수 있는 것은 (−)전기인 음이온 덕분이다. 일반적으로 양이온은 오염된 공기 속에 많고 음이온은 공기가 맑은 자연 속에 많이 있다. 음이온은 세포의 신진대사를 촉진하고 활력을 증진하며 피를 맑게 하고 신경안정과 피로 해소, 식욕증진에 효과가 있어 공기의 비타민으로까지 불린다.

# 음이온이 하는 일

1. 공기정화작용, 살균작용

공기 중에 있는 각종 오염물질과 세균, 먼지, 꽃가루, 곰팡이 등은 양이온을 형성하고 있는데, 음이온은 이들 양이온을 중화·제거하므로 공기를 깨끗하고 신선하게 유지해준다.

2. 집중력과 학습력 향상

순수음이온에는 산소의 운반능력을 높이는 작용과 자율신경계의 부교감신경을 활성화하는 능력이 있어 집중이 필요한 학습에서 절대적인 효과를 체험할 수 있다.

3. 아토피 개선

알레르기 증상 가운데 가려움은 류코트리엔이나 히스타민 등 염증을 일으키는 물질이 대량으로 생산되기 때문에 생긴다. 가려움은 따뜻해지면 더욱 기승을 부리는데 순수음이온을 가려운 곳에 20분 정도 뿜어주면 양이온이 중화되고 활성산소도 사라지므로 매우 편해진다.

### 4. 비염과 천식 진정효과

천식은 지나치게 더러운 공기가 호흡되어 몸을 산성체질로 변하게 하거나 양이온이 과다하게 흡입되어 혈관이나 기관지가 현저히 수축되고 기관지에 염증이 생기는 등의 증상이 나타나지만 음이온 제품을 사용하면 효과를 볼 수 있다.

### 5. 혈액의 정화작용과 신진대사 촉진

순수음이온은 혈액 중 미네랄 성분의 이온화율을 상승시켜 알칼리화함으로써 혈액을 정화하고 피로가 빨리 해소되게 해준다. 또 세포막의 투과성이 좋아져 영양소와 노폐물의 진출입이 원활해짐으로써 세포가 활성화되고 신진대사가 촉진되게 해준다.

### 6. 저항력증가 작용

혈청에 포함된 면역성분인 글로불린의 양을 증가시켜 감염 증세에 대한 저항력이 높아지므로 순수음이온 요법을 할 경우 치유효과가 빨라진다.

### 7. 전자파 제거 작용

현대인은 가정이나 직장에서 많은 전기제품에 둘러싸여 생활하고 있다. 텔레비전, 컴퓨터, 이동전화를 비롯한 각종 전자·전기 제품은 우리 몸에 유해한 전자파를 끊임없이 발생한다. 전자파는 모두 양이온인데, 음이온에 의해 중화·소멸된다.

8. 새집증후군의 감소

화학물질로 싸여 있는 집에서 나오는 유해공기가 사람의 건강을 위협하면서 심각한 사회문제가 되고 있다. 유해 화학물질은 모두 양이온을 띠는데 순수음이온이 대량 발생하는 제품에 중화·소멸되는 것이 공인기관의 시험으로 증명되었다.

9. 식물의 성장촉진

식물의 세포 속에도 칼륨, 칼슘, 기타 무기이온이 존재하는데 식물체에는 생체 전위를 나타내어 식물의 생육촉진에 효과가 크다.

# 음이온의 주요 기능

### 1. 집중력과 학습력을 높인다

사람이 하루에 마시는 공기의 양은 사람에 따라서 다소 차이는 있지만, 약 2,000만 시시(cc)이다. 그중에서 75퍼센트가 뇌에서 소비된다. 뇌세포는 기능을 유지하기 위해 산소를 풍부하게 가진 혈액을 대량으로 필요로 한다. 음이온은 산소의 운반능력을 높이는 작용을 하거나 자율신경계의 부교감신경을 활성화하는 능력이 있음이 인정되고 있다.

최근에는 음이온이 뇌 안에 모르핀이라고 불리는 베타엔도르핀 활성에 깊은 관계가 있다는 것이 밝혀졌다. 이러한 작용에 따라 정서를 안정시키고, 머리를 상쾌하게 하며, 집중력을 높이는 효과가 있다. 즉 음이온은 회의실에서 집중력을 높이는 것은 물론 교실이나 공부방에서 학습력을 향상하는 데도 큰 도움을 준다.

### 2. 가려움증을 없애준다

아토피는 따뜻해지면 가려움증을 유발한다. 이때 여기저기 쥐어뜯어 피부 표면을 손상시키고, 그 위에 양이온에 끌리는 먼지나 진드기의 사체 등이 부착되어 염증과 감염을 일으키므로 증상이 악화된다. 그렇게 되면 우리 몸의 백혈구가 감염된 부위로 모이고, 백혈구가 활성산소를 무기로 삼음으로써 새로운 염증이 생기고 산화반응이 일어난다.

음이온을 가려운 곳에 뿜어주면 산화를 멈추는 마이너스 전자를 피부표면으로부터 혈액 속으로 가세시키므로 체액이 약알칼리화되고 전자가 증가되며, 항산화력이 높아지고 증세가 호전된다.

# 삶에 중독되어 인생 프로가 되자

무엇보다 먼저 야구를 사랑해주시고 백인천을 아껴주신 팬들에게 감사드립니다. 반평생을 야구에 빠져 오직 야구 인생으로 살아왔습니다. 그동안 올바른 길을 걸어왔는지, 후회는 안 되는지 돌아보면서 제가 살아온 야구 인생을 많은 분에게 솔직하게 알리고 싶었습니다.

이 세상을 살아가려면 얼마나 많은 역경과 고통을 이겨내야 하는지 잘 알고 있습니다. 저도 도중에 포기하고 싶을 때도 많았지만 야구가 좋았고 야구가 둘도 없는 좋은 친구였기에 이겨내왔습니다. 시간이 갈수록 야구에 대한 신념이 오히려 강해졌고, 이것이 저를 계속해서 야구 인생으로 살아갈 수 있게 한 원동력이 되었습니다.

무슨 일이든 목표를 달성하려면 그 일을 좋아해야 하고, 미쳐야 하고, 중독자가 되어야 한다고 생각합니다. 중독에도 여러 가지 있지요. 마약중독이나 알코올중독 등은 물질적으로 중독되는 것입니다. 이런 것은 절대 중독되어서는 안 되는 것들입니다. 하지만 물질적 중독이 아닌 중독은 살아가는 데 꼭 필요합니다.

저는 야구에 중독되어 살아왔습니다. 야구에는 많은 인내심과 피나는 노력이 필요합니다. 목표를 세운 뒤 결과를 이루기 위해 외롭고 고독한 싸움을 자기 자신과 해야 합니다. 그리고 통쾌한 안타와 홈런을 치는 순간 야구 중독자만이 맛볼 수 있는 쾌감을 느낄 수 있습니다. 팬들의 기대에 보답했을 때 팬들이 환호하는 소리야말로 저를 중독자로 만드는 원동력이 아니었나 생각합니다.

그 중독의 쾌감을 자주 느끼려면 스스로 미쳐서 어떠한 어려움이 닥치더라도 참고 이겨내야 합니다. 강한 인내력과 지구력을 무기로 삼아 노력하면서 자기도 모르는 사이에 중독자가 되어야 합니다.

인간이 이 세상을 살아가는 데 가장 중요한 것은 건강입니다. 저는 야구의 프로와 건강의 프로가 되어 아주 건강하고 즐겁게 살고 있습니다.

독자 여러분도 하고자 하는 일의 프로가 되어 건강하고 즐거운 삶을 누리시기를 기원합니다.

# 하이라이트

사진으로 보는 백인천의 야구 역사

무적의 경동고 시절. 뒷줄 오른쪽에서 세 번째가 백인천.

경동고 야구팀이 입장하고 있다.

신문사 주최로 열린 전국야구대회 개막식.

교복을 입고 찍은 경동고 야구팀 단체사진. 뒷줄 오른쪽에서 다섯 번째가 백인천.

경기를 승리로 마친 후 환호하는 모습.

다른 팀의 경기를 지켜보고 있는 경동고 야구팀. 뒷줄 맨 왼쪽이 백인천이고 그 옆이 이재환 선수다.

1959년 경동고 야구팀의 여름방학 뚝섬 물놀이.

뚝섬 야외수영장에서. 뒷줄 오른쪽 모자를 쓰고 있는 사람이 백인천이다.

지방 원정경기를 떠나 숙소 앞에서.

숙소에서 나와 경기장으로 가는 모습. 등번호 2번이 백인천.

1960년 가을, 6개 인문공립고등학교 친선연합체육대회가 열렸다.

친선연합체육대회에서 경동고 달리기 대표로 나간 백인천.

1960년 일본 원정경기를 떠나기 전 공항에서 부모님과 함께.

1962년 일본으로 떠나기 전 공항에 나온 환송객들과 함께.

1962년 일본 프로야구 도에이 플라이어즈 시절.

도에이 플라이어즈 숙소에서 동료와 함께.

1970년 육군에 입대해 훈련병이던 시절.

1971년 군 훈련을 마치고 주일대사관에서 정보요원으로 복무하던 시절.

1963년 도에이 플라이어즈에서 1년 반 만에 2군에서 1군으로 승격된 후.

1979년 롯데 오리온스 시절 일본 프로야구 올스타전에서 홈런을 치고 동료들로부터 축하를 받고 있다.

1979년 일본 올스타 선수들과 함께. 두 번째 줄 왼쪽에서 다섯 번째가 백인천.

롯데 오리온스 시절 타격 모습.

1979년 일본 프로야구 올스타전에서 타격상 트로피를 받는 모습.

1979년 올스타전에서 맥주와 쌀을 부상으로 받았다.

롯데 오리온스 시절.

롯데 오리온스 시절 장훈 선배와.

타격 훈련 중 타격 자세에 대해 조언를 듣고 있는 백인천.

롯데 오리온스 시절.

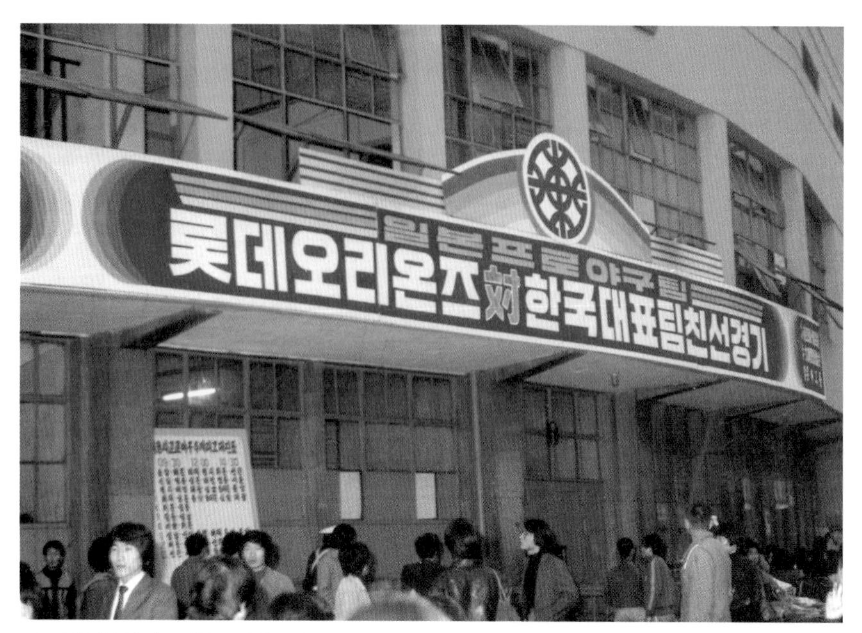


1975년 일본 롯데 오리온스와 한국대표팀의 친선경기가 열린 서울운동장.

친선경기 전 운동장으로 내려온 관중

일본 롯데 오리온스팀 선수 소개 시 모자를 벗고 관중에게 인사하는 백인천.

경기장을 찾은 관중에게 기념볼을 던져주는 모습.

1979년 롯데 오리온스 시절. 왼쪽에 서 있는 사람은 김응룡 감독.

한국 프로야구의 스타들과 함께. 이해창·김용남·최동원·김재박·장효조 선수.

MBC 청룡 감독 시절. 삼미 슈퍼스타즈 장명부 선수와 MBC 청룡 김재박 선수와의 환담.

1982년 한국을 방문한 나가시마 감독과 장훈 선배. 서 있는 사람은 당시 KBO 사무차장 이호헌 씨.

1990년 LG 트윈스 감독 시절.

LG 트윈스 감독 시절.

펑고 배팅으로 수비 훈련을 시키고 있는 백인천.

LG 트윈스 감독 시절 잠실운동장에서.

한국시리즈 승리 후 김종정 LG 트윈스 사장에게서 축하를 받고 있는 모습.

1990년 LG 트윈스 우승 후 관중에게 답례하는 백인천.

1990년 은퇴식에서 도열해 있는 LG 트윈스 선수들.

1997년 삼성 라이온즈 감독 시절 LA 전지훈련장에서.

LA 다저스 토미 라소다 감독과 함께.

삼성 라이온즈 선수단 훈련장을 방문한 LA 다저스 왕년의 스타와 함께.

삼성 라이온즈 선수단과 LA 다저스 관계자들과의 단체사진.

2014년 '한국프로야구 은퇴선수의 날' 시상식에서 황대인선수에게 〈백인천BIC 0.412〉상 수여.

2014년 '한국프로야구 은퇴선수의 날' 행사장에서 국가대표 장애인 야구단 선수들과 함께.

## 성과를 지배하는 스토리 마케팅의 힘

### 마케팅의 성공 비결은 스토리와 공감이다!

세상이 하루가 다르게 변하고 있고 고객의 마음도 초단위로 바뀌고 있다. 누가 한 분야에서 성공했다 하면 모방하는 이들이 빠르게 나타나 순식간에 시장을 나눠가진다. 우리가 사는 21세기의 현실이 이렇다. 기술이 좋고 제품이 훌륭한데도 매출로 연결하지 못하는 기업들의 결정적인 맹점은 '스토리'가 부족하다는 것이다. 이제는 기술과 제품을 뽐내기만 할 것이 아니라 고객의 마음부터 들여다보아야 한다. 수시로 변하는 고객의 마음을 휘어잡는 열쇠, 마케팅! 그 근간에는 자신만의, 자사만의 스토리가 있어야 한다. 이 책이 전하는 스토리 마케팅을 활용한다면 두꺼운 충성고객층과 함께 꾸준한 성과를 창출할 수 있을 것이다.

조세현 지음 | 360쪽 | 신국판 | 값 20,000원

## 부의 얼굴, 신용

### 역사에서 통찰하는 선인들의 성공 비결, 신용 처세술!

무형의 재산으로 유형의 재산을 넘나드는 파급력을 지닌 '신용'. 대대손손 부를 부르는 사람들에게는 남과 다른 신용이 있었다. 역사소설의 대가 이수광 작가가 오랫동안 축적해온 방대한 역사적 지식에 신용을 접목한 이 책은 눈앞의 이익에 눈이 멀어 속임수를 쓰지 말라는 메시지와 함께 책임 있는 언행이 인격의 뿌리가 되어야 한다고 강조하고 있다. 현대를 사는 독자들이 구한말 조선 최고의 부자이자 무역왕으로 군림했던 '최봉준', 한나라의 전주 '무염' 등 역사 속 실존인물들이 신용을 발판으로 성공한 이야기를 가슴에 담고 신용을 생활화함으로써 '인복人福'과 '부富'를 부르는 귀인貴人이 되기를 기원한다.

이수광 지음 | 352쪽 | 신국판 | 값 16,500원

## 성과를 지배하는 유통 마케팅의 힘

### 한 권으로 배우는 대한민국 유통 마케팅의 모든 것!

상품이 만들어져 소비자에게 오기까지는 많은 사람의 수고가 필요하다. 그러나 중간에서 징검다리 역할을 해주는 유통업자가 없다면 이 사회는 제대로 돌아가지 못한다. 소비문화가 제대로 정착되려면 유통 시장을 전체적으로 확실하게 이해하는 사람이 있어야 한다. 이 책에는 저자가 20여 년간 유통업계 현장에서 발로 뛰며 얻은 소중한 경험을 담았다. 다방면에 걸친 유통 영업의 노하우, 유통 마케팅 비법뿐 아니라 유통시장의 전체적인 틀을 제시하였다. 공공기관 입찰에 필요한 나라장터 사용법은 물론 직접 거래해보지 않으면 알 수 없는 유통사별 상품 제안서 사용법까지 다양하게 소개하고 있다.

양승식 지음 | 344쪽 | 4×6배판 | 값 20,000원

## 거대한 기회

### 창조 지능 리더십을 선사할 '거대한 기회'를 잡아라!

세상이 짧은 시간에 급격하게 변하고 있다. 난공불락의 요새도 없고 절대적 강자도 없다. 이러한 시대에 살아남으려면 유연하게 변화하고 창조해야 한다. 현대의 리더는 변화의 큰 흐름을 읽고 거기서 기회를 포착해야 한다. 불꽃이 아니라 불길을 보아야 하고, 물결이 아니라 물살을 보아야 한다. 이 책은 리더들에게 시대의 흐름을 한눈에 보여주고자 불확실한 미래에 접근하는 방법을 다양하게 제시하고 있다. 남보다 더 넓게 보는 안목을 키우고 패러다임을 자기만의 방식으로 삶과 비즈니스에 접목함으로써 더욱 큰 사회공동체와 인류공동체를 위해 공헌하는 창조의 마스터가 되어보자.

김종춘 지음 | 316쪽 | 신국판 | 값 18,500원

## 스타리치북스 출간도서

### 굿바이, 스트레스

**만성피로 전문클리닉 이동환 원장의 속 시원한 처방전!**

대부분의 사람들은 흔히 스트레스라고 하면 부정적인 인식이 앞서 '나쁜 스트레스'만 떠올린다. 많은 현대들이 과도한 스트레스 때문에 힘들어하고 심한 경우 신체 질병까지 얻게 된다. 하지만 우리가 보편적으로 인식하고 있는 스트레스의 부정적인 이미지와는 달리 적절한 스트레스는 오히려 삶에 동기부여를 해줄 뿐 아니라 자극제가 되기도 한다. 저자는 스트레스를 무조건 줄이라고 하지 않는다. 오히려 스트레스를 적절히 관리해서 성과와 연결하는 방법을 소개한다. 계속되는 스트레스에 매몰되어 헤매는 것이 아니라 긍정적인 마음의 근육을 키워 스트레스를 통해 새로운 에너지를 얻음으로써 성과까지 창출하는 비법을 배워보자.

이동환 지음 | 260쪽 | 4×6배판 | 값 18,000원

---

### 황태옥의 행복 콘서트 웃어라!

**웃음 컨설턴트 황태옥의 행복 메시지, 세상을 향해 웃어라!**

웃음 전도사로 유명한 저자가 지난 10년간 웃음으로 어떻게 인생을 다시 살게 되었는지 진솔하게 풀어낸 책이다. 암을 극복하고 웃음과 긍정 에너지로 달라진 그녀의 삶을 보면서 함께 변화를 추구한 주변 사람들의 사례는 물론 10년간의 삶의 흔적이 고스란히 담겨 있다. 독자들이 이 책을 읽고 삶을 업그레이드해 생활 속에서 행복 콘서트의 주인공이 될 수 있는 힘을 얻기를 희망한다. 또한 웃음을 통해 저자를 능가하는 변화된 삶을 살기를 바란다. "한 번 웃으면 한 번 젊어지고 한 번 화내면 한 번 늙는다(一笑一少一怒一老)"는 말이 있듯이 행복지수를 높여 삶을 춤추게 하고 싶다면 바로 지금 세상을 향해 웃어라!

황태옥 지음 | 260쪽 | 신국판 | 값 17,500원

---

### 논어로 리드하라

**여성 리더로 성공을 꿈꾼다면 지금 당장 《논어》를 펼쳐라!**

현대는 강하고 수직적인 남성적 리더십보다 감성적이고 관계지향적인 여성적 리더십을 요구하는 사회로 변화하고 있다. 이러한 변화를 입증하기라도 하듯 한국에서는 사상 최초로 여성 대통령이 탄생했다. 국제적으로는 미국 국무부장관 힐러리 클린턴, 세계적으로 영향력 있는 여성 방송인 오프라 윈프리, 독일의 메르켈 총리 등 수많은 여성 리더들이 있다. 따뜻한 리더십으로 무장한 여성 지도자들의 공통점은 인생에서 중요한 가치를 깨닫고 더 나은 자신이 되기 위해 철학책과 고전을 많이 읽으면서 내면을 수양했다는 것이다. 쉽게 풀어쓴 논어를 가까이하여 더 많은 여성이 우리나라뿐 아니라 세계를 리드하기 바란다.

저우광위 지음 | 송은진 옮김 | 344쪽 | 신국판 | 값 18,000원

---

### 송경학 세무사에게 길을 묻다

**생생한 현장 사례를 바탕으로 현명한 세무 전략을 세워라!**

중소·중견기업 CEO와 자산가들은 '세금'만 생각하면 머리가 지끈거린다. CEO의 필수 덕목이라는 재무구조 개선과 인력 관리, 기업 문화 창출, 재충전이라는 말은 중소·중견기업을 경영하는 CEO에게는 딴 세상 이야기다. 이 책은 CEO와 자산가들의 가장 큰 고민거리인 세금에 대한 이해를 높여주고 다양한 절세 노하우를 알려준다. 또한 저자 송경학 세무사가 경험한 생생한 현장 사례와 상황에 따른 세무 전략을 제시하고 있다. 회사운영, 자산취득, 가업승계 등과 관련된 다양한 문제와 이에 대한 해결책을 통해 기업 CEO와 자산가들이 현재 자신의 상황에서 가장 적절한 자산관리, 가업승계 노하우를 찾도록 도와준다.

송경학 지음 | 274쪽 | 신국판 | 값 20,000원

## 어둠의 딸, 태양 앞에 서다

### 초라한 들러리였던 삶을 행복한 주인공의 삶으로!

세계적인 베스트셀러 《시크릿》의 주인공 밥 프록터의 유일한 한국인 제자인 조성희의 첫 번째 에세이집. 스스로 어둠의 딸이었다고 할 정도로 어려운 환경에서 마인드 교육을 통해 변화한 저자의 진솔한 이야기가 담겨 있다. '어둠'을 '얻음'으로 역전시키는 그녀만의 마인드 파워는 고뇌에 찬 결단과 과감한 도전정신으로 만들어낸 선물이다. 누구나 생각하는 대로 인생을 멋지게 살 수 있다. 어떻게 목표를 세우고, 어떤 생각을 하고, 무슨 꿈을 꾸느냐에 따라 인생은 달라진다. 꿈이 없어 짙은 어둠의 터널 속에서 절망을 먹고사는 사람들뿐만 아니라 심장이 뛰는 새로운 돌파구를 찾으려는 모든 사람에게 중독될 수밖에 없는 필독서다.

조성희 지음 | 404쪽 | 신국판 | 값 18,900원

## 니들이 결혼을 알어?

### 결혼이라는 바다엔 수영을 배운 후 뛰어들어라!

결혼은 액션이다! 아무런 행동도 하지 않고 막연히 앉아서 행복하길 기다리는 사람들의 결혼은 그 자체로 불행한 일이다. 이 책은 이병준 심리상담학 박사와 그의 아내이자 참행복교육원에서 활동하고 있는 공동 저자 박희진 실장이 상담현장에서 접한 생생한 사례를 토대로 하고 있다. 기혼자들과 결혼 판타지에 빠진 청춘에게 '꼭 해주고 싶은 말'을 읽기 쉬운 스토리 형식으로 담았다. 대부분 경고 수준의 문구지만 결혼식 준비는 철저하게 하면서 결혼준비는 소홀히 하는 이들에게 결혼의 중요성을 일깨워준다. 늘 머리에 '살아? 말아?'를 넣어두고 살아가는 이들에게 '까짓 살아보지 뭐!' 라며 툴툴 털고 일어서게 하는 힘을 줄 것이다.

이병준 · 박희진 지음 | 380쪽 | 신국판 | 값 18,000원

## 화웨이의 위대한 늑대문화

### 화웨이의 놀라운 성공신화! 그 중심에 늑대문화가 있다!

지난 20여 년간 화웨이가 성공할 수 있었던 비결은 도대체 무엇일까? 어떻게 해서 계속 성공을 복제할 수 있었을까? 화웨이의 다음 행보는 무엇일까? 화웨이의 68세 상업사상가, 마흔을 넘긴 기업 전략가 10여 명, 2040세대 중심의 중간 관리자, 10여만 명에 달하는 2030세대 고급 엘리트와 지식인이 주축이 된 지식형 대군이 전 세계를 누빈다. 전통적인 기업 관리 이론과 경험은 대부분 비지식형 노동자 관리에서 비롯했다. 이제 인터넷 문화 확산이라는 심각한 도전 앞에서 지식형 노동자의 관리 이론과 방법이 필요하다. 이를 꿰뚫은 런정페이의 기업 관리 철학은 당대 관리학의 발전에 크게 이바지했다.

텐타오, 우춘보 지음 | 이지은 옮김 | 452쪽 | 4×6배판 | 값 20,000원

## 잘못된 치아관리가 내 몸을 망친다

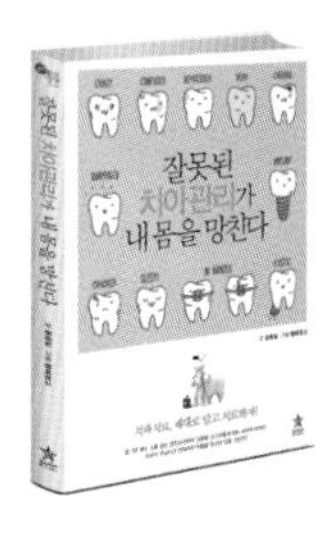

### 마케팅의 성공 비결은 스토리와 공감이다!

치아는 잠자리에서 일어나는 아침부터 잠자리에 드는 저녁까지 모든 음식을 맛보는 즐거움을 우리에게 선사한다. 오복의 한 가지라 할만큼 치아건강은 인간의 행복에 큰 영향을 미친다. 이 책에서 치과의사인 저자는 일상생활에서 지켜야 할 치아 건강 관리법은 물론 상세한 치과 진료 과정, 치과 진료에서 궁금했던 점을 들려준다. 또한 잘못된 치아관리가 내 몸을 망칠 수 있으므로 제대로 알고 제대로 치료해야 건강한 치아를 간직할 수 있다고 강조한다. 이 책에는 치아전문 일러스트레이터들이 그린 생생한 일러스트를 실어 치료 과정을 쉽게 이해할 수 있도록 했다. 다양한 증상에 어떻게 대처해야 하는지 알려주는 유용한 책이다.

윤종일 지음 | 312쪽 | 4×6배판 | 값 20,000원

# 스타리치 어드바이져는 기업을 위한 최상의 플랫폼을 제공합니다!

1 전문가 자문 그룹 지원
세무사 / 회계사 / 변호사 / 노무사 / 법인 현장 실무 전문가 / 교육 전문가

2 조세일보 기업지원센터 운영
기업의 성장과 연속성을 위한 컨설팅 전문 조세일보 기업지원센터 설립

3 CEO 포럼 개최
기업의 성장과 연속성을 위한 CEO 포럼 개최

4 좋은 책을 만드는 스타리치북스 출판사
스타리치 어드바이져의 계열사로, 경제 · 경영, 자기계발, 문학서적 등을 출판하는 종합 출판사

5 100년 기업을 위한 CEO의 경영 철학 계승 전략, CEO 자서전 플랜
기업의 DNA와 핵심가치를 유지하는 질적 성장의 힘! 세상을 움직이는 리더십, 자서전은 또 다른 이름의 리더십!

풀칠 하는 곳

StarRich Advisor / StarRich Books

서울시 강남구 강남대로62길 3 한진빌딩 5층
(주) 스타리치 어드바이저&북스 담당자 앞
135-937

풀칠 하는 곳

우편요금
수취인 후납 부담
발송유효기간
2014. 12.3~2016. 12.3
서울 강남우체국
제41617호

보내는 사람

접는 선

# 진정한 노력은 결코 배신하지 않는다!

**한국 프로야구의 전설, 백인천의 리더십**

야구 중독, 불멸의 4할 타자!
건강 중독, 뇌경색 완전 극복!
진정한 프로라면 그 분야에 대한 지식과
중독에 가까운 노력, 경험이 필수다!

백인천 지음 | 388쪽 | 신국판 | 값 20,000원

StarRich Advisor / StarRich Books

절취 선

## 스타리치 패밀리 회원이란?

하나의 아이디로 스타리치에서 운영하는 사이트(스타리치 어드바이져, 스타리치북스, 스타리치몰 등)와의 모든 거래 및 서비스 이용을 편리하고 안전하게 사용할 수 있는 스타리치 통합 회원제 서비스입니다.

## 스타리치 패밀리 회원 혜택

- 스타리치 어드바이져에서 제공하는 재무 관련 정보 제공
- 스타리치 어드바이져/북스에서 주최하는 포럼 및 세미나 정보 제공
- 스타리치북스에서 주최하는 북콘서트 사전 초대
- 스타리치북스 신간 도서 메일 서비스 제공
- 스타리치몰에서 사용 가능한 적립 포인트 제공

## 스타리치 패밀리 회원 등록

| 이름 | | 연락처 | |
|---|---|---|---|
| 주소 | | 생년월일 | |
| 이메일 주소 | | 구매 도서명 | 백인천의 노력자애 |
| 패밀리 회원 ID | | 소속(회사/학교) | |

사용하실 패밀리 회원 ID를 적어주시면 문자로 임시 비밀번호를 발송해드립니다.
기존 스타리치 패밀리 회원일 경우 등록된 ID만 기재 바랍니다.

접는 선

## 개인정보 사용 동의서

스타리치 패밀리 홈페이지는 수집한 개인정보를 다음의 목적을 위해 활용합니다. 이용자가 제공한 모든 정보는 하기 목적에 필요한 용도 이외로는 사용되지 않으며, 이용 목적이 변경될 시에는 사전동의를 구할 것입니다.

1) 회원관리
① 회원제 서비스 이용 및 제한적 본인 확인제에 따른 본인확인, 개인 식별
② 불량회원의 부정 이용방지와 비인가 사용방지
③ 가입의사 확인, 가입 및 가입횟수 제한
④ 분쟁 조정을 위한 기록보존, 불만처리 등 민원처리, 고지사항 전달

2) 신규 서비스 개발 및 마케팅 · 광고에의 활용
① 신규 서비스 개발 및 맞춤 서비스 제공
② 통계학적 특성에 따른 서비스 제공 및 광고 게재, 서비스의 유효성 확인
③ 이벤트 및 광고성 정보 제공 및 참여기회 제공
④ 접속빈도 파악 등에 대한 통계

상위 내용에 동의합니다.

년 월 일 서명 ______________ (인)

스타리치 패밀리 회원 비밀번호 변경은 www.starrichmall.co.kr에서 하실 수 있습니다.
엽서를 보내주시는 분들에 한하여 스타리치몰에서 사용 가능한 포인트(도서 정가의 5%)를 지급해 드립니다.
앞으로 더욱 다양한 혜택을 드리고자 노력하는 스타리치가 되겠습니다. **문의** 02-6969-8903 starrichbooks@starrich.co.kr

절취 선